巴渝中医古籍通考

张浩　彭燕梅　著

中医古籍出版社
Publishing House of Ancient Chinese Medical Books

图书在版编目（CIP）数据

巴渝中医古籍通考 / 张浩，彭燕梅著 . -- 北京：中医古籍出版社，2025. 9. -- ISBN 978-7-5152-3057-3

Ⅰ. R2-5

中国国家版本馆 CIP 数据核字第 2025PX5551 号

巴渝中医古籍通考

张 浩 彭燕梅 著

策划编辑 杨淑媛
责任编辑 李 洪
封面设计 LUCKY
出版发行 中医古籍出版社
社 址 北京市东城区东直门内南小街 16 号（100700）
电 话 010-64089446（总编室） 010-64002949（发行部）
网 址 www.zhongyiguji.com.cn
印 刷 廊坊市靓彩印刷有限公司
开 本 787mm×1092mm 1/16
印 张 19.5 彩插 0.5
字 数 380 千字
版 次 2025 年 9 月第 1 版 2025 年 9 月第 1 次印刷
书 号 ISBN 978-7-5152-3057-3
定 价 128.00 元

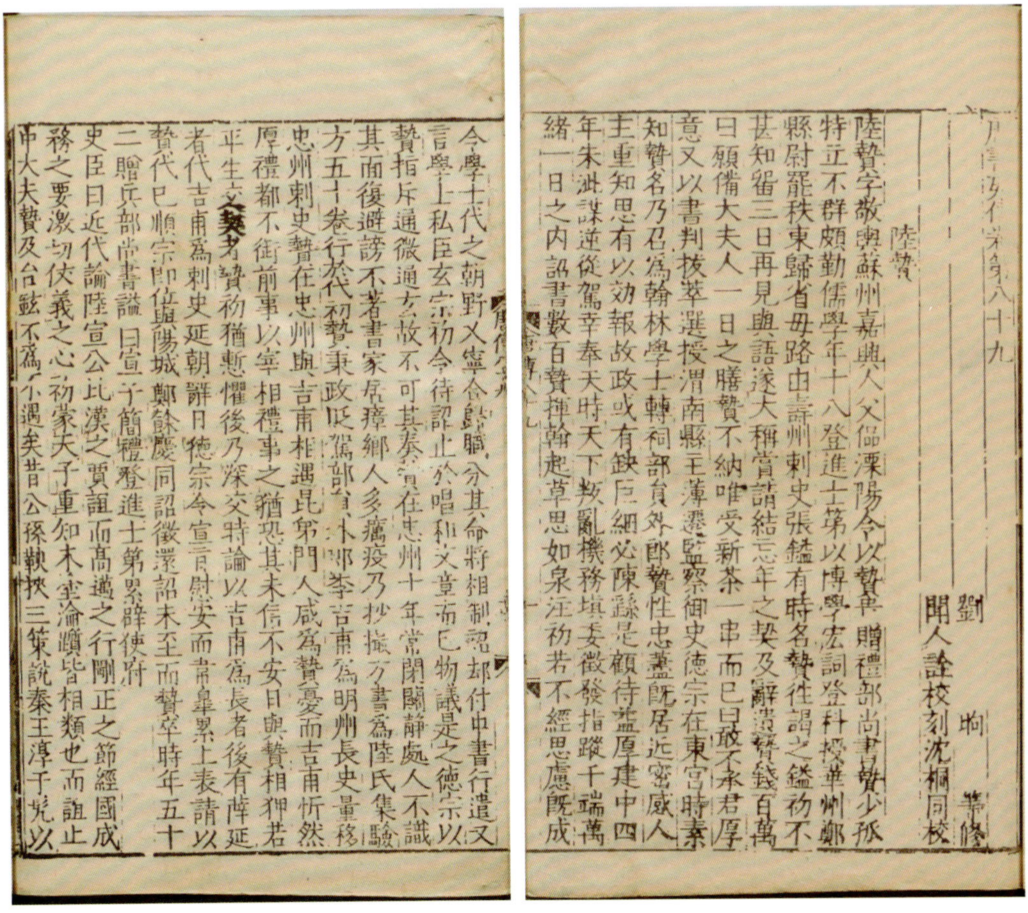

唐書列傳第八十九

劉 昫 等修

聞人詮校刻沈桐同校

陸贄

陸贄字敬輿蘇州嘉興人父侃溧陽令以贄貴贈禮部尚書贄少孤特立不群頗勤儒學年十八登進士第以博學宏詞登科授華州鄭縣尉罷秩東歸省母路由壽州刺史張鎰有時名贄往謁之鎰初不甚知留三日再見與語遂大稱賞請結忘年之契及辭遺贄錢百萬曰願備太夫人一日之膳贄不納唯受新茶一串而已曰敢不承君厚意又以書判拔萃選授渭南縣主簿遷監察御史德宗在東宮時素知贄名乃召為翰林學士轉祠部員外郎贄性忠藎既居近密感人主重知思有以効報故政或有缺巨細必陳繇是顧待益厚建中四年朱泚謀逆從駕幸奉天時天下叛亂機務填委徵發指蹤千端萬緒一日之內詔書數百贄揮翰起草思如泉注初若不經思慮既成

令學士代之朝野又寧合歸贈分其命將相制詔卻付中書行遣又言學士私臣玄宗初令待詔止於唱和文章而已物議是之德宗以贄指斥通微通玄故不可其奏贄在忠州十年常閉關靜處人不識其面復避謗不著書家居瘴鄉人多癘疫乃抄撮方書為陸氏集驗方五十卷行於代初贄秉政貶駕部員外郎李吉甫為明州長史量移忠州刺史贄在忠州與吉甫相遇昆弟門人咸為贄憂而吉甫忻然厚禮都不銜前事以宰相禮事之猶恐其未信不安日與贄相狎若平生交贄初猶慚懼後乃深交時論以吉甫為長者後有薛延者代吉甫為刺史延朝辭日德宗令宣旨慰安而韋皋累上表請以贄代已順宗即位與陽城鄭餘慶同詔徵還詔未至而贄卒時年五十二贈兵部尚書諡曰宣子簡禮登進士第累辟使府

史臣曰近代論陸宣公比漢之賈誼而高邁之行剛正之節經國成務之要激切仗義之心初蒙天子重知末塗淪躓皆相類也而誼止中大夫贄及台鉉不爲不遇矣昔公孫鞅挾三策說秦王淳于髡以

《旧唐书》关于陆贽被贬忠州时编《陆氏集验方》的记载

明嘉靖闻人诠刻本

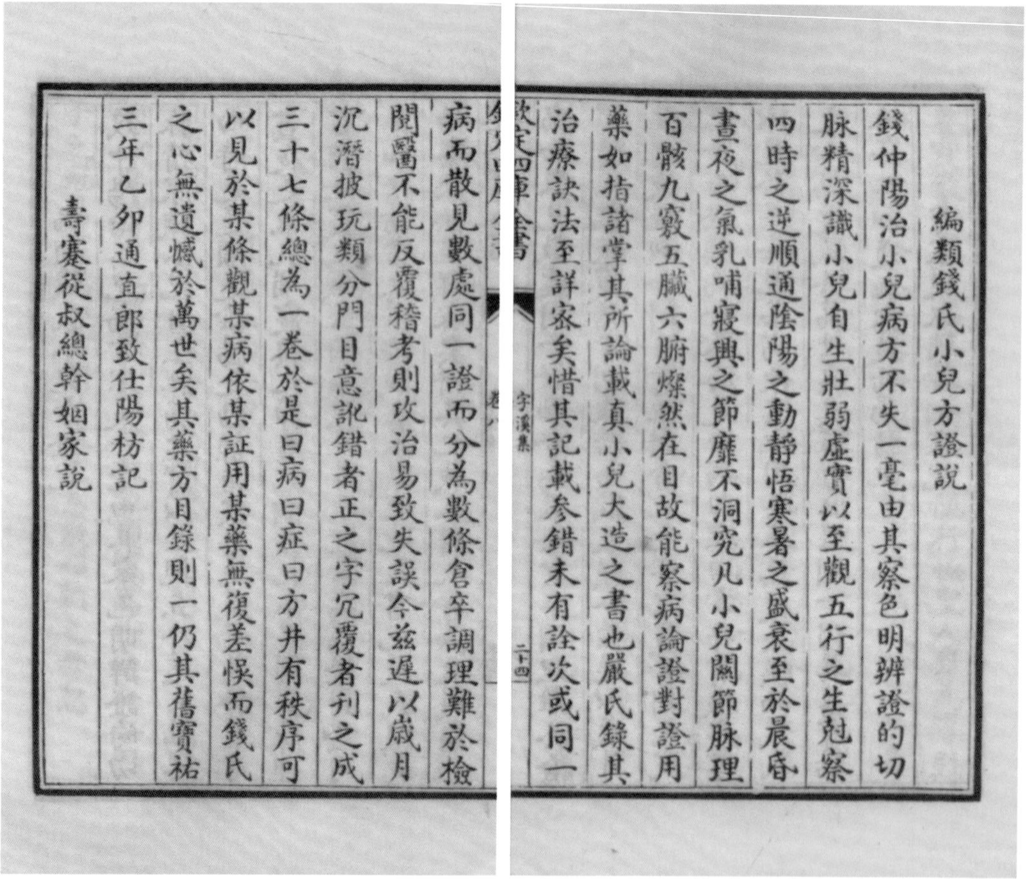

編類錢氏小兒方證説

錢仲陽治小兒病方不失一毫由其察色明辨證的切脉精深識小兒自生壯弱虛實以至觀五行之生尅察四時之逆順通陰陽之動静悟寒暑之盛衰至於晨昏晝夜之氣乳哺寢興之節靡不洞究凡小兒關節脉理百骸九竅五臟六腑燦然在目故能察病論證對證用藥如指諸掌其所論載真小兒大造之書也嚴氏錄其治療訣法至詳密矣惜其記載參錯未有詮次或同一病而散見數處同一證而分為數條倉卒調理難於檢閲醫不能反覆稽考則攻治易致失誤今茲遲以歲月沉潛披玩類分門目意訛錯者正之字冗覆者刊之成三十七條總為一卷於是曰病曰症曰方井有秩序可以見於某條觀某病依某証用某藥無復差悮而錢氏之心無遺憾於萬世矣其藥方目錄則一仍其舊實祐三年乙卯通直郎致仕陽枋記

壽蹇從叔總幹姻家説

《字溪集》卷八《编类钱氏小儿方证说》南宋合州阳枋撰

民国商务印书馆影印文渊阁四库全书本

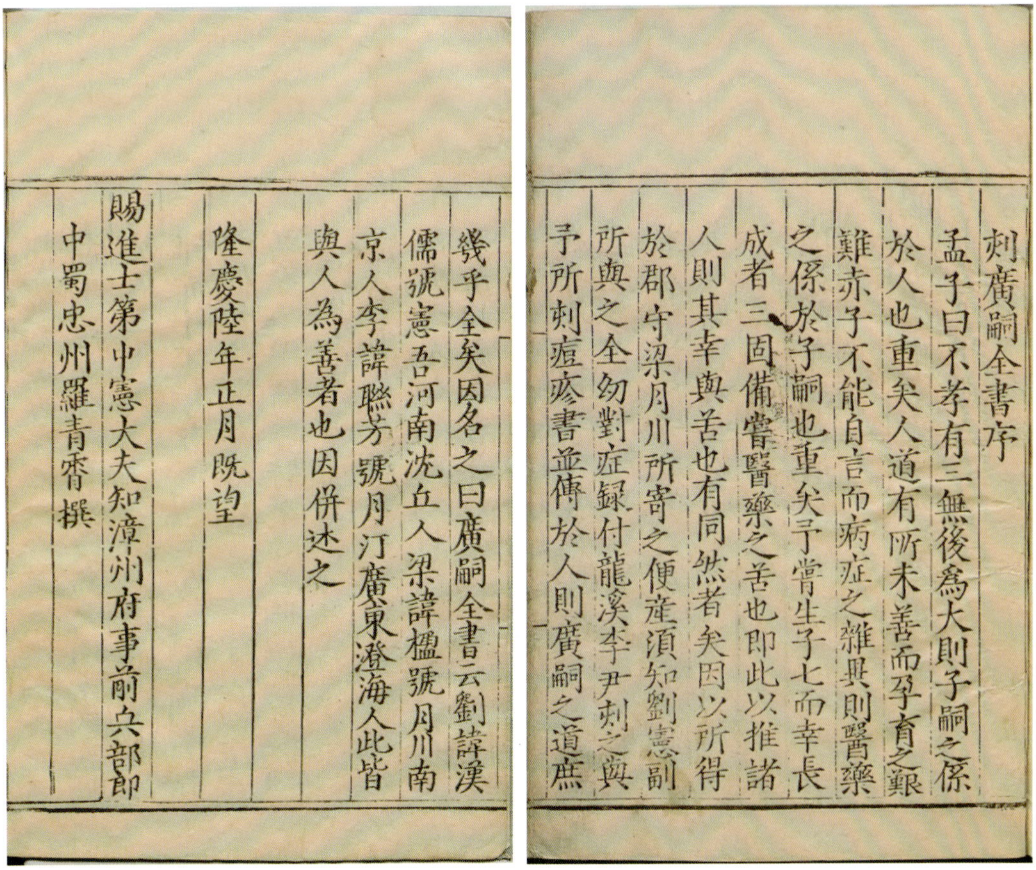
刻廣嗣全書序

孟子曰不孝有三無後爲大則子嗣之係於人也重矣人道有所未善而孕育之艱難赤子不能自言而病症之雜出則醫藥之係於子嗣也重矣予嘗生子七而幸長成者三固備嘗醫藥之苦也即此以推諸人則其幸與苦也有同然者矣因以所得於郡守梁月川所寄之便産須知劉憲副所與之全幼對症録付龍溪李尹刻之與予所刻痘疹書並傳於人則廣嗣之道庶幾乎全矣因名之曰廣嗣全書云劉諱溪儒號憲吾河南沈丘人梁諱樞號月川南京人李諱聯芳號月汀廣東澄海人此皆與人為善者也因併述之

隆慶陸年正月既望

賜進士第中憲大夫知漳州府事前兵部郎中蜀忠州羅青霄撰

《广嗣全书》明代忠州罗青霄辑补

明隆庆六年（1572）龙溪李联芳刻本

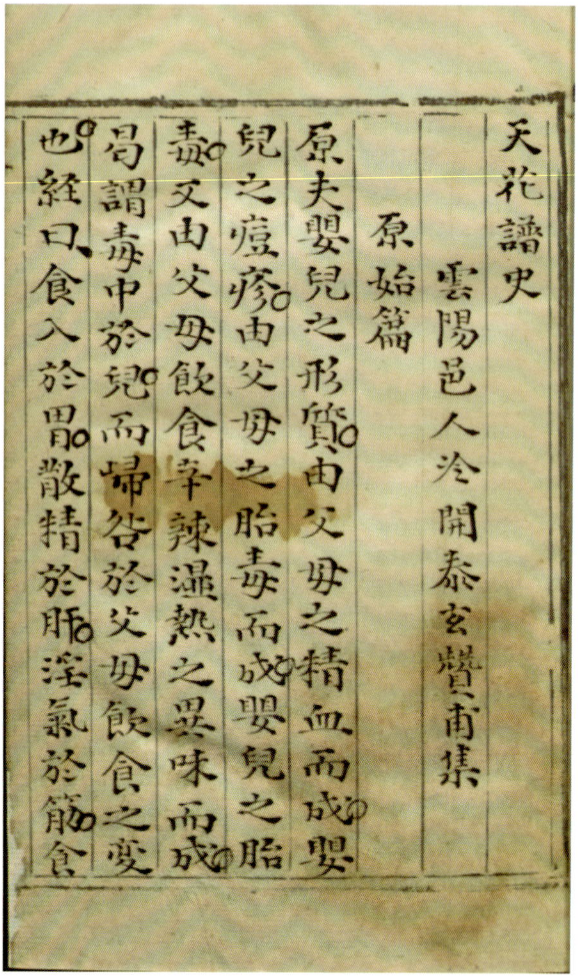

天花譜史

雲陽邑人冷開泰玄贊甫集

原始篇

原夫嬰兒之形質由父母之精血而成嬰兒之痘疹由父母之胎毒而成嬰兒之胎毒又由父母飲食辛辣濕熱之異味而成曷謂毒中於兒而歸咎於父母飲食之變也經曰食入於胃散精於肝淫氣於筋食

《天花谱史》明代云阳冷开泰辑

明蓝格钞本

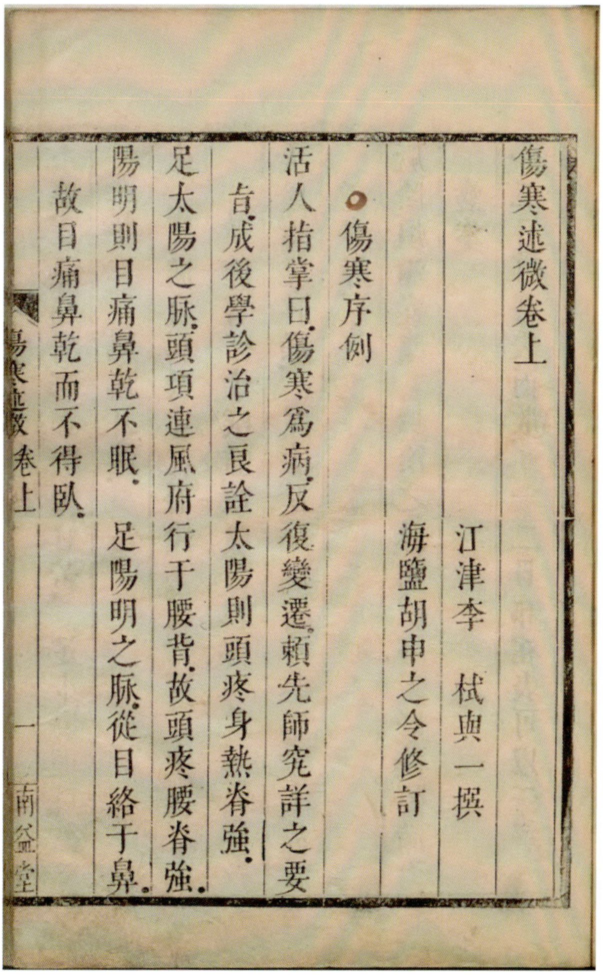
傷寒述微卷上

江津李　栻輿一撰

海鹽胡申之令修訂

○傷寒序例

活人指掌曰，傷寒爲病，反復變遷，賴先師究詳之要旨，成後學診治之良詮。太陽則頭疼身熱脊強。足太陽之脉，頭項連風府，行于腰背，故頭疼腰脊強。陽明則目痛鼻乾不眠。足陽明之脉，從目絡于鼻，故目痛鼻乾而不得臥。

傷寒述微　卷上　一　南益堂

《伤寒述微》清代江津李栻撰

清康熙南益堂刻本

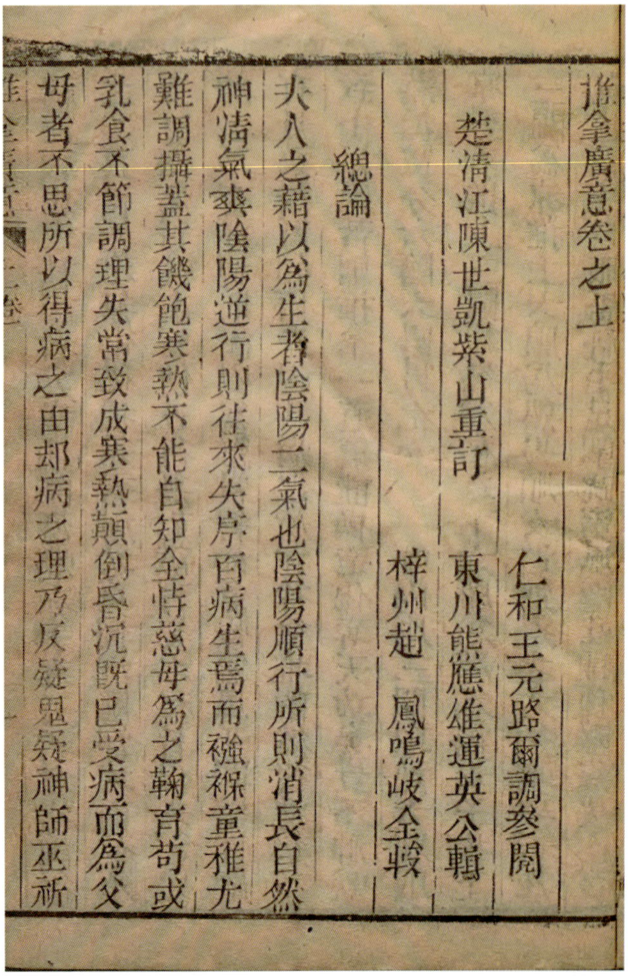

推拿廣意卷之上

楚清江陳世凱紫山重訂

仁和王元路爾調參閱

東川熊應雄運英公輯

梓州趙　鳳鳴岐全較

總論

夫人之精以爲生者陰陽二氣也陰陽順行所則消長自然神清氣爽陰陽逆行則往來失序百病生焉而襁褓童稚尤難調攝蓋其饑飽寒熱不能自知全恃慈母爲之鞠育苟或乳食不節調理失常致成寒熱顛倒昏沉既已受病而爲父母者不思所以得病之由却病之理乃反疑鬼疑神師巫祈

推拿廣意　上卷　一

《推拿广意》（又名《推拿广义》）清代忠州熊应雄辑

清道光十二年（1832）嘉郡博古堂刻本

内容提要

本书对成书于清宣统三年（1911）及以前的历代巴渝中医药古籍进行了系统梳理与考证，共收录医籍125种，其中存世医籍73种，亡佚医籍52种，分唐代卷、宋代卷、明代卷、清代卷四部分，其中明代、清代两卷再分存部、佚部，各卷内均采用分条著录方式，以医籍成书时间先后进行排序。本书收录诸多珍稀文献，大量使用本地志书资料，而且旁及外地资料，对相关文献进行考证，具有较高的学术价值，可供相关文献研究者学习参考。

序　言

近年来，随着中医学术研究高潮的到来，中医目录学研究成果逐渐丰硕，《中医图书联合目录》已修订至第四版（即《新编中国中医古籍总目》），《中国医籍续考》《中国医籍补考》《浙江医籍考》《岭南医籍考》《苏沪医籍考》等著作的相继出版，对中医古籍整理利用与保护发挥了重要作用。四川早年出版的《四川医林人物》和近年出版的《川派中医药源流与发展》《中医流派传承丛书·川派中医》等巴蜀地域医学研究著作虽已涉及部分重庆医家和文献，但其内容或不够深入和全面。目前面世的巴渝中医古籍主要为万州、合川、涪陵等地整理的乡邦中医文献，而系统反映巴渝中医古籍全貌的著作向付阙如。《巴渝中医古籍通考》的问世，一举突破了这一沉闷局面。该书对成书于清宣统三年（1911）及以前的历代巴渝中医药古籍进行了系统收集与考证，共收录医籍125种，其中存世医籍73种，亡佚医籍52种。著录内容主要包括题名、著者、出典、考略、提要、序跋、版本及存佚等，字数达30余万字，既便于古籍检索，又具有很高的学术研究价值，可喜可贺！

该书的学术价值首先在于新收不少珍稀文献，如《意然集》《六经释义》《医道溯源》等新近发现的孤本文献，以及《天花谱史》《云峰医案》《济世金丹》《桐君阁丸药提要》等数种《新编中国中医古籍总目》未著录的存世文献。

其次在于新的相关文献考证成果引人注目。目录学著作本为学者指示治学门径，但若仅有题名、著者、版本、收藏馆等资料而没有考证研究，读者仍难以全面认识文献的要点，如本为一书，但书名、作者、版本不同的同书异名等情况。该书对医籍题名、成书时间、著者、内容、版本等进行了精到的考证，有不少新的史料发现和研究结论，使得该书的学术价值大为增加。

就著者而言，不仅大量参考本地志书资料，而且旁及外地资料，如《广嗣全书》作者罗青霄宦迹出康熙五十四年《漳州府志》等。对著《仲景存真集》的吴蓬莱，作者通过考证合川历史，认为吴蓬莱即清代合州（今重庆市合川区）名医吴光慧，字海山，蓬莱为其号，而非《中国医籍志》中记载的河南濮阳人。重庆市梁平区原名梁山县，始设于西魏元钦二年（553），此后一千余年从未更名。作者对《中医古籍珍本提要》在《杨氏提纲医方纂要》中称杨旦升为“清代梁山（今属山东）人”一说提出疑议，认为山东省梁山县始设于1949年，而该书卷端见署“西蜀梁山杨旭东映斋手辑”，从而明确杨旦升为四川梁山人，即今重庆市梁平区人。

作者通过合阳的古代地名、旧例、当地文人吟咏诗词及“合阳八景”等说，考证《医学一统》的著者黄为良当为合州（今重庆市合川区）人，而非《中医古籍珍本提要》所称山西安泽人。熊应雄的里籍，历来学者主要据其自序所署“西蜀后学熊应雄运英谨识”及卷端所署“东川熊应雄运英公辑”两处，知其为川东人。作者通过发现清道光《忠州直隶州志》（以下简称《州志》）卷八《人物志》有“熊应雄，字际可，郡诸生”的记载，又考《州志》所载“康熙初年，佐杭中丞平定吴逆余烬，议叙功，责任青田县知县”，与熊应雄自序所称“丙辰岁，余仗策军前，亲民青邑”相符，从而明确熊应雄的籍贯为忠州，即今重庆市忠县。

其考证研究资料不仅来源于医学文献本身，而且旁及史书、方志、私家书目、文集等。如有关《陆氏集验方》的卷数，作者在考证比较《旧唐书》《新唐书》《郡斋读书附志》《赵定宇书目》《脉望馆书目》等书记载及唐代医家方书卷数特点、唐代文人所编集方书卷数之后，提出以二卷较为可靠。《草木便方一元集》著者刘兴卒于清同治十二年（1873），而此书实由其子刘尚弱以《耄寿医学》为基础编成于清同治九年（1870），故而提出“作者完稿后即卒”一说当误。

资阳李洞书《痘疹慈航》刻本的版本情况较为混乱，作者发现署“同治乙丑资阳重刊”的有“经纶堂藏板”等四种版本，同时还发现有未署藏板地的版本存世，故而提出上述四种版本为屡次撤换牌记后刷印而成。

综上所述，该书既有通考之名，在文献考证上有不少创新成果，又具首部系统反映巴渝中医古籍全貌之实，故乐于向读者推荐。

和中浚

2025年6月19日于西蜀补拙堂

凡 例

本书对成书于清宣统三年（1911）及以前的历代巴渝中医药古籍进行了系统梳理与考证，共收录医籍125种，其中存世医籍73种，亡佚医籍52种。

本书分唐代卷、宋代卷、明代卷、清代卷四部分，其中明代、清代两卷再分存部、佚部。各卷内均采用分条著录方式，以医籍成书时间先后进行排序。各条著录内容主要包括题名（含子目）、著者、出典、考略、提要、序跋、凡例、版本及存佚等项。

一、收录范围

本书收录范围为重庆籍贯人士所著医籍和外来籍贯人士寓居重庆时所著医籍。

（1）本书所据重庆（巴渝）籍贯范围以今重庆市辖二十六区、八县、四自治县为准。大致唐代取山南西道渝州、涪州、合州，山南东道夔州、开州、万州、忠州，黔中道南州、溱州、黔州，以及剑南道潼南。宋代取夔州路恭州、涪州、溱州、忠州、黔州、万州、开州、夔州、南平军、梁山军、云安军、大宁监，田氏辖酉阳、秀山，梓州路合州、昌州、遂州潼南。明代取重庆府、夔州府、潼川府潼南。清代取重庆府、夔州府、酉阳州、忠州、石砫厅、太平厅、潼川府潼南。

（2）本书所收存世医籍以木刻、铅印、石印等印本为主，稿抄本由于版本问题较为复杂，故谨慎收录。

（3）本书所收亡佚医籍所据资料一般不晚于1949年（注:《脉理挈要》除外，具详下文）。

（4）本书所收医籍成书时间不详者，以著者卒年为准。若著者卒年无法准确界定为清宣统三年（1911）之前或之后者，原则上予以收录，并加以说明，以待后考。

（5）本书所收《脉诀总赋》一书，原系清代江西名医张亦仙寓居石砫厅时所撰，以抄本流传，至1979年始由石柱陶昔安、陶晋安兄弟加以整理出版。然经笔者详考，其原书主体仍存，故予以收录，特此说明。

（6）本书所收《脉理挈要》一书，为清代垫江名医罗绥堂所撰。兹考其所撰

《医学崇正三种》成书于清光绪二十年（1894），今两书之名均见于《垫江县志》，故暂予收录，以待后考。

二、著录次序

本书著录次序以医籍成书时间先后为主。

（1）本书所收存世医籍成书时间不详者，以其抄存、整理、初刊时间或著者卒年代之。

（2）本书所收亡佚医籍，主要出自地方志书记载，故著录次序参考地方志书成书时间先后。若为同书所载，则再加考证，酌为定序。

（3）本书清代存部二所收医籍均为丛书，丛书内各书编撰时间不一，存在时间交叉情况，故以丛书内最晚成书医籍为准，进行排序。

（4）本书所收《耄寿医学》（佚）系《草木便方一元集》（存）之原稿，两书不宜分置，故将其附于《草木便方一元集》之后。

（5）本书所收《正骨法门》（佚）《接骨纪略规条》（佚）系《正骨心法》（存）之第一、第二稿，三书不宜分置，故将两书附于《正骨心法》之后。

（6）本书所收《新刊经效妇科》一书，笔者经查未见，但今人陈先赋、刘时觉均曾见阅此书，故仍列存部，以待后考。

（7）本书所收《伤寒辨证集解等四种》，本系合刻，而非丛书，然历来书目多按丛书著录，故一仍其旧。

三、著录规则

本书著录内容主要包括题名（含子目）、著者、出典、考略、提要、序跋、凡例、版本及存佚等项。此外，《天花谱史》一书未见序跋，故补充著录目录项；《（周氏）医学入门》一书补充著录出版项。具体规则如下。

1. 题名项

题名项由书名（含子目）、卷数、成书时间、存佚四部分组成。

（1）书名一般以医籍早期版本卷端所题或早期史志书目著录为准。凡涉及一书多名者，参考《中国中医古籍总目》《新编中国中医古籍总目》等，取其通行者为正名，其余名称则附于正名之下。

（2）卷数一般以医籍早期版本实际卷数为准。

（3）成书时间一般以公元纪年方式著录。无法确定成书时间者，则以“约某年”“某年至某年”“某年之前”“某代”“某（代）前/中/后期”等代之。

按一般历史分期习惯，明前期即洪武至宣德朝（1368—1435），明中期即正统至嘉靖朝（1436—1566），明后期即隆庆至崇祯朝（1567—1644），清前期即顺治至雍正朝（1644—1735），清中期即乾隆至道光朝（1736—1850），清后期即咸丰至宣统朝（1851—1911）。

（4）凡现代公私藏书目录未予著录，且经笔者多方查阅仍未见之医籍，统一著录为“佚”。

2. 著者项

著者项主要包括著者所处时代及著者姓名、字、号、法号等。

（1）凡著者所处时代涉及朝代更迭者，以医籍成书时间为准。若医籍成书时间亦不详者，参考《新编中国中医古籍总目》及其生平履历，酌为确定。

（2）凡著者姓名、字、号关系无法判断者，取其通行者为名。

（3）凡著者系僧侣者，在其法名前冠以“释”字。

3. 出典项

出典项主要引用医籍早期书目著录。

（1）医籍见载于1949年以前书目者，悉数引用。

（2）医籍见载于1949年以后书目者，一般引用其最早著录。若著录文字发生较大改动者，补充引用。

（3）医籍见载于1949年以后书目，但属《四部总录医药编》《贩书偶记续编》等古典书目者，悉数引用。

4. 考略项

考略项主要介绍著者生平及医籍成书背景等相关资料。

（1）考略项所引史料以清代及以前古籍文献为主，民国文献为辅，建国后文献较少引用。

（2）考略项所引史料文献大部分直接引自古籍原本或其图像资料，但由于古籍客观存在的版本问题，导致不同版本文字可能存在出入，因而本书所引史料文献多取学界公认善本。如《旧唐书》取明嘉靖闻人诠刻本，《新唐书》取明万历北监本，《述古堂书目》取清初曹溶校抄本，《贰臣传》取清木活字本，《郡斋读书志》取清康熙陈师曾刻本，《字溪集》取民国商务印书馆影印文渊阁四库全书本。各地方志书，大多取其初刻本。

（3）凡著者未见传记者，酌为补充。

5. 提要项

提要项介绍医籍主要内容、学术特色等。

（1）凡属1949年以前编纂之提要，悉数引用，如《郡斋读书附志》《中国医学大成总目提要》《中国医学大辞典》等。

（2）凡属1949年以后编纂之提要，择其文字精炼、纲举目张者引用，如《续修四库全书总目提要》《珍本医书提要》《中国医籍大辞典》等。

（3）凡未见提要者，酌为补充。

6. 序跋项

序跋项主要介绍与医籍成书及刊刻有关的序言、跋文、题识、赞语等。

（1）本书所引序跋，一般直接引自医籍原本或其图像资料，并进行简化处理。

（2）本书所引序跋，凡因版本不同致文字出入者，一般以早期版本为准。

（3）本书所引序跋，错字、异体字、别字、古今字（如已与己、轩歧、歧伯、歧黄、岐路、言简意该、全愈等）径改为规范用字，因本书实欲为从事巴渝中医文献研究者作一指南，并非一般点校类著作，且所引序跋浩繁，故径改处亦不出注，希阅者谅解。

（4）本书所引序跋，凡系脱文或模糊难以辨认者，以虚阙号“□”按所缺字数补入；无法计算字数者，以“▨”补入。

（5）考略、出版、凡例等项所引文献点校规则悉同此项。

7. 凡例项

凡例之制，出现较晚，清后期方蔚然成风。然凡例多为著者亲撰，对于医籍编撰体例及主要内容的了解，大有裨益，故而择其精善者，一并录之。除将“一”字符统一改为“一、二、三……”汉字序码外，余引载规则大致同“序跋项”，不再赘述。

8. 版本及存佚项

版本及存佚项主要介绍医籍编撰、刊刻、流传过程。存佚以笔者实见医籍原本或其图像资料为准，标注为“未见”者，为有相关书目著录，但笔者尚未亲见。因本书非目录学专书，故所列医籍版本信息及馆藏地点较为简略，阅者欲知其详，可参考《中国中医古籍总目》《新编中国中医古籍总目》等。

目 录

唐代卷

宋代卷

明代卷

存部

佚部

清代卷

存部一

存部二

佚部

唐代卷

陆氏集验方 二卷（795—805） 佚

又名今古集验方、陆宣公经验方、陆氏应验良方等

〔唐〕陆贽（敬舆、宣公）编

出典

旧唐书·陆贽传 陆贽。陆氏集验方五十卷。

新唐书·陆贽传 陆贽。今古集验方五十篇。

新唐书·艺文志 陆氏集验方十五卷。陆贽。

通志·艺文略 陆氏集验方十五卷。陆贽。

国史经籍志 陆氏集验方十五卷。陆贽。

郡斋读书附志 陆宣公经验方二卷。

赵定宇书目 陆氏应验良方一本。

脉望馆书目 陆氏应验良方一本。

按：关于《陆氏集验方》一书卷数，历代史志书目著录多有出入，可见五十卷、十五卷、二卷等说，又有言五十篇或一本者。《陆氏集验方》为陆贽被贬忠州时所编，约成书于唐贞元十一年（795）至永贞元年（805）之间，然而该书早已亡佚，其确切卷数已不可知。

《旧唐书》《新唐书》两书均由官方主持修撰，其中《旧唐书》由刘昫等于后晋开运二年（945）修成，《新唐书》由宋祁等于北宋嘉祐五年（1060）修成。《新唐书》卷五十七至六十即《艺文志》部分。然而，上述三处关于《陆氏集验方》卷数著录不一，姑存其疑。

《通志·艺文略》（以下简称《艺文略》）为南宋史学家郑樵于绍兴三十一年（1161）编成。郑樵曾自述其编撰方法和著录依据："今所纪者，欲以纪百代之有无。然汉晋之书，最为希阔，故稍略。隋唐之书，于今为近，故差详。《崇文》《四库》及民间之藏，乃近代之书，所当一一载也。"现代学者对《艺文略》一书著录依据多有考证。程千帆先生认为，《艺文略》尽列古今公私目录所收之书于一编。王重民先生曾对《艺文略》著录书目进行统计，其数量与《汉志》《隋志》《旧唐志》

及北宋三部国史《艺文志》去除重复后大致相当，并进一步指出，由于当时尚无补史《艺文志》做依据，郑氏又没有特别的时间去参考更多公私藏书目录，因而并没有实现他的既定目的和要求。姚名达先生则具体指出，郑氏所据书目为《汉志》《隋志》《唐志》《新唐志》《崇文总目》《四库书目》《道藏书目》及民间所藏《荆州田氏目录》《漳州吴氏书目》之类。乔衍琯先生在这一问题上曾进行细致考证，并明确指出《艺文略》所据资料主要是《隋志》《新唐志》《崇文总目》三书，再就是《汉志》《四库书目》及一些私家书目。

《国史经籍志》为明代史学家焦竑所撰，始撰于万历二十二年（1594）。学界一般认为，该书只据旧目，未加实地调查。《四库全书总目提要》称："顾其书丛钞旧目，无所考核，不论存亡，率尔滥载，古来目录，惟是书最不足凭。"

《新唐书·艺文志》《通志·艺文略》《国史经籍志》三处有关陆贽《陆氏集验方》的著录，内容完全一致。由此可知，郑氏、焦氏两处著录，或出自《新唐书·艺文志》一书。

《郡斋读书附志》为南宋著名藏书家、文献学家赵希弁所撰。赵希弁，字君锡，袁州（今江西宜春）人。宋太祖九世孙。江西漕贡进士。曾任秘书省校勘书籍，家中累世藏书甚富。南宋淳祐九年（1249），宜春郡守黎安朝重刊晁公武《郡斋读书志》时，聘其校正。赵希弁因就其所藏书籍，"删其重复，摭所未有"，以"已载者不复取，未有者补其缺，其间互出者，盖详略之不同，文义之或异，而后来诸贤之所著述，亦藉以概见"为校录原则，别编成《附志》一卷。赵希弁《附志》依《读书志》之例，于每书之下撰写提要，记录作者、作品之梗概。赵希弁之著录多真实可信，具有较高的文献资料价值，四库馆臣辑南宋度正《性善堂集》时亦引用其著录。由此可知，赵希弁《郡斋读书附志》所收诸书，均为其家藏书籍，较为可信。

《赵定宇书目》《脉望馆书目》分别为明代著名藏书家赵用贤、赵琦美父子所撰私家藏书目录。赵用贤（1535—1596），字汝师，号定宇，南直隶常熟（今江苏常熟）人。赵琦美（1563—1624），原名开美，字仲朗。赵用贤、赵琦美父子均喜藏书，家中藏书之室名为脉望馆，藏书近5000种2万余册。赵氏父子先后据家中藏书撰成《赵定宇书目》《脉望馆书目》两书。由此可知，赵用贤、赵琦美父子所撰书目所收诸书，亦为其家藏书籍，较为可信。

又考现存唐代方书，孙思邈《千金方》为三十卷，《千金翼方》为三十卷，王焘《外台秘要方》为四十卷，均未及五十卷之多。陆贽本为卿相，被贬忠州十年，为解民众疾病，编集方书，其篇幅必不及孙、王两家数十年累牍繁简之浩繁。李唐一代，政客文人编集方书之风盛行。如《旧唐书·经籍志》载："崔氏纂要方十卷。崔知悌

（官户部尚书）撰”“孟氏必效方十卷。孟诜（官同州刺史）撰”。《新唐书·艺文志》亦载：“玄宗开元广济方五卷”“杨太仆医方一卷。失名。天授二年上”“薛弘庆兵部手集方三卷。兵部尚书李绛所传方，弘庆太和河中少尹”“薛景晦古今集验方十卷。元和刑部郎中，贬道州刺史”“刘禹锡（赠户部尚书）传信方二卷”。由此可见，唐代政客文人所编集方书，多则十卷，少则三两卷，超过十卷者寥寥。

综上所述，惟南宋赵希弁、明代赵用贤父子脉望馆曾亲藏《陆氏集验方》一书，并收入所编书目中，较为可信。《旧唐书》《新唐书》等书虽早出，且为官方编修，但比之亲见实藏，其可靠性仍稍显不足。因此笔者认为，《陆氏集验方》一书，其卷数应暂定为二卷，合一本（册），其内容或如《新唐书》所言合五十篇之数。

考略

旧唐书 卷一百三十九。列传第八十九。陆贽。陆贽，字敬舆，苏州嘉兴人。父侃，溧阳令，以贽贵，赠礼部尚书。贽少孤，特立不群，颇勤儒学。年十八登进士第，以博学宏词登科。（贞元）十一年春，旱，边军刍粟不给，具事论诉。延龄言贽与张滂、李充等摇动军情，语在《延龄传》。德宗怒，将诛贽等四人，会谏议大夫阳城等极言论奏，乃贬贽为忠州别驾。贽在忠州十年，常闭关静处，人不识其面，复避谤不著书。家居瘴乡，人多疠疫，乃抄撮方书，为《陆氏集验方》五十卷，行于代。顺宗即位，与阳城、郑余庆同诏征还。诏未至而贽卒，时年五十二。赠兵部尚书，谥曰宣。（节录）

新唐书 卷一百五十七。列传第八十二。陆贽。既放荒远，常阖门，人不识其面，又避谤不著书。地苦瘴疠，只为《今古集验方》五十篇，示乡人云。（节录）

避暑录话 卷上。陆宣公在忠州，集《古方书》五十篇。史云避谤不著书，故事尔。避谤不著书可也，何用集方书哉。或曰：忠州边蛮夷，多瘴疠，宣公多疾，盖将以自治。尤非也，宣公岂以一己为休戚者乎。是殆援人于疾苦死亡而不得者，犹欲以是见之，在他人不可知，若宣公，此志必矣。古之名医扁鹊、和缓之术，世不得知。自张仲景、华佗、胡洽、深师、徐彦伯有名一世者，其方术皆医之六经，其传有至于今，皆后之好事者纂集之力也。孙真人为《千金方》两部，说者谓凡修道养生者，必以阴功协济，而后可得成仙。思邈为《千金前方》时已百余岁，固以妙尽古今方书之要，独伤寒未之尽，似未尽通仲景之言，故不敢深论。后三十年作《千金翼》，论伤寒者居半，盖始得之，其用志精审不苟如此。今通天下言医者，皆以二书为司命也。思邈之为神仙，固无可疑，然唐人犹记中间有用虻虫、水蛭之类，诸生物命不得升举，天之恶杀物者如是，则欲活人者，岂不知之，况宣公之志乎。

按：叶梦得（1077—1148），字少蕴，苏州长洲人。北宋绍圣四年（1097）进士，南渡词人代表。著有《石林燕语》《避暑录话》等。

郡斋读书附志 陆宣公经验方二卷。右唐陆宣公贽在忠州时所集，而山阴陆游所跋也。或问朱文公曰：陆宣公既贬，避谤阖门不著书，只为《古今集验方》。曰：此亦未见陆宣公是处，岂无圣贤经传，可以玩索，可以讨论。

按：朱熹（1130—1200），字元晦，号晦庵，赐谥文，世称晦庵先生、朱文公，徽州婺源人。南宋绍兴十八年（1148）进士，著名理学家。

医说 陆宣公裒方书也。陆宣公在忠州，裒方书以度日，非特假此以避祸。盖尹子之存心，无所不用其至也。前辈名士，往往能医，非惟卫生，亦可及物，而今人反耻言之。

按：张杲（约1149—1227），字季明，徽州歙县人。南宋著名医家，家中累世为医。著有《医说》等。

序跋

杨万里跋陆宣公古方 陆宣公之贬也，杜门集古方书而已。或曰避谤者欤，或曰穷而不怨也。杨子曰：宣公之心，利天下而已矣。其用也，则医之以奏议；其不用也，则医之以方书。有用有不用者，宣公之身也，宣公之心亦有用有不用乎哉。

按：杨万里（1127—1206），字廷秀，号诚斋，吉州吉水人。南宋绍兴二十四年（1154）进士，著名文学家、政治家，与陆游等并称为南宋“中兴四大诗人”。有《诚斋集》存世，此跋文即出《诚斋集》卷九十八。

附：

陆游跋续集验方 予家自唐丞相宣公在忠州时，著《陆氏集验方》，故家世喜方书。予宦游四方，所获亦以百计，择其尤可传者，号《陆氏续集验方》，刻之江西仓司民为心斋。淳熙庚子十一月望日，吴郡陆某谨书。

按：陆游（1125—1210），字务观，号放翁，越州山阴人。南宋时期著名文学家、爱国诗人。陆游为陆贽后裔。据赵希弁《郡斋读书附志》称，陆游曾为《陆氏集验方》作跋，惜已不见。此为陆游为其编《陆氏续集验方》所作跋文，兹附于此。此跋文出《渭南文集》卷二十七。

版本及存佚

《陆氏集验方》（又名《今古集验方》《陆宣公经验方》《陆氏应验良方》）为唐代著名政治家、文学家陆贽（754—805）被贬忠州（今重庆市忠县）时所编，约成书于唐贞元十一年（795）至永贞元年（805）之间。唐代雕版印刷技术初兴，至五代始由毋昭裔板刻《九经》，故该书初或以抄本形式流传。陆贽病故后，其家属携书归苏州嘉兴故里，藏于家中。南宋初年，陆贽裔孙陆游曾得见家藏本，并为其作跋，后又于淳熙七年（1180）仿效先祖，编成《陆氏续集验方》。淳祐九年（1249），袁州藏书家赵希弁借重刊《郡斋读书志》之机整理家中书籍，检得该书，并将其收入《郡斋读书附志》中。至明中后期，常熟藏书家赵用贤、赵琦美父子家中脉望馆藏有此书，后赵氏父子先后将该书收入《赵定宇书目》与《脉望馆书目》（编订于1613年之前）中。赵琦美故后，脉望馆藏书悉归同乡藏书家钱谦益（1582—1664）绛云楼。清顺治七年（1650），绛云楼不慎失火，所藏宋元孤本悉数付炬，钱氏心念其书，就记忆所及，录其书目，编成《绛云楼书目》。焚后所遗留书籍，大多系昔日赵琦美脉望馆所藏旧本，钱谦益尽数赠予族曾孙钱曾（1629—1701）。钱曾择其善本，亲为题跋，撰成《读书敏求记》。今查钱谦益《绛云楼书目》及钱曾《读书敏求记》《述古堂藏书目》等，均未见著录《陆氏集验方》一书，可知该书应亡于明末清初之际，或为绛云楼大火所炬。

此外，《全国中医图书联合目录》第3734条尚见著录："今古良方。（唐）陆宣公编。清咸丰十一年（1861）辛酉抄本。上海中医学院图书馆（藏）。"至《中国中医古籍总目》时著者改作"原题〔唐〕陆贽（宣公）编"。至《新编中国中医古籍总目》时著者改作"原题〔唐〕陆贽（宣公）编〔清〕王藻墀（振之）编"。兹考《今古良方》一书，仅见清咸丰十一年（1861）眉寿堂抄本，现藏上海中医药大学图书馆，为孤本。该抄本见王藻墀识语"陆宣公晚年好医，闻良方辄多手录。自苏、沈以降，方书遂渐行矣。余性喜医，愧未窥堂奥。辛酉岁，家居无事，取近时所刻验方及古人书中所载良方，略分门类，一一抄录，共计千三百余方……振之王藻墀自识。"由此可知，《今古良方》为王藻墀自集，与陆宣公所编《陆氏集验方》一书并无关联，因王氏仰慕陆宣公之举而效仿之，并敬题宣公之名。

宋代卷

本草集方　一卷（1245）佚

〔宋〕阳枋（昌朝、宗骥、正父、字溪先生）编

出典

字溪集　字溪先生阳公。本草集方一卷。

考略

字溪集　钦定四库全书提要。字溪集十一卷、附录一卷，宋阳枋撰。枋字宗骥，初名昌朝，巴川人，居字溪小龙潭之上，因以自号。端平元年，冠乡选。淳祐四年，以蜀难免入对，赐同进士出身。阃帅交辟，于昌州监酒税，于大宁为理掾，于绍庆为学官。晚以子炎卯贵，加朝奉大夫致仕。年八十一卒。其行履不见于史传。（节录）

按：巴川，古县名。唐开元二十二年（734）置，治所在今重庆市铜梁区东旧县街道，元初并入铜梁。

字溪集　卷十二，附录。纪年录。孝宗皇帝淳熙十四年丁未九月初七日戌时，字溪先生阳公生于合州巴川县后觉里巴字溪小龙潭之上。因小字之曰宗骥，名昌朝。贡名枋，字正父。淳祐五年乙巳，公年五十九。制阃檄公摄大宁秋官。公曰：昔吾先君子以宪台辟夔门司理而不果遂，今吾获此，岂我缘分致然，遂之官。赵侯延公讲《易》，帅子弟请问尊礼。是岁著《本草集方》成，有《昌溪即事》等诗。咸淳二年丙寅，公年八十。玩《大学》《易本义》，校医书。

七月戊寅，犹子昂感泣拜手。（节录）

按：阳昂，字谊儒，阳元泽之子，阳枋族侄，南宋景定三年（1262）进士。

字溪集　卷十二，附录。有宋朝散大夫字溪先生阳公行状。公享年八十又一。积官至朝散大夫。其书有《诗辞》一卷，《讲义》一卷，《图象》《问答》《语录》一卷，《书说》《中庸说》《辨惑》《正言》《记序题跋》《家训》各一卷，《易正说》二卷，《本草集方》一卷，藏于家。

咸淳丁卯冬十二月，不孝孤少箕炎卯泣血百拜谨状。（节录）

按：阳少箕，阳枋长子，南宋景定三年（1262）进士。阳炎卯，阳枋次子，南宋淳祐七年（1247）进士。

版本及存佚

《本草集方》为南宋合州巴川（今重庆市铜梁区）进士阳枋（1187—1267）所编，成书于南宋淳祐五年（1245）。据其长子阳少箕等撰《有宋朝散大夫字溪先生阳公行状》称，此书编成后藏于家中，并未提及刊刻事宜。笔者查阅南宋以后历代史志书目，均未见著录此书，或早已亡佚。

编类钱氏小儿方证　一卷（1255）佚

〔宋〕钱乙（仲阳）撰　闫孝忠（季忠、资钦）辑

阳枋（昌朝、宗骥、正父、字溪先生）编类

出典

巴渝文献总目　类编钱氏小儿方证□□卷。宋代阳枋撰。

考略

字溪集　钦定四库全书提要。参见“本草集方”条。

字溪集　卷十二，附录。纪年录。宝祐三年乙卯，公年六十九。炎卯分司嘉定，公就养，循斋弭节古戎，延公讲学，公辞。季子缀阃幕，公乃结茅渝江之东，琴书自娱，开轩玩《易》。大监文公、循斋黄公、明远赵公、钝斋王公讲洛中真率会，则为之一出。心友请问论学，则出。时寮及四方之士愿见者，咸闭关谢。有请其故。公曰：子居阃幕，与闻军国之务，而父受私谒，延杂宾，得无嫌乎。

七月戊寅，犹子昂感泣拜手。（节录）

序跋

字溪集卷八编类钱氏小儿方证说　钱仲阳治小儿病方，不失一毫。由其察色明，辨证的，切脉精，深识小儿自生壮弱虚实，以至观五行之生克，察四时之逆顺，通阴阳之动静，悟寒暑之盛衰，至于晨昏昼夜之气，乳哺寝兴之节，靡不洞究。凡小儿关节脉理，百骸九窍，五脏六腑，灿然在目，故能察病论证，对证用药，如指诸掌。其所论载，真小儿大造之书也。严氏录其治疗诀法，至详密矣，惜其记载参错，未有诠次，或同一病而散见数处，同一证而分为数条，仓卒调理，难于检阅，医不能反复稽考，则攻治易致失误。今兹迟以岁月，沉潜披玩，类分门类，意讹错者正之，字冗复者刊之，成三十七条，总为一卷。于是曰病、曰症、曰方，井有秩序，可以见于某条，观某病，依某证，用某药，无复差误，而钱氏之心，无遗憾于万世矣。其药方目录，则一仍其旧。宝祐三年乙卯，通直郎致仕阳枋记。

按：钱乙（1032—1113），字仲阳，郓州（今山东郓城）人。宋代儿科名医。著有《伤寒论发微》五卷（已佚）、《婴孺论》百篇（已佚）、《钱氏小儿方》八卷（已佚）、《小儿药证直诀》三卷（存）等。

闫孝忠，又名季忠，字资钦，许昌人，一说为大梁（今河南开封）人。其父曾任职郓州，与钱氏通好。闫氏幼病惊痟癖瘕，经钱乙治愈，及长亦以医名，精儿科。钱乙去世后，闫孝忠对钱乙著述进行整理，于北宋宣和元年（1119）辑成《小儿药证直诀》。该书共分三卷，卷末多附闫孝忠《闫氏小儿方论》一卷、董汲《小儿斑疹备急方论》一卷。

版本及存佚

《钱氏小儿方》原为北宋儿科名医钱乙（1032—1113）所撰，后经闫孝忠整理后成书。南宋宝祐三年（1255），合州巴川（今重庆市铜梁区）进士阳枋（1187—1267）对此书重新进行整理，编类为《编类钱氏小儿方证》一书。该书编成后或与《本草集方》一同藏于家中。笔者查阅南宋以后历代史志书目，均未见著录此书，或早已亡佚。

明代卷

存 部

广嗣全书　三卷（1572）　存

〔明〕梁榲（汝直、月川）传　刘汉儒（文卿、宪吾、鲁思）传
罗青霄（子虚、南泉）辑补

出典

中国中医古籍总目　全幼对症录三卷。明代刘汉儒传。

按：《广嗣全书》系明代罗青霄合梁榲所传《便产须知》、刘汉儒所传《全幼对症录》及罗氏自刻《痘疹书》三书，整理辑补而成。该书现为孤本，藏日本内阁文库，2002年中医古籍出版社《中医古籍孤本大全》即据此本影印，署作《全幼对症录》(《对症用药赋》)。

考略

明嘉靖四十一年进士登科录　第三甲二百十一名，赐同进士出身。罗青霄。贯四川重庆府忠州人。国子生。治《诗经》。字子虚，行二，年四十一，十二月三十日生。曾祖镕。祖朝纲。父弼，寿官。母聂氏。永感下。兄鹏霄，卫经历。娶张氏。四川乡试第三十一名，会试第一百一十八名。

按：后文载任汝亮（贯山西平阳府蒲州猗氏）为“会试第一百十八名”。兹考嘉靖四十一年《会试录》载罗青霄为“第一百八十八名”，故此处应改为“会试第一百八十八名”。

又明嘉靖四十一年（1562），罗青霄年四十一岁，若按中国传统之虚岁计龄法，罗青霄当生于1522年，即明嘉靖元年。

［康熙五十四年］漳州府志　卷十，秩官。明知府。罗青霄，四年任，有传。（按：其后为刘志业，鄞县人，进士，万历二年任）。卷十九，宦迹。明知府。罗青

霄，四川忠州人。嘉靖壬戌进士。隆庆四年知府事。漳当寇攘之后，锐意兴除，以郡城守御未备，增建敌台二十一座及为四门月城。又以月港寇乱因，民不得通贩，请于当道，为弛贩海禁，用销弭之。好堪舆家言，于城东南筑八卦楼，以发地胜。葺文庙及文公祠，复创天宝学田，岁征租百十余石，分赡诸生贫者。漳军饷故有额，自汪中丞派丁四米八，民间重困，乃议减征其半，遂为例。郡有志，纂自正德间，垂六十年，文献渐轶，增修之。又建议除客兵、练土著等一十八事，骎见之行。以挂议致仕去。青霄伉爽自喜，两造当庭，片言立断。其所营创规画，皆足为数世利，一时若纷更，而善绩遗泽有不可得而泯者。

［道光六年］忠州直隶州志 卷八，人物志。乡贤。罗青霄，号南泉。嘉靖壬戌进士，授归德府推官。历兵部郎中，应诏陈六事，为忠州兴利害，上多从之。忠南峰石砫土司与楚中路司接壤，世为忠患，青霄请复川湖总督以控制之。出知漳州府，筑四门月城，时军饷加派丁四米八，青霄议减半，著为例，漳人为著《清漳政绩录》。以介直忤归，环堵萧然。年八十终。其弟鹏霄，以明经任陕西河州卫经历，亦有能声。祀乡贤。

按：据《明嘉靖四十一年进士登科录》记载，罗鹏宵应为其长兄。又罗青霄生于明嘉靖元年（1522），年八十终，按中国传统虚岁计龄法，当卒于1601年，即明万历二十九年。

提要

孤本医籍叙录集 该书首为罗青霄序，次为目录，目录将全书分作三卷，但正文却不分卷次。卷前为“对症用药赋”，此后三卷的主要内容是讨论了泻、惊、疳、风、痰、积、痢、伤寒、痘疹、疟、骨蒸、虫痛、疝气、丹毒、眼疾、龟胸龟背、解颅、五软五硬等十八类病症，末为“杂方”。显然该书是以“症”作为全书的大纲，其内容属于小儿常见病。具体内容如下。

首先“对症用药赋”一篇，仅寥寥数百字。其内容不同于一般“药性赋”。一般“药性赋”简介的是药物的功效主治，而该书“对症用药赋”介绍的是不同病症宜用的方剂。如谓“惺惺散治变蒸发热，参苏饮疗停食感冒。羌活散发四时风寒，化滞丸疏利三焦”之类。“对症用药赋”之后进入正文。卷一为小儿初生内容，首论“小儿初生禀赋、虎口脉理论、初生方、拭秽法、刺泡法、回气法、通便法、治初生遍身无皮方、治七日肾缩方、治初生遍身如鱼泡方、辰砂膏、治初生七日口噤、治初生不饮乳不小便方、治初生噤口不开方”等，涉及小儿出生的生理、常见急症处理和一般护理法。继而进一步讨论儿科某些生理现象和常见的疾病，计有变蒸、泻、脾胃、惊、疳等内容。卷二及卷三则全为病症，论及风、痰、积、痢、伤寒、痘疹、疟、骨蒸、虫痛、疝气、丹毒、眼疾、龟胸龟背、解颅、五软五硬，书后附“杂方”。

该书正文每一病症之下，首出一论，论说该病的病因及治法、方药。然后附述常用的方剂。以“痰”症为例，首为简短的论说：“火者痰之根，痰者风之苗。热生于心，痰出于肺，水澄则清，水沸则浑。小儿痰嗽，乃心火克金，或寒邪停留肺腧，寒化为热，必生痰喘咳逆、上气肺胀、齁船，俗谓马脾风。又为风喉，若不速治，立致危殆。”其论说重在病因病理，没有过多的疾病鉴别诊断。叙说中也很少引经据典，多用自己的话予以归纳。立论比较平正，每多经验之谈。简论之后，列举常用的有效方剂。诸方一般先述主治疾病，其后则详细列举方剂组成和各药的炮制方法、剂型、服用方法等。所选方剂多为名方，对临床治疗颇多裨益。

序跋

罗青霄刻广嗣全书序 孟子曰：不孝有三，无后为大。则子嗣之系于人也重矣。人道有所未善，而孕育之艰难，赤子不能自言，而病症之杂异，则医药之系于子嗣也重矣。予尝生子七，而幸长成者三，固备尝医药之苦也。即此以推诸人，则其幸与苦，也有同然者矣。因以所得于郡守梁月川所寄之《便产须知》，刘宪副所与之《全幼对症录》，付龙溪李尹刻之，与予所刻《痘疹书》并传于人，则广嗣之道，庶几乎全矣，因名之曰《广嗣全书》云。刘讳汉儒，号宪吾，河南沈丘人。梁讳楹，号月川，南京人。李讳联芳，号月汀，广东澄海人。此皆与人为善者也，因并述之。隆庆陆年正月既望，赐进士第中宪大夫知漳州府事前兵部郎中蜀忠州罗青霄撰。

按：刘汉儒（1529—1603），字文卿，号宪吾，更号鲁思。河南沈丘人。河南乡试第四十九名举人，嘉靖己未科（1559）三甲第五十九名进士。隆庆六年（1572），任山西雁平兵备道副使。以云南左布政使致仕。

梁楹，字汝直，号月川。南京府军后卫人，嘉靖丙午科（1546）贡士。隆庆四年（1570）前后任四川眉州知州。

李联芳，号月汀，广东澄海人。嘉靖乙卯科（1555）举人。嘉靖四十一年（1562）任陕西天长县教谕，次年升苏州府学教授，隆庆三年（1569）任福建龙溪知县，疑于万历二年（1574）去任。

版本及存佚

《广嗣全书》为明代忠州（今重庆市忠县）进士罗青霄（1522—1601）任漳州知

府期间，合眉州知州梁槛所传《便产须知》、雁平兵备道副使刘汉儒所传《全幼对症录》及自刻《痘疹书》三书整理辑补而成，成书于明隆庆六年（1572）。该书成书后由时任龙溪知县李联芳主持刊刻。兹据《中国中医古籍总目》《新编中国中医古籍总目》等著录及笔者查阅，该书现存版本见：

明隆庆六年壬申（1572）龙溪县尹李联芳刻本（见存）

日本内阁文库

痘疹慈航　一卷（1624）存

又名痘证慈航、痘症慈航

〔明〕欧阳调律（伯宜、嶰谷）辑

出典

述古堂书目　欧阳调律痘疹慈航一卷。一本。

中国医学大辞典　痘疹慈航，即痘疹世医心法。乾隆时欧阳调律重刻，易今名。

按：钱曾《述古堂书目》成书于清康熙八年（1669），已著录此书。故谢观所谓“乾隆时欧阳调律重刻”之说自误。

中医图书联合目录　痘证慈航。明代欧阳调律原本，清代郭士珩编辑。

考略

［万历四十七年］四川总志　卷九。重庆府。科第表。万历三十八年。欧阳调律，合州人，登韩敬榜进士。

按：据《明清进士题名碑录索引》《东林沉浮》等资料记载，欧阳调律乡试列第三十五名。万历庚戌科（1610）会试列第二百六十三名，廷试列三甲第九十八名。

［乾隆二十一年］邯郸县志　卷六，秩官志。知县。万历间任。欧阳调律，四川合州人，进士。有传。卷七，宦迹志。欧阳调律，四川合州人。由进士万历间除邯郸令，有清操，勤抚字，羡耗分毫无取。甫莅任，值沁河泛涨，土堤倾圮，害城颇剧，乃筑石堤障之，横波安流，民以永赖，人因号为欧堤焉。尤乐于课士，经其指授，率多成立。四十三年乙卯科，聘入北闱，所取士称得人行。取南户科给事中，历任少卿。有生祠。

后湖志　天启元年二月，南京户科等衙门署管黄册事给事中等官臣欧阳调律谨题，为预建黄册库房慎重图籍事。（节录）

明熹宗悊皇帝实录　卷六十六，天启五年十二月。礼科给事中叶有声疏参礼部侍郎公鼐、太仆寺少卿欧阳调律、御史翟学程俱门户遗奸。得旨。欧阳调律锄斥正人，倒乱察典。翟学程荐举匪类，拥戴要津。都着削籍为民当差，仍追夺诰命。公

鼐与三才为亲，瓜李不避，心迹招尤，姑着冠带，闲住。（节录）

［民国十年］合川县志 卷四十一，乡贤。欧阳调律，字嶰谷，一作嶰峪，合州西里人。能文章。工书法。自为诸生时，已以擘窠题榜知名，既贵，人尤争宝重之。今州里寺署摩崖，多其遗迹，即当时可知也。万历己酉举于乡，明年登韩敬榜进士。历官南京户科给事中、太仆寺少卿，立朝风节谔谔，不随人为俛仰。天启元年，诏除齐泰、黄子澄戚属戍籍，调律以为革除案且平翻，遂题请为建文皇帝编年崇祀。疏曰（按：疏文从略）。其在南垣时作也，虽下部议格，而闻者韪之。后又题请施恤保城殉难之乡官董尽伦一疏，亦为时传诵，具董尽伦传。调律兄弟玉律、协律、谐律、鸣律，并有声胶庠，见东山寺慈恩塔《题名黉宫生员通谱》。

提要

中国医籍大辞典 不分卷。明代欧阳调律撰，清代郭士珩编。成书于清乾隆五十七年（1792）。书载折衷诸家之论、辨虚实寒热、析气血盈虚消长之理、论炮制用药之法，治痘医案、初发热至痘齐数日调治法、痘齐起发灌脓调治诸法、浆足至回水结痂调治法。末附补遗，载治痘疹方药炮制方法及医案数则。

按：此处成书时间当误，详本条“出典”部分按语。

序跋

欧阳调律原序 医家目小儿为哑科，盖难之也，至痘疹则谈虎色变，难之又难矣。余年将半百，举子五，无一生者，而死于痘者二，念之亦甚痛且懼。夫余生西鄙，乃萍宦南北，亦多国手，竟不得刀圭之效，岂气数恒乖，抑愆尤莫赎，朝夕扪悚，弗可尽晓天人之故微矣。是夜，梦先大夫呼余名，示之曰：宜刻痘疹书公于世。盖先大夫惓惓后嗣，而生平济人利物，其心至今在也，觉而泣下，旋捡邯郸旧录痘疹谋之。医曰：王述文侍御已先为之，即《心要》是矣。笥中固不乏他本，然恐帝虎鲁鱼，人鬼呼吸，何敢传疑，以重责谴戒装。值丹徒彭顺恒诘之，且唯且否，徐出手钞一桢示余，曰：此吾世所局秘者，活小儿无算矣。余甫入手，犹存见少，乃目一过，见其折诸家之衷、辨虚实寒热之异、晰血气盈亏消长之理、精炮制用药之法，不数楮词，约旨该，其按方合节，审候达宜，奚啻指掌转圆也。爰梓之，更其旧题曰《痘疹慈航》。盖尝观舟能载物，亦能覆物，非慈航鲜有不以人侥幸者，幸而无事，则长年之力也有事，则天行之咎也。噫！天下事可胜慨哉。果人尽无权，何如拱手以竢将无。太史公所云，扁鹊为颅囟医，入秦活小儿，以悦秦父母者。诞乎黄帝岐伯，君臣咨嗟，役役口角而不殚烦，亦无谓甚矣。天下未尝无法，而病法者二，师心者罔，泥古者胶固。喻治国者如医，庸医杀人足凛凛也。更有进于是者，语云大上修德，其次修救防于已然，不若销于未萌，此又拔本塞源之论，匪语言文字也，故曰天人之故微矣哉。时天启甲子菊月朔日，欧阳调律书于梧荫轩。

按：欧阳调律原序尚未见更早版本存世，笔者所见两种版本均为乾隆之后晚出，且文字出入较多，甚可见明显错讹之处，因而笔者姑按其内容酌为定舍，以便参阅。若以后访得更善版本，当替换之。

《心要》一书无考，笔者疑即明代王大纶所撰《痘疹心法》。王大纶，字怡冈，扬州府崇川人。九世业医，自称“太医院世家”，或即所谓“王侍御”。《痘疹心法》一书刊于明天启二年（1622）。通州张元芳曾为《痘疹心法》撰序，署“赐进士出身奉训大夫南京户部福建清吏司员外郎家眷弟张元芳顿首拜撰”，张元芳为万历丙辰科（1616）进士，万历天启间曾于南京户部供职，而欧阳调律亦于天启初年于南京户部供职，且两人同为东林党人，故欧阳调律所见疑即此书。

徐元文序 □□□卷中宝之，三十余年，遇有危症，试之立效。因念世医肉眼既无洞垣之见，又未尝读书，故以生人必不免之疾，稍介疑难，即束手坐视其毙，良可叹也。汉明轩岐之秘传自明师，业久悬壶，以儒医济众。岁壬子，年当杖国，诸执经弟子醵金为寿，汉明不以自私，用梓是书，附以痧疹及杂方各一卷，公诸当世，谓吾将推一人之寿，偏寿天下，使少长咸尽其年。嘻！是心何心哉。昔陶弘景著《本草》，阴功格天，徒以多用虫蛭，迟十年翀举，后得其故，亟以草木品代之。孙思邈受禁方三十于龙宫，分置三十卷中，冀有缘者自遇。乃至上帝虽好生，不得不假手于方技，而度世之士，其仁民爱物之意，先后一辙也。忆昔汉明与余同日游黉，言坊行表，为人宗师，貌相者谓其绀发方瞳，法当久视。而余即是编论之，用心如此，功德如彼，将与陶隐居、孙真人同为太上简录，名在丹台玉室，不应止享地仙之嘏也。时康熙壬子长至前一日，赐进士及第国子监祭酒年家眷弟徐元文顿首拜题。

按：该序文与“顾祖亮记验”出自同本，前有阙页，兹录其存。徐元文（1634—1691），字公肃，号立斋，江苏昆山人。清顺治甲午科（1654）举人。顺治己亥科（1659）状元，赐进士及第，授翰林院修撰。时年二十五岁，顺治帝称其为“佳状元”。兄徐乾学、徐秉义皆于康熙年间探花及第，同胞三鼎甲亘古未有，名噪天下，人称“昆山三徐”。

顾祖亮记验 余之志于医也有年矣，然以砚田卫生，未尝行世，相知者过而问焉，授以方，以往辄多效验。至小儿痘科一症，人各异书，书各异说，不得其所宗。自丙子丁丑间，馆子冏伯徐公家讳宪卿，号泰叔，万历癸丑进士。闻古巴巘谷欧阳公与冏伯同官给事中于南都，四子皆以痘殇，夜梦金甲神与云，京口有《痘书》一帙，汝觅付剞劂，儿得愈矣。欧阳公如其言，果得之，属京口喜贤伯校正而刊布焉。自后连举二子，出痘皆愈，时官于南都者悉得是书。余因见而爱之甚，窃自慰曰：痘科得所宗矣。遂录而藏诸笥。岁至戊子，幼儿甫五岁，腊月十七见痘（按：治验从略）。辛卯年，一甥出痘（按：治验从略）。使无是书，而不用参，即用参而不早，二痘其能收功乎。甚矣！欧阳公之活人无穷也，余久欲公之于世，力绵而未能。会壬子夏，余七十初度，诸亲友与及门皆醵金为余寿。予谢曰：无片长，虚过此生，今将就木矣，寿云乎哉，倘邀天幸，来生不沦于六道，势必为婴儿，余用此分刻此书，广布天下，庶来生出痘时，不至为庸医所误，予之受惠固无穷，而天下之受惠者更无穷矣。于是诸亲友暨及门皆忻然乐从，而付之梓。

按：顾祖亮，字汉明，娄东（今江苏太仓）人。顾祖亮生于明万历三十一年（1603）。《痘疹慈航》一书，由顾祖亮增订并于康熙十一年（1672）刊行。后桐川陈寅亮曾校正重刊。

徐宪卿（1566—1647），字九亮，号泰叔，娄东沙溪（今江苏太仓沙溪镇）人。万历乙酉科（1585）举人，癸丑科（1613）进士。初授行人，擢南京工部给事中，管经军营事务，转光禄寺少卿，再转太仆寺少卿，驻滁州，司江南马政。又五年，致仕归。

欧阳调律于天启二年（1622）前后任南京户科给事中，天启四年（1624）编成《痘疹慈航》一书。而徐宪卿于天启四年（1624）前后任南京工科给事中，故顾祖亮称两人同官于南都，得见是书。

李洞书序　岁乙丑季秋，检阅所刻《验方新编》，校正讹字。本邑少海陈君，赉以《痘症慈航》一卷。余以为《新编小儿科》论治痘详矣，似不必赘。旋为翻阅其书，著自明季欧阳公调律先生，经郭昆山先生删润成集，所论辨症用方，理悉与《新编》相合。第自发热以至齐苗、灌浆、收结，现何症候，从形色、声气、脉息之间，辨其顺逆，审其寒热虚实，何症宜用何方，即以方药附后，一览朗然。虽不知医者，亦可按卷辨症，对症用方，诚仓卒时救急之慈航也。因附录《补遗》卷内，以为广渡众生之一助云。同治四年乙丑岁仲冬月，资阳李洞书识。

按：郭士珩，字楚珍，号昆山，汉川人。岁贡。少失怙，事母以孝闻。好学工制举艺，不遇，弃而为医。著《医学集案》《脉诀集解》等。

版本及存佚

《痘疹慈航》（又名《痘证慈航》《痘症慈航》）为明代合州（今重庆市合川区）

进士欧阳调律所辑，约成书于明天启四年（1624）。兹据《中国中医古籍总目》《新编中国中医古籍总目》等著录及笔者查阅，该书现存版本见：

清娄东顾祖亮增订桐川陈寅亮重刊本（见存）

清乾隆五十七年壬子（1792）德州刻本（未见）

中国中医科学院图书馆

清嘉庆十二年丁卯（1807）龙泉下湖王德慎植福堂刻本（见存）

天津中医药大学图书馆

清同治四年乙丑（1865）资阳李洞书刻本（见存）

国家图书馆　中国中医科学院图书馆　湖南省图书馆　等

按：资阳李洞书刻本的版本情况较为混乱，笔者所见“经纶堂藏板”“春华堂藏板”“家园堂藏板”“益元堂藏板”四种，均署“同治乙丑资阳重刊”。经笔者查阅，资阳李洞书刻本尚可见未署藏板地的版本存世，故上述四种版本疑即屡次撤换牌记后刷印所成。

治痧要略　一卷（约明天启间）存

〔明〕欧阳调律（伯宜、嶰谷）撰

出典

医籍考　治痧要略二卷。存。

八千卷楼书目　痧法备旨一卷。国朝欧阳调律撰。刊本。

清史稿·艺文志　痧法备旨一卷。欧阳调律撰。

中国医学大辞典　治痧要略。清代欧阳调律撰。

中医图书联合目录　痧法备旨二卷。欧阳调律等撰。内容：①痧证指微集；②治痧要略。

按：欧阳调律为明万历庚戌科（1610）进士，并非清代人，故《八千卷楼书目》之“国朝”与《中国医学大辞典》之“清”两说自误。《治痧要略》为欧阳调律所撰，原以单行本流传。清咸丰二年（1852），黄岩管颂声将其与清代释普净所撰《痧症指微》两书合刻，更名为《痧法备旨》。

考略

参见“痘疹慈航”条。

提要

中国医学大辞典　治痧要略。清代欧阳调律撰，乃《痧胀玉衡》之要删。痧法备旨，即《治痧要略》与《痧证指微集》之合刻。

中医文献学辞典　痧法备旨。系清代欧阳调律撰《治痧要略》和佚名撰《痧症旨微集》的合刊本。《治痧要略》系康熙年间欧阳氏在郭志邃《痧胀玉衡》一书基础上提要汇辑而成。内容简明，偏重于方论。《痧症旨微集》，列述多种痧症，治法详于针灸。1852年管颂声将此二书合刻，改名《痧法备旨》。

中国医籍大辞典　痧法备旨二卷。清代欧阳调律等撰。刊于清咸丰二年（1852）。本书为《治痧要略》与《痧症旨微集》合刻本。《治痧要略》为欧阳调律根据《痧症旨微集》约而为要略。徐东皋梓以行世时，得前人手录《痧症旨微集》一卷附之。管颂声合刻再版时改为现名。

按：上述数处关于欧阳调律《治痧要略》成书缘起之说法皆误，详见“管颂声合刻序”后按语。

序跋

徐东皋重刊序 凡人之暴病，大抵皆起于风寒暑湿，天行不正之气，乃均受不正之气。独有寒热感于外而毒攻于内者，令人心腹绞痛，呕吐不止，甚至昏昏沉沉不省人事者，则痧症是也。夫世之业岐黄者，不乏高明之士，每于人之突发痧症者，但以风寒暑湿之常法治之，而不肯指名曰痧。余亦不知是何意见，此其所以用药似慎，而于救急末由也。痧有轻重缓急之不同，必须审其经络之所属，盖其毒有发于脾胃者，有发于肝肾者，有发于大小二肠以及膀胱者，此各经痧症，并有血分、气分之殊，而惟心经之痧，其毒尤甚，其痛更烈。俗语所谓乌痧胀、绞肠痧，最为难治，是可以寻常风寒暑湿之症视之乎。乾隆癸丑夏，余由京师回楚，正值溽暑之时，目击北道上发症者甚多，或以刮放合宜，安保无虞，或以刮放过迟，倏忽殒命，余未尝不叹痧之为害大矣。迨抵家时，与汉南戚好罗星六翁谈及痧症，星六翁因以家藏古巴欧阳调律公集著古本《治痧要略》一书借余抄看。余潜心体玩数月，乃见《要略》内痧有各症，无不别其经络，治痧之各法，无不求其尽善，并于痧兼杂症之治法，百病变痧之治法，以及刮刺不尽之因，用药不效之故，无不条分而缕晰焉。此书出，可以寿世，可以救急，余因付之梓人，公诸同好。幸得一二君子精于岐黄者，更于此书取其是，正其非，将广布流传，万全无弊，是则余之所厚望也夫。乾隆五十九年岁在甲寅秋月，汉邑徐东皋序。

张惟仪重刊序 愚自少博涉方书，见夫风寒暑湿，与夫虚实劳痼，奇险百出之类，莫不户分门别，各有专家，各有藏书，各有传人，出名山而寿梨枣，殆不啻汗牛充栋已也。惟痧症一书，不少概见，间有及之者，不过如世俗所云乌痧胀、绞肠痧而已。即《痧胀玉衡》一书，繁而不简，仿而治之，亦不过以寻常时症审其虚实，而为之慎选药物，粗施刮刺而已。求其别经络，条治法，刮刺必穷不尽之义，药饵必究不效之故，而条分缕晰又简约易明者，盖未之前闻。以故折肱良家第守恒说，从未有另出手眼，而为人济缓急于顷刻，救性命于临时者。则甚矣！痧症为最险，而治法为独难也。中间得汉邑徐东皋所刊、罗星六家藏古巴欧阳调律先生秘授《治痧要略》一书，寝食久之，始悉此症与他疾迥殊，其一切轻重常变之端，无不追本溯源，使人一目了然，如前所云诸善状。愚尝准其方以施诸人，屡试屡验，更仆难数，真救世之仙方，应急之神术也。微特岐黄家当人有其书，即粗知字义者，亦可讲求于平日，而洞彻其精微也。奈历年既久，传者不多，其板不知藏于何处，不零落否，尚有好善之士从而广布之否，愚无从问也。因仍其原本，付梓重刊，量力印送如千卷。简末增入兑金丸一方，此方亦得自异传，依法修合，其验如神。倘博雅君子见是书而更有以折其衷，阐其义，并推广其传，是又愚叟殷殷原望之心也矣。道光廿四年岁次甲辰季夏月，鄂城崇山敌坪氏凤翙张惟仪谨识。

管颂声合刻序 痧病不见《内经》，古医家无道及者，自明季始有羊毛痧等名，而识者以意创为治法，民生赖焉。今之医者，以其治法之非古也，鄙而不言，遇是症，辄依附《内经》及张、李、戴、朱诸书论治。然病新法古，凿枘不入，夭枉殊多，不知治法无分今古也，有是病，斯有是治，古之圣师不能逆知今之有痧病，是以阙然无一言，今人能言之，以补古人所未备，不以为功，岂反以为罪乎。且病之古无而今有者，不独痧也。汉征交趾，而痘疮始发于中原，本朝开绝域，而青腿牙疳始见于边塞，其治法皆非三代两汉时所有，而今皆遵用之，则又何耶，故知鄙而不言者之未为通方也。虽然证治为古所有，其得失古人自任之，理法为今所创，其功罪必今人自当之。痧之为病，都在膜原经络，法以刮刺为先，其毒深入脏腑，法以药饵为要。考古者《灵枢》论治，先言针灸，《金匮》以来，始有经方，痧症虽小，非兼是二者不备。本朝自郭右陶著《痧胀玉衡》一书，巴郡欧阳氏约之为《要略》，而汉阳徐东皋梓以行世。其书简明有法，方论甚详，而于针砭仅举大纲。近得前人手录《痧症指微集》一卷于武陵旧书肆，不详作者名氏。阅其书，列杂症五十，大症十六，各详经穴以施刺灸，而方药稍简。余不揣固陋，合二书为一，删繁订讹，梓之以传，名曰《痧法备旨》，盖谓针灸、方药二法并详而后备也。卷内则各仍其本名，不敢掠前人之美也。今而后治痧者得所依据，以奏捷效，庶不至以无稽少之乎。谨序其大略如此。咸丰二年岁次壬子中秋前三日，苍溪管颂声赓堂甫书于新桥米船楼。

按：管颂声，号赓堂，浙江黄岩人。附贡生。管颂声合刻序称："本朝自郭右陶著《痧胀玉衡》一书，巴郡欧阳氏约之为《要略》。"谢观《中国医学大辞典》《中国医学源流论》及《中医文献学辞典》《中国医籍大辞典》等皆沿袭此说，影响甚广。

兹考欧阳调律为明万历庚戌科（1610）进士，天启甲子（1624）为其所辑刊《痘疹慈航》作序时自称"已年将半百"。而郭志邃《痧胀玉衡》成书并初刊于清康熙十四年（1675），两者时代相去甚远。

又张惟仪重刊序明确指出《痧胀玉衡》一书"繁而不简，仿而治之，亦不过以寻常时症审其虚实，而为之慎选药物，粗施刮刺而已"。中间得"汉邑徐东皋所刊、罗星六家藏古巴欧阳调律先生秘授《治痧要略》一书”，寝食读之，觉其书“一切轻重常变之端，无不追本溯源，使人一目了然”。可知张惟仪认为秘授《治痧要略》较之《痧胀玉衡》一书更佳，因而重刊之。

综上所述，管颂声所谓欧阳调律《治痧要略》为约编郭右陶《痧胀玉衡》一书之说当误。

版本及存佚

《治痧要略》为明代合州（今重庆市合川区）进士欧阳调律所撰，约成书于明天启年间。清代汉邑徐东皋、鄂城张惟仪等于乾隆及道光年间先后重刊。咸丰二年（1852），黄岩管颂声将此书与清代释普净所撰《痧症指微》合刻，并更名为《痧法备旨》。兹据《中国中医古籍总目》《新编中国中医古籍总目》等著录及笔者查阅，该书现存版本见：

清咸丰二年壬子（1852）苍溪管颂声刻痧法备旨本（见存）

中国中医科学院图书馆　上海图书馆　常州市图书馆　等

清光绪元年乙亥（1875）刻痧法备旨本（未见）

中国科学院国家科学图书馆　石家庄市中医院　等

清光绪九年癸未（1883）刻痧法备旨本（见存）

上海图书馆　福建省图书馆　等

天花谱史　三卷（明代）　存

〔明〕冷开泰（玄赞）辑

出典

中国善本书提要　天花谱史三卷。二册（国会）。

四部总录医药编　天花谱史三卷。

提要

中国善本书提要　天花谱史三卷。二册（国会）。明钞本。八行十六字。13.5×9.4。原题："云阳邑人冷开泰玄赞甫集"。按是书不见著录，检四川《云阳县志》亦无开泰名，其事迹无考。兹记其目，以俟夫知者。

目录

该书未见序跋，兹移其原书目录于此，以供参稽。

目录

原始篇　审症篇　明治篇　中气篇

神气篇　形色篇　标本篇　情理篇

死症篇　交会篇　岁气篇　部位篇

生死篇　胎毒篇　阴阳篇　血气篇

毒辨篇　气血论　因期施治论

辨痘贵嫌篇　原痘赋

始热赋　放苗赋　发秀赋　成实赋

结靥赋　落痂赋　金镜赋　节制赋

指南赋

二卷

轻重生死预知章　疏密轻重损存章

气血不分离散章　报点部位辨问章
驳八卦部位问章　辨平塌陷伏问章
辨夹症问章　三因问章
疔肿问章　臭烂问章
肿毒臭烂同异章　审内外精粗问章
补托辨难问章　辨虚实用补问章
大人小儿轻重问　妇人出痘问章
安胎问章　痘疮入目问章
惊搐问章　辨痘归阴阳问章
痘与伤寒用药问　不可为并恶候问
三卷
气血毒元气　看经辨轻重治法
表吐下　斗嘴戛牙
按余症丰约　攻剥不容岐观
形色相参　预验法
治法绳墨　验寒热法
发泡　虚实
论眼　论药迟早轻重诀
辨食不食决生死　预决死期
看神色　痘按四季期日
惊论　狂论
呕吐论　泄泻论
咬牙寒战论　痒论
癍论　喉论
喘促论

版本及存佚

《天花谱史》为明代云阳名医冷开泰所辑，具体成书时间不详。该书自撰成后，明清两代史志书目一直未见著录。1939 年，国内学者王重民先生受聘于美国国会图书馆，整理馆藏中国善本古籍，此书才得以重见天日，后王重民先生将此书收入《中国善本书提要》中。笔者查阅《中国中医古籍总目》《新编中国中医古籍总目》

《中国近代中医书刊联合目录》等，均未见著录。该书现存版本仅见：

明蓝格钞本（见存）

美国国会图书馆

佚 部

风门偶抄 （明中期） 佚

〔明〕周琳（森玉、琼林）编

出典

［道光六年］忠州直隶州志 周琳。风门偶抄。

考略

天顺元年会试录（四川部分） 第一百七十名。周琳，四川忠州人。监生。《书》。

［康熙五十四年］漳州府志 卷十，秩官下。龙溪县。知县。周琳，忠州人。进士。天顺四年任，升刑部主事。

［道光六年］忠州直隶州志 卷八，人物志。周琳，字森玉，号琼林。天顺丁丑进士。任龙溪知县，邑旧赋耗羡累民，琳悉除之。琳精医，邑大疫，亲为方治之，并造门诊视，情同骨肉，邑人德之。后以卓内迁刑部主事，每鞫事必虚心求其实，一时多平反。年六十三致仕归，以诗书自娱。注有《风门偶抄》《乌台纪事》。

版本及存佚

《风门偶抄》为明代忠州（今重庆市忠县）进士周琳所编，成书时间及具体内容不详。笔者查阅《中国中医古籍总目》《新编中国中医古籍总目》《中国近代中医书刊联合目录》等，均未见著录此书，当已亡佚。

六经治要（明中期）佚

〔明〕赵琢撰

出典

［万历七年］合州志　赵琢。六经治要。

考略

［万历七年］合州志　卷七。人物表，方术。赵琢，州之来苏里人。幼从乃兄正郎公章习举子业，少多病，改治岐砭，精熟《素问》《难经》诸书。视证立方，随试辄效，叩门者不远千里，如川之东北等处。延治靡有不起者，人号为神医云，掩骼埋胔，起死回生，此等阴德甚多，语在《家乘》中。著有《六经治要》《却疢延龄集》《伤寒法略》行于世。浑朴和厚，行己端方，且治人不责报，不亚于古之撄宁生也。

按： 撄宁生即滑寿（1314—1386），字伯仁，号撄宁生。元代著名医家。原籍河南襄城，出生江苏仪真，后迁浙江余姚。著有《读素问钞》三卷、《难经本义》二卷、《十四经发挥》三卷等。

版本及存佚

《六经治要》为明代合州（今重庆市合川区）名医赵琢所撰，成书时间及具体内容不详。笔者查阅《中国中医古籍总目》《新编中国中医古籍总目》《中国近代中医书刊联合目录》等，均未见著录此书，当已亡佚。

却疢延龄集（明中期）佚

〔明〕赵琢撰

出典

［万历七年］合州志　赵琢。却疢延龄集。

考略

［万历七年］合州志　参见“六经治要”条。

版本及存佚

《却疢延龄集》为明代合州（今重庆市合川区）名医赵琢所撰，成书时间及具体内容不详。笔者查阅《中国中医古籍总目》《新编中国中医古籍总目》《中国近代中医书刊联合目录》等，均未见著录此书，当已亡佚。

伤寒法略（明中期）佚

〔明〕赵琢撰

出典

［万历七年］合州志　赵琢。伤寒法略。

考略

［万历七年］合州志　参见“六经治要”条。

版本及存佚

《伤寒法略》为明代合州（今重庆市合川区）名医赵琢所撰，成书时间及具体内容不详。笔者查阅《中国中医古籍总目》《新编中国中医古籍总目》《中国近代中医书刊联合目录》等，均未见著录此书，当已亡佚。

古今医方 四卷（明后期） 佚

〔明〕李天成编

出典

［乾隆三十八年］酉阳州志 李天成。古今医方数卷。

考略

［乾隆三十八年］酉阳州志 卷四，彭水县。选举，明贡生，李天成。人物，国朝，李天成，性至孝，母病，求良医不得，乃潜心岐黄，母病得愈，医活人无数，著有《古今医方》数卷。

［嘉庆二十一年］四川通志 卷一百八十五，经籍。子部，二十。古今医方四卷。李天成撰。彭水人。贡生。

［同治二年］酉阳直隶州总志 卷十六，人物志，孝友。明彭水县。李天成，贡生。《县志》：性至孝，母病，求良医不得，李大痛，斥谢外事，不栉不沐，精究岐黄，母病得愈，遂以医术闻。前后活人无数，然有谢之者，却不受，曰吾以济人者，求为吾母延寿耳。著有《古今医方》数卷。

版本及存佚

《古今医方》为明代彭水名医李天成所编，成书时间及具体内容不详。笔者查阅《中国中医古籍总目》《新编中国中医古籍总目》《中国近代中医书刊联合目录》等，均未见著录此书，当已亡佚。

清代卷

存部一

伤寒述微　三卷（约 1664）存

〔清〕李栻（与一、二南）撰

出典

中国医籍考　李氏栻伤寒述微三卷。存。

增订通俗伤寒论附历代伤寒书目考　伤寒述微一卷。清代李栻撰。

全国中医图书联合目录　伤寒述微三卷。清代李栻撰。

考略

李栻，字与一，或号二南，江津人。李氏出身官宦世家，髫年治经，蓄志有为，后因母恙，转攻岐黄之术，拜同邑伤寒名家黄继谷为师。明末为避战乱，辗转川东、黔西一带行医。康熙初年，留寓重庆。李氏宗仲景《伤寒》之学，尤承明代名医陶节庵《伤寒六书》之说。其辨证精微，尤擅脉证，所治辄愈，乡民赖之。撰《伤寒述微》三卷行于世，今存。

提要

中国医籍大辞典　三卷。清代李栻著。刊于清顺治三年（1646）。卷上有伤寒论、切脉、问证、危证等六篇；卷中列三阴三阳正变通治法及胸痞、结胸、发黄、血证等四种病证；卷下包括辨惑、懊侬、呃逆、身痛、腹痛、少阴发热、下利等十三种病证，以及三阳传入三阴与直中治法、调理丸方、伤寒决死生脉歌等三篇。李氏对《伤寒论》的阐述结合其临床经验，选方用药除《伤寒论》方外，增以人参败毒散、九味羌活汤、生地黄连汤、泻心导赤散等后世验方。

按：该书卷首龚懋熙序撰于清顺治三年（1646），但该书最终成书及刊刻时间应为清康熙三年（1664）或稍后。详龚懋熙序后按语。

孤本医籍叙录集 该书分三卷。上卷七节，相当于总论。该卷首为“伤寒序例”，摘取元末明初吴恕《伤寒活人指掌图》总论六经伤寒之歌赋数句，为之简注。次又列“总论”一节，介绍其师黄继谷所传诊治伤寒之法。其后的“切脉”“问证”两节，讲述诊断伤寒、杂病的基本方面。“切脉”一节认为，同一脉象在伤寒与杂病有着不同的诊断意义。例如“杂病以弦为阳，伤寒以弦为阴。杂病以缓为弱，伤寒以缓为和”等等。这些诊脉内容多不见于一般的诊脉之书。“问证”一节则不分伤寒杂病，其诊察顺序是：“先观两目，或赤或黄；次看口舌，有无胎状；然后以手按其心胸至小腹，有无痛满；再问其所苦、所欲、饮食起居，小便通利若何。”从中可以窥知清初的诊察手段，舌诊与按诊已成常规。

首卷在“切脉”“问证”之后，又设“伤寒危证论”“伤寒劝诫法”。前者乃判断伤寒死证、危证的若干指征。其中也包括某些杂病的预后法。后者则以李子建《伤寒十劝》为主旨，列举治疗伤寒大法以及伤寒病后调养的若干注意事项。首卷之末为“制伏要法解证用方论”，是很特殊的一节。该节列举伤寒若干重证、危证的抢救用药法，其中多为民间所用的简要药方及外用救治法，非一般伤寒书所能见到。此节之后有“附方”，列举常用方剂，其中以藿香正气散、人参败毒散、柴葛解肌汤、巢湖双解散等方置于伤寒用方之首，与清代多见的《伤寒论》注释之类的书大不相同。从首卷引用书目及主要内容来看，可知作者主要是受李子建《伤寒十劝》、吴恕《伤寒活人指掌图》及陶华《伤寒六书》的影响。其书虽名“伤寒”，但实际上很少采用张仲景《伤寒论》的条文及方剂。其治热病的用药偏于寒凉，且书中伤寒、杂病夹杂，不同于明末清代伤寒家孜孜汲汲于《伤寒论》条文立论。作者为临床医家，且又处在四川、贵州一带行医，因此还未受明末清初江南一带兴起的各种伤寒研究新说的影响。作者在“总论”中提到：“伤寒古称大病……非仲景莫能洞悉其微，非节庵莫能穷其蕴”，可见其学术思想仍遥承陶华之说。

该书卷中、卷下以伤寒相关病证为主。卷中首论为“三阴三阳正变通治法”，即列举伤寒六经病证的主要治法及用方。其中太阳证仍以十神汤、人参败毒散、羌活冲和汤诸方为主。在这些方剂的解说中，又指出它们还可用于治疗热毒瘟疫等疾病。此后所列病证计有发斑、结胸、发黄、血证四则。其下并无多少论说，每多直接出示当用之方。这些方剂既有张仲景《伤寒论》方，也有许多金、元、明三代所出常用方剂。

卷下首列“辨惑”一节，列举了作者推崇的八个伤寒方剂：升阳散火汤、泻心导赤散、再造汤、调荣养胃汤、复元汤、桂苓饮子、当归活血汤、加味导痰汤。作者详细地展示了这八个方剂的药物组成及适应症，有时还在方后介绍其个人运用这些方剂的经验。将这样的八个方作为伤寒常用方，是受明初陶华之说的影响，将杂病也纳入伤寒治疗之中。“辨惑”之后，次第列出“懊侬”“呃逆”“由三阳传入三阴”“身痛”“腹痛”“痓病”等病证十三条，末附“条理丸方”“伤寒决死生脉歌”两节。在这些病证之下，作者经常附入自己的治疗案例。从这些案例中可以得知，作者确实是一位具有丰富临床治疗经验的医生。其辨证入微，尤精脉证。选方用药不拘一格，或取成方，或用单方，临床疗效甚佳。作者这些治疗经验，是该书一个很有价值的内容。

要之，李栻《伤寒述微》并未致力于阐发张仲景《伤寒论》原文，而是讲述伤寒及相关疾病简易诊治法的临床实用书籍。其学术思想本诸陶华，故其书虽以伤寒为名，其实囊括了若干常见杂病的诊治内容。作者具有丰富的临床经验，使该书更增添了临床实用价值。

序跋

龚懋熙序 君子之出也，必有济于天下，其处也，必有济于一乡一邑，视其时之通塞，以为愿力之大小，于为仁，则一也。吾邑李君二南，阀阅之胄，髫年治经，蓄志有为，一日以母恙，力攻岐黄，会乱作，转徙四方，遂专其术，起死而生，所至赖之，是岂特一乡一邑之为者乎。余自国变以来，带甲塞地，奉二人卜筑山中，既无所寓吾事，以为择术之益己而济人，诚莫切于堪舆与岐黄之□也。大难数兴，二家绝响，爰拾残编，手自抄录，粗窥大略，未得其秘。虽有国手如二南者，蓬飞异地，跋履从之，不可得已。顷二南自夜郎归里，余亟过访之，昔固胝织不胜衣者也，今则欣然其貌，蔚然其彩，自以为有得于期乔之术。余叩其业，穷神尽变，盖技也而通于道矣。其所活废疾怪证，功若见垣，而以为证之数变，不可毫厘误谬者，莫若伤寒，遂著《伤寒述微》，切脉制方，如指诸掌，虽童子无不可按图而索之。呜呼！此其用意为何如乎。生民之患不一端，救之者必内致其心，而外尽其术。如二南者，使早际昌时，得究志经术以用于世，吾乌知其愿力之所至，不大有裨于天下也哉。时顺治丙戌冬月，邑人眷弟龚懋熙拜手题。

按： 龚懋熙（1620—1695），字孟章，号笋湄，江津人。明崇祯己卯科（1639）举人，次年连捷庚辰科（1640）进士，官太常博士。崇祯甲申（1644），李自成军陷北京，龚氏间道旋里，奉双亲避遵、黔山中。永历甲午（1654）秋，出任贵州、四川两省乡试合试主考官。顺治戊戌（1658），奉亲归里，四川总督李国英荐之不出。康熙年间，主纂《四川总志》《江津县志》等。

龚懋熙序撰于顺治丙戌（1646），但书中纪年尚可见顺治戊子（1648）、壬辰（1652）、辛丑（1661）等，最晚为康熙甲辰（1664）。又考书中“玄”字多缺末笔，亦偶有不缺末笔者，“弦”字均不缺末笔，可见避讳不甚严格。陈垣先生《史讳举例》称：“清之避讳，自康熙帝之汉名玄烨始，康熙以前不避也。雍乾之世，避讳至严。”

综上所述，《伤寒述微》成书及刊刻时间应为清康熙三年（1664）或稍后。

版本及存佚

《伤寒述微》为明末清初江津名医李栻所撰，约成书于清康熙三年（1664）或稍后。兹据《中国中医古籍总目》《新编中国中医古籍总目》等著录及笔者查阅，该书现存版本见：

清康熙南益堂刻本（见存）

上海中医药大学图书馆　日本内阁文库

推拿广义　三卷（1676）存

又名推拿广意、小儿推拿广义、小儿推拿广意等

〔清〕熊应雄（际可、运英）辑　陈世凯（紫山、赞伯）重订

出典

海源阁书目　小儿推拿广义三卷。三册。一函。

贩书偶记续编　小儿推拿广意三卷。清代西蜀熊应雄撰，楚清江陈世凯重订。无刻书年月，约康熙间金阊同文堂刊，约乾隆间扫叶山房刊。又：小儿推拿广意三卷。清代东川熊应雄辑，楚清江陈世凯重订。无刻书年月，约乾隆间刊。又：推拿广意三卷。清代东川熊应雄辑，楚清江陈世凯重订。无刻书年月，约咸丰间刊。

中医图书联合目录　推拿广义，又名小儿推拿广义、幼科推拿广意。清代熊应雄辑，清代陈世凯重订。

考略

[道光六年] 忠州直隶州志　卷八，人物，方技。国朝。熊应雄，字际可。郡诸生。幼精袁天罡、李虚中术。康熙初年，佐杭中丞平定吴逆余烬，议叙功，贡任青田县知县。迁西隆州知州。

按：关于熊应雄的里籍，历来学者据其自序所署“西蜀后学熊应雄运英谨识”及卷端所署“东川熊应雄运英公辑”两处，仅知其为川东人，皆未能详考。笔者查阅相关资料，见清道光《忠州直隶州志》（以下简称《州志》）卷八《人物志》有“熊应雄，字际可，郡诸生”的记载，又考《州志》所载“康熙初年，佐杭中丞平定吴逆余烬，议叙功，贡任青田县知县”，与熊应雄自序所称“丙辰岁，余仗策军前，亲民青邑”基本相符。综上所述，熊应雄籍贯应为忠州，即今重庆市忠县。

[道光十七年] 施南府志　卷二十五，人物，行谊。陈世凯，字赞伯。屯籍，今利川县陈家湾人。国初，滇、黔、蜀省犹未靖，利地连蜀。凯年十四，与牟大宾统众御城，因献策四川总督李国英，随征川东巫、巴诸贼有功。复从征闽逆耿精忠，不着兜鍪攻城，身被数创不退，卒拔其城，军中号曰陈铁头、牟老虎。官至浙江提

督，浙人感全温之德，崇祀名宦。见《湖北通志》及旧《卫志》。

按：牟大宾，利川人。官浙江提督，授镇海将军。

贰臣传 卷十。陈世凯列传。陈世凯，湖北恩施人。初附明桂王朱由榔，为忠州副将。本朝顺治十六年，川陕总督李国英率兵驻重庆，世凯来降，授副将衔。（康熙）十一年，实授杭州副将。十三年三月，逆藩耿精忠叛，浙江总兵李之英统师驻衢州，令世凯赴金华援助。之芳屡奏世凯战功，诏授温州总兵加都督佥事衔。十六年三月，叙功加左都督，予云骑尉世职。二十二年六月，复叙功晋世职骑都尉。二十三年正月，擢浙江提督。二十八年十月又觐，命回任，以疾作未行，十二月卒。谥襄敏。子天培袭世职。（节录）

按：陈世凯（1629—1689），字赞伯，湖广施州卫人。清顺治二年（1645），袭外家黄氏百户世职。顺治十四年，迁万县，为南明忠州副将。

《推拿广义》卷端署“楚清江陈世凯紫山重订”。据道光《施南府志》记载，陈世凯为利川县陈家湾人。兹考今陈家湾地名仍存，处清江河畔，属湖北省利川市所辖。又《恩施文化简史》称：“非土著大姓的利川陈家湾陈世凯家族，原为施州卫百户，因在康熙年间平定三藩之乱有战功而升浙江提督，成为当地望族，逐渐建立祠堂，并修成《三楚清江陈氏宗谱》，置族田。”现陈家湾仍存提督街、官田街等旧地名。

提要

中国医学大成总目提要 推拿广意三卷。清代熊运英辑撰，运英字应雄，东川人。陈紫山重订，紫山字世凯，清江人。其上卷首列总论，次列指南赋，入门察色五视法，正面诸穴图，背面诸穴图，虎口三关图，四十八脉图解，详解脉纹辨色歌，五指冷热歌，审证诊脉，闻声辨音，阴掌阳掌各疗病歌，足部十三穴疗病歌，推法拿法，各法命名图解。中卷列诸病证候杂症，推拿大法，小儿坏症十五候，断面色恶症死候。下卷列各证应用方，一百八十六方，凡手术外治，汤药内服，设治之法，应有尽有，洵儿科推拿法中之要籍也。

中医古籍整理丛书 本书又名《推拿广意》，为清代熊应雄辑，是一部介绍推拿治疗儿科疾病的著作。全书共分三卷。上卷总述了推拿在治疗上的作用以及小儿疾病的诊断方法，并特别强调望、问二诊的重要意义，极为重视囟门、面部、虎口、指纹、神情、声音等变化。然后结合主治病症分别介绍了各种推拿手法，并附图说明其操作方法。中卷分述了各种儿科疾病的推拿大法。下卷选录了小儿疾病的内服、外治处方 180 余首。全书附图 82 幅，从推拿的全身部位、穴道，到具体操作方法的示意，皆独具特色，可使读者一目了然，便于医者学习和掌握。本书内容，多以歌诀体裁叙述，便于读者颂读、记忆，易于临证应用，故具有较高的临床实用价值。

中国医籍大辞典 三卷。清代熊应雄编，陈世凯重订。约成书于清康熙十五年（1676）。又名《小儿推拿广意》《幼科推拿广意》。上卷首列总论，论述推拿在小儿惊风治疗中的作用，其大旨源于《补要袖珍小儿方论》；次叙儿科诊断和治疗手法，介绍手足四十五个小儿推拿特定穴的主治，以图谱示之；手法着重介绍推法和拿法，并提出了“推拿手部次第”和“推拿面部次第”，即手部和头面部的推拿操作常规程序；还绘有“推坎宫”“推攒竹”“打马过天河”等二十一帧手法操作图，并有文字详解；最后为“脏腑歌”，源于《小儿按摩经》“手法歌”和《小儿推拿秘旨》“五脏主病歌”，论述脏腑病证的小儿推拿方法。中卷分述胎毒、惊风、诸热等十七种病证的推拿治疗，及小儿坏证一十五候、断面色恶证死候。下卷载治疗儿科常见病的内服、外用方剂一百八十五首。本书撷取明代小儿推拿之精华而又有所发展，是清代第一部小儿推拿专著，其影响颇大。明代小儿推拿多以治疗惊风为主，其他疾病往往述之不详。本书除专设惊风一门外，还设诸热、伤寒、呕吐、泄泻、腹痛、痢疾、疟疾、积证、痞证、痫证、咳嗽、肿胀、目疾、杂症诸门，扩大了小儿推拿的治疗范围。熊氏还把小儿推拿的辨证施治进一步深化，如“诸热”一门，又细分为胎热、潮热、风热、虚热、实热、壮热等十四型，并各有相应的推拿治则与治法。手部和头面部的推拿操作常规，也是熊氏首先提出。所绘推拿操作图，甚便于后学。本书并重视药物运用，所录之方药，除用于内服外，更有吹喉、擦牙、敷脐、贴足心、涂搽、热熨等多种外治法。

序跋

熊应雄自序 盖古人往往以医道喻用兵，谓兵以审虚实，而脉以察阴阳，其间因时制用，凭乎一心。武穆云：神而明之，存乎其人。洵不诬也。至于小儿，则又微乎其术者，既无声色货利之郁于中，又无劳苦饥渴之积于外，而且口不能言，脉无从测，使非有独得之秘，审色观形，以流通其血气，调和其动静，则虽爱同珍宝，未有克自遂其长成者，则调治小儿一道，岂不最微且难哉。且天之生物，栽者培之，则在小儿，正萌芽生发之时也，培之又安可不亟亟欤。《康诰》曰：如保赤子。是婴儿之抚育，古人亦兢兢乎，其慎之矣。余留心于此，偶得一编，乃推拿之法，诚治小儿金丹，苦无高明讨论，藏之有年。丙辰岁，余仗策军前，亲民青邑，去浙东开府陈公之辕仅百里许。陈公神于用兵，已声播寰区，而又善于此术，余得旦夕请正，以窃庆焉。然医以喻兵，此其征也。陈公素性泛爱，每以保赤为怀，不为自私，付之剞劂，而名曰《推拿广意》，是欲公之天下后世也。然圣人大道为心，必曰老者安之，朋友信之，少者怀之。则此举非即少怀之良法也欤，诚可为拔婴保赤之筵鉴云尔。西蜀后学熊应雄运英谨识。

按：清康熙十二年（1673），吴三桂、耿精忠、尚可喜三藩起兵叛乱。耿精忠于康熙十三年连陷浙东诸府、江西石城、安徽徽州等地，清廷急委康亲王杰书率军南下浙江平叛，次年收复处州。康熙十五年，耿精忠兵败请降。三藩之乱期间，熊应雄、陈世凯两人均效力清军，随征浙东多地。

熊应雄自序称其曾于康熙十五年（1676）执此书请教“浙东开府陈公”。兹考康熙十五年，陈世凯时任温处道温州府总兵，熊应雄时任温处道处州府青田县知县。

又陈世凯降清前为南明忠州副将，熊应雄为忠州郡诸生，两人或早有交际。

版本及存佚

《推拿广义》（又名《推拿广意》《小儿推拿广义》《小儿推拿广意》等）为清初忠州（今重庆市忠县）诸生熊应雄所辑，经施州卫（今湖北省利川市）陈世凯（1629—1689）重订后刊行。约成书于清康熙十五年（1676）。兹据《中国中医古籍总目》《新编中国中医古籍总目》等著录及笔者查阅，该书现存版本见：

清乾隆金阊映雪草堂刻本（未见）

宁波市图书馆

清道光二年壬午（1822）金阊三友堂刻本（见存）

山东省图书馆　山西省图书馆　少林寺藏经阁　等

清道光十二年（1832）嘉郡博古堂刻本

日本内阁文库

清光绪十四年戊子（1888）扫叶山房刻本（见存）

中国中医科学院图书馆　上海图书馆　湖南中医药大学图书馆　等

清光绪三十三年丁未（1907）有益堂刻本（见存）

杨氏提纲医方纂要　四卷（1728）存

又名杨氏提纲、杨氏提纲全书

〔清〕杨旦升（旭东、映斋）辑

出典

贩书偶记续编　杨氏提纲四卷。清西蜀梁山杨旦升辑。雍正六年刊。

中医图书联合目录　杨氏提纲医方纂要。清杨旦升手辑。

提要

中医古籍珍本提要　又名《杨氏提纲》。四卷，成书于1728年。作者摘录《伤寒论》《景岳全书》《本草纲目》等医书有关内容，分门别类，编辑成书。卷一论述阴阳五行、四诊等中医基础理论。卷二至卷四按伤寒、妇、儿、外科病证辑录方药，并附加减法及简便方、急救方等。

按：《中医古籍珍本提要》在《杨氏提纲医方纂要》条“作者简介”中称杨旦升为“清代梁山（今属山东）人”。兹考重庆市梁平区原名梁山县，始设于西魏元钦二年（553），此后一千余年从未更名，1952年始改名梁平县，2016年改设梁平区。而山东省梁山县始设于1949年。又该书卷端署“西蜀梁山杨旭东映斋手辑”。综上所述，杨旦升当为四川梁山人，即今重庆市梁平区人。

序跋

若木子序　盖闻济世之方，莫要于医术，医家之用，莫要于医书。苟非久于斯道，安能博通群籍，独见精微，揭其旨要，著之简编，为一世起死回生之用乎。以故阴阳虚实不辨，五行生克不明，脉义难究其蕴，病证不得其由，此医家之有误人性命者多矣，予尝悯之。若谷张先生虚中，世业岐黄，精研斯道，尝谓予曰：吾有《医学提纲纂要》一书，乃吾蜀杨旭东映斋手辑也，虽为书仅上下卷，而诸证脉方无不条具明晰，历代医书罔不该括贯通焉，间考订舛误，虽宋之高阳生、西晋王叔和等为一代名医，著述得映斋订无讹而正其谬，删其繁而就其简，乃不至望洋莫测，多歧忘羊。而其要则以《内经》为宗，参以《难经》，尤会通于《景岳全书》，为其约其精义，繁者汰之，略者详之，阐明所未发，而归诸简要，而诸证脉方，莫不约而该，简而明矣，此诚医学之正宗，入门之要诀也。所恨者，映斋有济世婆心，编次纂辑，未能刊刻行世，今仅得传写抄本，欲公之于世，俾人人共精医治，举世咸登寿域，奈无力刊刷，故久秘囊中耳。予索其书阅之，诚有如若谷所云者，亟欲付之剞劂，亦恨无力。偶与乐山李君体仁言及，李君曰：刊书寿世，吾乐为之。因募刻成编，使广传于世。予特序于简端，以明映斋济世之心，及若谷、乐山公世之志也。然则人勿谓斯编之太简也，诸证脉方，简要明切，此诚真正之诀，而为《灵枢》九篇、《素问》九篇之正传也。学者熟此，兼贯诸书，而不为舛讹所误，又何患治病鲜效，活人无术也乎。厚菴若木子谨识。

黄模远序 医之为书，汗牛充栋，悉数难终矣。然非出自神圣之所传，则语焉不精，言焉不详，初何能燮理阴阳，调和元气，跻斯民于仁寿之天哉。是以金匮玉函之收藏，兰台柏庙之储积，分门别户，著述如林，非不繁称而博引，条辨而晰明也。无如习是业者，往往竭虑殚精，穷年考究，而莫窥其涯涘，未尝不叹泛骛之无所成，而专执之能召济也，于焉愤然振兴，翻然起悟，思得一以贯之之道，而书阙有闻焉。兹幸本宗书坊，揽得《提纲》一部，於孙试来，遂就予而言曰：此编乃梁山旭东杨先生所手辑者，昔年已经鸣世，嗣因版范泯灭，未能公行，而四方诸君，仍然构求甚殷，是必囊中之真诠也。嘱余考核校正，为附剞劂。予时年近八旬，衰颓固陋，管见几何，辞之不获，缘于批阅之下，豁目赏心，羡先生之书荟萃群言，博通义理，撷杏林之芳华，漱橘井之津液，本此活人济世，诚不啻扁卢复出也。古传孙真人得龙宫方，能医虎口龙鳞，以此比量，虽不可同年而语，然其为九折臂三折肱，又不出其凡几也，吾何问然哉。爰为鉴定端书，不致有愚鲁亥豕之讹，以成兹美举，原有以广先生宏编，以民为怀，而示有以后学者，浸淫卷轴之益矣。时道光十三年岁在癸巳长至日，斗城逸叟黄模远题于荫堂之书室。

李学儒序 医道，仁术也，仁而有术，其义当从何解？考之历代名贤，于仁与术亦无分论，是仁、术同一义也，可矣。今见《杨氏提纲》旧本，于病于方，既已提挈于前，复有蒋公直亭详为条分于后，医道之仁，或此为术欤，或由此乃见仁欤。然抱济世之方者，予意必先观仁，然欲以仁为术者，似亦宜究《提纲》。此书蒙当道诸君乐捐付印，以传于世，不特仁、术两见，盖亦宝筏度人，金针寿世，无量婆心。伏望有缘同胞，万勿负此《提纲》，俾皆共晋大年，是则予之虔祷。中华民国二十年暮春月，李学儒谨叙。

版本及存佚

《杨氏提纲医方纂要》(又名《杨氏提纲》《杨氏提纲全书》)为清代梁山(今重庆市梁平区)名医杨旦升所辑，约成书于清雍正六年(1728)。兹据《中国中医古籍总目》《新编中国中医古籍总目》《中国近代中医书刊联合目录》等著录及笔者查阅，该书现存版本见：

清雍正六年戊申(1728)潞河魏氏博济堂刻本(未见)

中国医学科学院图书馆

清道光十三年癸巳(1833)务本堂刻本(见存)

中国中医科学院图书馆　宁波市图书馆　湖南中医药大学图书馆　等

清咸丰二年壬子(1852)恒盛堂刻本(见存)

民国二十年辛未(1931)石印本(见存)

上海图书馆　上海中医药大学图书馆　贵州中医药大学图书馆　等

脉学全书　二卷（1747）　存

〔清〕李崇素（白艳）辑

出典

中医图书联合目录　脉学全书二卷。清代陈虞宾撰。

新编中国中医古籍总目　脉学全书二卷。清代李崇素撰，陈虞宾增补。

按：该书应为李崇素所辑，陈虞宾增补之说存疑。

考略

李崇素（1688—？），字白艳，清代酆都（今重庆市丰都县）人，其生平事迹不详。兹考《脉学全书》之同治刻本卷端署“蜀东平都李崇素白艳著辑，男庠生斌双才/敞尚文参订，侄庠生阶凌高、晖光普仝订”。丰都原名平都，东汉永元二年（90）分巴郡枳县置平都县。蜀汉延熙十七年（254），并入临江县，隶属巴郡。隋义宁二年（618），由临江县分置丰都县，隶属临州。唐贞观八年（634）改隶忠州，此后县属屡有更迭。明洪武十三年（1380），改名酆都，隶属忠州，此后县名、县属保持不变，一直延续至清末。

又清同治《酆都县志》卷二《选举志》列“国朝岁贡生李斌”，不知是否为此书参订者李崇素之子李斌。

提要

《脉学全书》二卷。清代酆都李崇素辑，成书于清乾隆十二年（1747）。卷首载“脉学切诀”“历代医学姓氏”“谬增十二经穴歌”三篇内容，其中“脉学切诀”为蜀东知足子所撰，“谬增十二经穴歌”为黔南陈虞宾所撰。卷一载脏腑、奇经等，卷二依次为望色、闻声、问症、舌诊、切脉，后附字义音释等内容。

序跋

李崇素序　余闻上古先师僦贷季者，圣神而医者也，发明色脉经络之旨，轩辕帝与岐伯等臣述之，著《灵枢》《素问》《金针经》各九卷。由是而脏腑分，经络彰，色脉定，立万世不易之则，后贤纵能通圣入神，不能出乎其右。夫医之所难，难于切脉。《内经》脉法，言简意赅，奥妙莫测。叔和纂成《脉经》，以开来学。至宋有崔紫虚者，提浮沉迟数四脉为纲，而以诸脉分汇于下，撰成四言，使读者爽口快心，诚医学之指南也。大明李士才分三十八脉，详加细解，去其讹言，著其体状，如印印泥，而切脉定矣。《内经》又云，望其色知其病，谓之神；闻其声知其病，谓之圣；问其喜食何物及贫富苦乐知其病，谓之工，名曰三诊。余三折股肱，穷究精微，切脉中必合三者，而四诊备矣，故将藏象、经络、孔穴著之于前，望闻问诊附之于后，以及诸贤脉义，浅深次第，都为一帖。间有出以鄙意，不过就前人之成迹，较其是非，定其去取已耳，岂敢谓为余之得心应手乎。凡我同志者，幸裁正焉。乾隆拾贰年岁在丁卯仲秋月，六十老人题于双桂堂。

按：双桂堂，为佛门圣地，位于今重庆市梁平区万竹山，由一代禅宗破山始建于清顺治十年（1653），被誉为“西南各大丛林之首”。

又清乾隆十二年（1747），李崇素时年六十，若按中国传统之虚岁计龄法，其应生于1688年，即清康熙二十七年。

李崇素跋　余家业医已三世矣，瞬息间逾年六十，气血已衰，生平无所短长，惟知苦读医书，酷好山水、树木、花卉，绝口不言是非，故交官吏，皆识余心。辛酉寓长寿官署，读《循环论》，制《循环图》，再辑《脉学》，三易而成。凡遇诊候，胸中虽有定见，尚未入精微奥妙之境，脉理之难，诚哉难矣。后之医者，如诵而不能解，解而未能明，明而未能彰，只足以治群僚，不足以治王侯，司命之权，何能操之在己也。学者勉之。

版本及存佚

《脉学全书》为清代酆都（今重庆市丰都县）名医李崇素（1688—？）所辑，成书于清乾隆十二年（1747）。兹据《中国中医古籍总目》《新编中国中医古籍总目》等著录及笔者查阅，该书现存版本见：

清咸丰十一年辛酉（1861）刻郁林堂藏板本（见存）

按：该本牌记页署“陈修园先生著”，然卷首仍见乾隆十二年（1747）李崇素自序。兹考陈修园名念祖，为清代名医，生于乾隆十八年（1753）。故此处显系书商伪托名医陈修园，以求牟利之举。

清同治八年己巳（1869）刻本（见存）

四川省图书馆

秘授小儿科心法不传人　一卷（1769）存

〔清〕开邑王氏撰　方旭明传　王靖侯录

出典

全国中医图书联合目录　儿科七种。清代李廷筠等编。⑦秘授小儿科心法不传人。清代汪靖信编。

按："汪靖信"当为"王靖侯"之误。

新编中国中医古籍总目　儿科七种八卷。清代李廷筠等编。（7）秘受小儿科心法不传人一卷。清代王靖侯编。

考略

《秘授小儿科心法不传人》一书，成书时间不详。兹考该书为清代医家李廷筠所编《儿科七种》之第七种。笔者查阅《全国中医图书联合目录》《中国医籍大辞典》《新编中国中医古籍总目》等，均将《儿科七种》的成编时间著录为1769年，即清乾隆三十四年。

李廷筠为清代医家，生平事迹无考，除《儿科七种》外，李氏尚辑有《保婴秘旨》一书。

提要

中国医籍大辞典　不分卷。王靖侯编。成书年代不详。系《儿科七种》之一。始述看小儿虎口法、诊小儿脉法、五脏死候等；次列秘授幼科心法篇，收集脐风及小儿杂症神验妙方，所治病证多为脾胃疾患与疮痈；后列脉诀篇，包括七表八里脉及所主病证、五脏虚实病证脉、四季主脉、四时生死脉、诊脉方法等。

序跋

王靖侯题识　此书乃开邑王先生世传之幼科也。有深邑眼科先生旭明方氏者，医于家，阅而录焉。因以授予，予览其方，颇亦纯杂不一，第心内加减用之，固亦有效。录之以备参考，不无所补云。

按：开邑即开县，今重庆市开州区。深邑即深州，今河北省深州市。

版本及存佚

《秘授小儿科心法不传人》为开县（今重庆市开州区）名医王氏所撰，后深州（今河北省深州市）眼科名医方旭明得以阅录，方氏又将此书授王靖侯，靖侯得而录存之。清乾隆三十四年（1769），清代医家李廷筠编《儿科七种》时又将王靖侯录存之书辑入。兹据《中国中医古籍总目》《新编中国中医古籍总目》等著录及笔者查阅，该书现存版本仅见：

清乾隆三十四年己丑（1769）抄本（未见）

中国中医科学院图书馆

熊氏痢症　一卷（1795）存

又名痢症特征论、痢症抉微、治痢津梁、治痢慈航等

〔清〕熊家骥（兰亭）撰

出典

中医图书联合目录　熊氏痢症、杨氏喉科合刻。清代熊家骥等撰。

考略

熊家骥，字兰亭，江西清江（今江西樟树）东乡人，世居古萧江畔。疑为清乾隆间举人，曾在四川一带为官（按：清乾隆九年及道光四年《清江县志》均未见载熊氏宦迹）。熊氏于川东一带，以医药驰名，其在重庆有“药王”之称，曾寓居巴山飞霞书屋。

提要

中国医籍大辞典　熊氏痢症论。不分卷。清代熊家骥撰。成书于清乾隆六十年（1795）。又名《痢症抉微》。作者谓痢症与六气相关，秋时肺金主令，若主令太过，肝木必萎，内挟相火，抑郁不走，刑其大肠，而成痢症。治疗不拘古法以红白定寒热，而主张以红白分深浅，以脉证分虚实。用方则以人参败毒散加减治之。

又。痢疾效方。不分卷。清代熊家骥撰。成书于清乾隆六十年（1795）。熊氏认为痢疾病在肝，治也在肝，通法、塞法皆不相宜，只有为邪求其出路最为上乘；发明五运六气逆克治法，先挽肝，次和肝，再降肝气。其辨证亦不蹈常规，不以下痢赤白分寒热，认为下痢色白则邪浅而易愈，下痢色红则邪深而难治，重在脉证上分虚实。后附汗下和解气血歌、医案及疠风治效歌。

又。痢症特征论。一卷。清代熊家骥撰。约成书于清乾隆六十年（1795）。全书主要介绍对痢疾一症的独特体会。首先论述秋时肺金太过，肝木必萎，肝木不得条达，而内挟相火抑郁下走，刑大肠，阻脾气，而为秋痢之发病特征，并强调痢不以红白分寒热，认为“纯白为大肠不受病，邪浅而易愈；纯红为大肠受病，邪深难

疗”，而重在脉证分虚实，初起为沉弦，久则或微或涩，实大渴者为死证。随后详述痢疾初起及病情发展中的表现、主方及方义。认为痢疾初起用人参败毒散，不愈则用甘芍姜吴木香汤，痢久口渴烦躁、热毒中脏则急用大黄黄连泻心汤。末附痢疾特启方、防噤口痢方及其加减法等。

序跋

熊家骥痢症特启论代自序 痢疾一症，余独得神悟，故敢将先贤诸论，一概抹倒，独开生面，以彰圣训经言。凡病除七情之外，皆是以天之虚，逢身之虚而受。人生天地间，既以六气为养，而又以六气为杀。正以一岁之中，春生夏长，秋收冬藏，而六气驭于其间，一值其暴，适逢其虚，即春病温，夏病疫，秋病痢，冬病寒。四时之病，治之别无良法，只有为邪求其出路最为上乘。春温、夏疫、冬寒三门，俱有古法可遵，不必复赘。第秋痢一门，涉津无梁，予因特启而论之。秋时肺金主令，设主令大过，肝木必萎，肝木一萎，自不得遂其条达之性，因而内挟相火，抑郁下走，刑其大肠，阻其脾气，将大肠膏脂一刷而下，甚则连本经之血，随火而出，可见病在肝，而不在大肠。若果在大肠，大肠系贮糟粕之府，何以糟粕不出，而所出者非血即亮明。此则通、塞二法，皆在不宜。虽然邪传大肠，亦有受病者，故有纯红、纯白之分。纯白者，大肠受病。纯红者，是大肠不受病。古人以红白分寒热，不知何所见也。愚谓白者邪浅而易愈，红者邪深而难疗，若以红白可拘定寒热，则痢疾一症，无甚难治，何以古法千百，论无一可绳者。总之不在红白上定寒热，而重在脉症上分虚实。痢症之脉，若未经药坏，初起多见沉弦，久则或微或啬而已。至于实大洪数，发热烦渴等死证、死脉，乃是医死之，非痢死之也。病者医者见吾此言，自当猛省，痛恨前非，则痢疾幸矣，医道幸矣。虽然，愚学浅识寡，恐有错误，犹望后贤涂改，则更幸矣。时维乾隆六十年乙卯春初，江右潇江兰亭氏熊家骥述于巴山飞霞书屋。

槐花居士治痢津梁序 尝闻之为医等诸为相，治疾符于治民，推是说也，医固可忽乎哉。然不能肺肝如见，自致狐疑，遂使膏肓已成，酷同鸩毒。嗟夫！庸医之误苍生，讵堪问耶。余于岐黄之道，未学一步，又安敢参此末议之末。第以古今所论，要不外乎生克之理，理得而医得矣。岁癸巳，偶游萍川，适子春夫子授以是书而告曰，此熊君兰亭心得，治痢之津梁也。自得此本，靡不回狂澜于既倒，诚有银丸金液，自成寿世之方；灵龟青囊，特出济人之效。萦五行于五内，得一贯于一人。秘探龙宫，道可续乎十三代；心悟神术，语少胜过千百言。则见举方无多，而奏效綦速，得者当自宝之。携而归，质诸高明，佥以为东津浮桥要路，能通者可于此得之矣。虽然，独得不如众得，便已能以便人，则传者不虚矣，作者更不虚矣。爰付剞劂，永垂不朽。未必不可于治痢之门，俾不得者得乎，得而不误苍生，岂非事之得意也哉。是为序。光绪二十有一年岁次旃蒙协洽闰五月吉日，淮川东里槐花居士谨识。

杜心鸿寿世良方熊氏痢症合刊序 《喉症》相传为吾清江东乡小巷杨氏之专家，著此书者不知名云何，号云何。而《痢症》一书，则清江熊氏家骥兰亭先生所手著也。二书合刻，已历年所，救人殆不可数计。鸿素不谙医，而家藏是书，为昔亲友见赠者。二十年来，见乡人患此，经庸医手，往往而剧，甚或不起，以此试之，投之辄效。壬寅夏五，鸿膺痢疾，赖有此方，霍然病已。其误进他药者，呻吟床褥，苦楚万状。因持是书，以语世之自命岐黄者，奈自是其患为小见信，且以平淡视之，鸿大惧夭札者多，有负熊、杨两先生活人无己之心，因重刻之，以公同志。庶家置一编，宝之贵之，尊之信之，医道幸甚，生灵幸甚。光绪壬寅天中节，杜心鸿仪甫氏谨跋于浣花别墅。

版本及存佚

《熊氏痢症》（又名《痢症特征论》《痢症抉微》《治痢津梁》《治痢慈航》等）为清代清江（今江西省樟树市）名医熊家骥寓居巴山飞霞书屋时所撰。成书于清乾隆六十年（1795）。兹据《中国中医古籍总目》《新编中国中医古籍总目》等著录及笔者查阅，该书现存版本见：

清同治元年壬戌（1862）清江杨观成堂刻本（见存）

中国中医科学院图书馆

按：该本系《熊氏痢症》与《杨氏喉科》两书合刻，牌记页题“常将人病如己病，救得他生似我生”。

清光绪二十八年壬寅（1902）樟镇杜心鸿刻本（见存）

中国中医科学院图书馆

清光绪三十四年戊申（1908）江右乐善居士刻本（见存）

湖南省图书馆

喉症全科紫珍集　二卷（1804）　存

又名经验喉科紫珍集、喉科紫珍全集等

〔清〕燕山窦氏撰　朱翔宇增辑

出典

历代医学书目提要　喉症全科紫珍集二卷。本朝窦氏原本。

贩书偶记续编　喉症全科紫珍集二卷。清代云阳朱氏翔辑。嘉庆甲子尊仁堂刊。又：喉症全科紫珍集二卷。燕山窦氏原本，清代云阳朱氏翔宇嗣辑。道光三年京江陈墨樵刊。光绪丁亥重刊。又：经验喉科紫珍集二卷。清代鄱阳黄梅谿秘藏，清代云阳朱纯衷得授，朱翔宇增补。咸丰十年句曲杨启葆刊。又：喉科紫珍全集二卷。燕山窦氏原本，清代云阳朱氏翔辑。咸丰辛酉刊。又：喉症全科紫珍集二卷。宝善堂编辑。旧钞本。首有京江陈墨樵序，据陈氏序称，是书燕山窦氏所撰。

中医图书联合目录　喉症全科紫珍集二卷，简称喉科紫珍集。清代朱翔宇编。

全国中医图书联合目录　喉症全科紫珍集二卷。又名喉科紫珍全集、经验喉科紫珍集、七十二种绘图喉科全书、增补经验喉科紫珍青囊济世录。原题清代燕山窦氏撰，朱翔宇编。

提要

中国医学大辞典　二卷，不著撰人名氏，但标为鄱阳黄梅溪秘藏，丹阳朱纯衷得授而已。原序称系三山上禅师所传。丹阳杨启葆序谓咸丰元年过镇江，得精于喉科者之药，阅七八年，方以重价得此方药原本于其婿之婿，依方合药，灵效异常，遂付剞劂等语。是此书为方士所传，至咸丰之季方行世也。上卷为七十二种证候之治法；下卷为治疗各方，于喉证之总治分治，原因结果之辨别，皆细入毫芒，对于初起有表证者，必以荆防发散为主，足矫喉医不问表证之有无，动辄以凉剂壅遏之弊。盖方外人不为名利所溷，故能好学深思，于专家技术之心得，多能超越凡庸也。

中国医籍大辞典　二卷。清代燕山窦氏撰，朱翔宇增补。约成书于清嘉庆九年（1804）。简称《紫珍喉科》，又名《喉科紫珍全集》《经验喉科紫珍集》《七十二种绘

图喉科全书》《增补经验喉科紫珍青囊济世录》。上卷载朱氏原序及窦氏、孙真人、朱丹溪、皇甫云州、陈若虚等医家对咽喉病的论述；次列“紫珍要语”，论述口舌病与咽喉病不同的辨证治疗大法、口舌病治法二十七则、咽喉病治标法八则、治本法二十五则；并附先人临证经验、咽喉临治十要歌、治喉秘传备要、临症二十要诀等；再以上列一图、下陈一论，先立治法、后示一方的形式，详述喉口七十二证。下卷先列梅花点舌丹、普济消毒饮、防风通圣散等喉科常用验方二十种；后列秘传紫珍经验良方，按功效主治，以紫、珍、神、秘、诀、青、囊、济、世、方、回、生、仁、德、溥、福、寿、永、安、康分二十类，收载一百六十余方，有吹、敷、漱、涂、熏、烙、饮、噙等多种剂型。本书强调口舌病与咽喉病不同，认为口舌病每多于喉，舌病与肝壅、心热、脾热关系密切，临证须辨饮食、二便、寒热、痰唾、疮色，知五脏六腑何经之证，按经用药；而喉症为热则生风，风能动火，火动痰生而发，风痰壅塞咽门，急则治其标，先针刺、探吐、吹药、漱口，后再究病之由而治本。将咽喉口齿症细分七十二种，每症设图、论、治法、方药，令读者一目了然。列方分类独特，如“紫”为通关之剂，下列通关散、乌云散；“珍”为探吐风痰之剂，下列元明醋、金锁匙、化痰丹等。其中既有历代经验方，又有家传秘方，如蓬莱雪、冰片散等至今仍沿用。是书为窦氏几代临证经验总结，再经朱氏增补，博采先贤精辟之论，积朱氏四十年经验，故对喉科病症论述详全，治法多样，被后世推为喉科之经典，而广为流传。

中医古籍珍本集成　本书共分上、下两卷。上卷治喉秘法以口诀形式陈述咽喉口舌疾病的病名、辨识、治则、方剂、忌宜等；临证二十法载有用刀、针、烙、熏等外治方法的具体应用方法、适应证及部分操作技巧；上卷“方本”将143首喉科常用方剂按条编序，详述其功效、组成和应用。下卷“图本”则将72种咽喉及口舌病证绘成图说，按图审症，以症拣方，结合上卷已编序的“方本”，缕析条分，便于临床搜方求治，非常实用。

序跋

黄梅豁原序　予师乃三山之上禅师，得传方士喉科七十二种图像、二十针法、十八良方，了然在目，依方用药，无有不愈。夫人之咽喉，乃一身之枢纽，百节之关津，与肺胃相接，呼吸所从出也。假若胃膈之间，蕴积热毒，致生乳蛾，喉中肿痛，吞吐不利，甚则生重舌、雀舌、嗪舌之类，治法先宜去风痰以通咽膈，然后解其热毒。若热毒上冲，帝丁紫肿，定生悬痈。或腑寒肺热，致上腭不利，饮食有碍，是内痰上升，复成痰结，咽喉肿痛不通，帝丁或出于前，或噎於后，学者用药行针，宜加详审。若或吐绿涎，是心胆生气已绝，死在且夕，不可治也。又有缠喉、锁喉等证，最为危险，余急用三黄凉膈等汤，口噙冰片、玉匙等丸，即日可保，方似简而功效无穷，诚良方也。余虽非才，幸列门下，深得秘传之妙，故为之序。黄梅谿述。

江以忱补遗小序　此书系燕山窦氏原本，传之者为鄱阳黄梅溪，后为云阳朱纯衷秘传多年，衷侄孙翔宇复加增补，斯称大备。然皆系钞本，未经刊刻。迨嘉庆甲子，京江尊仁堂赵氏捐资刊以寿世，始得流传，然于先贤立论诸序，以及指南赋均未采入。忱积方多年，思欲济世，凡有俾于咽喉之证者，逐一录于卷巅，不惟补先贤之遗缺，亦冀治斯证者得以通变参用耳。嘉庆辛未十月望日，静亭江以忱谨识于紫荆书屋之东窗。

马二泉重刊序　且邪之所中，症即见焉，症有寒热，有虚实，有见于肌肤，有结于筋骨，有入于腠理，有传于经络。善医者察其形，诊其脉，或补或泻，或温或凉，或攻或散，或用丸片，或用针灸，当急者治标，当缓者治本，因症用药，因药驱病，尚何虑疾之不瘳乎。兹喉症非他症比也，生死决于呼吸，存亡判于俄顷，不善治之固危，不急治之则更危，医书虽多，治方甚杂，未有独抒所见，专门擅长者。予由省旋署，得汉嘉墨樵陈太守重刊《紫珍集》一书，备悉症源，并辑治方，诚志书所未及详，医家所未克见者也。前人有此济世良方，讵可私为己有，爰捐廉重刻《小蓬莱山馆方钞》《元宰必读》二书，以此一并付梓，非敢谓市惠邑人，聊广予殷殷利己活人之意云尔。道光十七年岁在丁酉初夏，会稽马二泉识于万县捕署。

按：马德音，字二泉，浙江平湖人。清嘉庆甲子科（1804）举人。

杨启葆重刊序　道光癸未，予生甫四，十日三兄一姊相继殇于喉症，予以远避，仅而获免。少长留心方药，独于是科阙焉无闻，垂三十年。岁在庚戌，又以是症殇堂妹一男一女一，室人产未弥月，以哭儿亡，而予志益亟亟在必得矣。咸丰元年辛亥，道出润州，闻有售喉症秘药者，价虽昂而效实神且速，亟购得以验，信不诬。诚恨得药之晚，继思购药济人，不如自合之便，而合药又不若刊方流传之为溥也。于是密访其方，乃售药家秘之数世，虽万金不以传，设法求之，竟不可得。又阅七八年，始以重价得于其婿之婿手，依方合验，随手病除，急付剞劂，刊行以公诸世，并叙其颠末如此。至其序文、图像、方歌、治法及附载牙痛等症，各治法悉依原本，不敢增减一字云。咸丰十年小阳月，句曲杨启葆舜华氏甫刊。

按：杨启葆（1820—1894），字舜华，又字春华，号蔼堂，江苏句容人。杨氏世代经商，启葆继为万顺号南货行业主。同治九年（1870），以创办实业有功，赐郎中衔，加五级，封通奉大夫。

李召猷重刊序 人生呼吸出入，与夫饮食吐纳之道，莫不出于咽喉，喉系下通于肺，咽系下通于胃，而总会于帝丁，以为两窍之界，其间为地无多，而糟粕之所薰蒸，气机之所升降，莫不于是乎在，是以受病最易，治疗亦最难。病之浅者，汤药可已，其病之重且险者，必待针刺灸烙，然后可疗，治之或差，祸不旋踵，非有专科，鲜克有济。《紫珍集》者，喉科之善本也。书分上下二卷，上列方药，下列咽喉各证，遂证而为之图，明所以施治之要，按图审证，按证用方，无不应手奏效。书中不著作者姓名，亦多不恒经见之方，殆秘本也，初藏燕山窦氏，其后辗转以归于吾邑尊仁堂赵氏，赵氏好善举，恒设局以施药饵，因为刊以行世。咸丰中，粤匪肆逆，蔓及京口，一时书籍皆毁于火，板以是散失。余恐是书之久而就湮也，爰邀集同志，重加编辑，并增订诸家方论，醵金付剞劂氏，以广其传，虽无补于利济养人之大，或亦卫生寿世之一助云。同治乙丑仲春，丹徒李召猷季棠甫识。

按：李召猷，字季棠，江苏丹徒人。曾任沭阳县学教谕、江宁府学教授等。

柳荣宗重刊序 古之为医也，必有专科，惟专故精，非苟而已也。况喉证尤关险要，性命转移，在呼吸之间，非精其业者，莫能治也。然向无成书，惟燕山窦氏著《紫珍集》，其序不列时代年月。吾郡赵氏与古方汇精，同得之于丹阳朱姓，均系抄本。赵氏每岁开药局济人，用其书按证对方，按方治病，罔不奏效，因捐资付梓，以广其传。咸丰三年，镇城失守，板均毁于兵火，二书显而复晦，不绝如线，李子馨谷，将汇精复为刊行。吾友李君季棠，谓是集尤属秘笈，久而就湮，必有证治莫辨，以人性命为尝试者，乌乎可，因醵金重刻。赵君葵之熟精医理，复集诸书论治，以附其后，而喉证可云大备。昔人谓刻人遗集，功等于存亡继绝，李君踵赵氏而行之，功相将矣，顾余更有说焉。集名《紫珍》者，谓其为紫府之珍也，故其方药名皆吊诡。既多珍贵之品，且证有猝得而药有不能猝办者，是有望于有力者，检方储备，以待不时之需，庶窦氏之方不为空设，而李君重刻终归实用也已。同治四年夏，柳荣宗序。

按：柳荣宗（1802—1865），字翼南，号德斋，江苏丹徒人。诸生。

陈缉菴重刊序 喉科一门，最急最险，不急治之则危，不善治之则亦危，求善治又求急治，乃至遍延内外诸科，杂进寒热诸品，病者岌岌，全家皇皇，或汤剂妄投，或怀疑惧而一药不投则更危。遍考方书，非无喉证，然率系散见，未有以此专其科者。道光十七年丁酉岁，我邑少府马二泉先生自省垣还署，携得燕山窦氏《喉证紫珍集》二卷，乃京江陈墨樵先生重刻于汉嘉者。上卷纂辑群方，首明治法；下卷备详诸证，绘图立说，诚医林中创见之书，惜我邑中无专习其业者。光绪六年夏，文君维垣先生以是书质诸我族眉山先生，云按书施治有年，投之辄效，乃信陈墨樵先生叙中有所谓百治百生，万无一失者，洵非虚语。眉山固乐善不倦者，遂慨然捐赀付梓。夫以最急最危之证，而得此最详最备之书，理会于暇日，取用于临时，彼此流传，救济无量，必有铭箴编辑是书，刊送是书之德於不衰者。因从眉山之请，为志其缘起如此。光绪六年秋七月上旬，缉菴陈光熙撰。

按：陈光熙，字缉菴，一作缉庵，万县人。清道光二十三年（1843）副贡，后以功保知县。同治元年（1862）举孝廉方正。曾任凤山、文峰、莲峰、万川等书院主讲。

版本及存佚

《喉症全科紫珍集》（又名《经验喉科紫珍集》《喉科紫珍全集》等）原为燕山窦氏所撰，传于鄱阳名医黄梅谿，后为云阳朱纯衷所得，秘传多年，最终由其侄孙朱翔宇增辑成书，以抄本形式流传。清嘉庆九年（1804），京江尊仁堂赵氏捐资刊行，即为该书初刻本。兹据《中国中医古籍总目》《新编中国中医古籍总目》等著录及笔者查阅，该书现存版本见：

清嘉庆九年甲子（1804）京江尊仁堂刻本（见存）

中国中医科学院图书馆　上海图书馆　云南中医药大学图书馆　等

清道光十七年丁酉（1837）万县捕署刻本（见存）

清咸丰十年庚申（1860）句曲杨启葆刻本（见存）

中国中医科学院图书馆　上海中医药大学图书馆　等

清咸丰十一年辛酉（1861）云阳文会堂刻本（见存）

国家图书馆　四川大学图书馆　等

清同治四年乙丑（1865）务本堂刻本（见存）

湖北中医药大学图书馆　南京图书馆　等

清光绪七年辛巳（1881）万邑天德门刻本（见存）

一草亭眼科全集 四集四卷（1837） 存

又名一草亭目科全集、感应一草亭书

〔清〕文永周（卜庵、豁然子）辑补

子目：

（1）感应试验纂辑药方　一卷

（2）感应眼科录要药性　一卷

（3）一草亭眼科全集书　一卷　〔清〕邓苑撰

（4）异授眼科病症问答　一卷　〔明〕李涿鹿传

出典

中医图书联合目录　一草亭眼科全集。总计四集四卷。清代文永周重编。内容：①感应眼科古今药方，又作感应试验纂辑药方，简作感应试验药方；②感应眼科录要药性；③一草亭眼科全集书，一作感应一草亭书。

新编中国中医古籍总目　一草亭眼科全集四卷。又作感应一草亭书，一草亭目科全集。清代文永周编。①感应试验药方一卷。②感应眼科录要药性一卷。③一草亭眼科全集书一卷，清代邓苑撰。④异授眼科病症问答一卷，著者佚名，明代李涿鹿传。

按：邓苑，字博望，江西清江人。清代眼科名医，生平不详，编有《一草亭眼科全书》。《异授眼科》一书，著者佚名，书中原序称："《异授眼科》一书，予家姑丈涿鹿李先生所授也，此书传自异人。"

提要

中国医籍大辞典　四卷。清代文永周编。成书并刊于清道光十七年（1837）。又名《感应一草亭眼科全集》。文氏以目疾延医调治，时瘥时作，乃至于翳膜满布。遂自检方书，据方修合而愈，并以眼科为业，将十数年临证效方搜撮抄辑，合前人眼科专书共为一帙，仍取明代邓苑《一草亭眼科全书》的一草亭为书名。卷一为《感应眼科古今药方》，首载点眼药要论、养目法、护目法；继述郁怒伤目、眼丹、白睛目病、眼见飞禽走兽形影、拳毛倒睫、眼目多泪、眼目打伤青肿、眼生桃针、烂弦风眼、新旧翳膜、漏睛症、珠突出眶、头风总症、妊娠胎前目症、痘家目症、飞丝入目、时令火眼传染、初生小儿病目十八症，详其病因证治，并附眼疾内外治方七十余首。其中凡屡经试验有效良方之下注有豁然子，余为古方；最后详细介绍眼科要药精制甘石、五号眼药的研制及点眼药诀窍、钩割针烙宜戒等。卷二为《感应眼科录要药性》，分类论述眼科常用药。其中，山草部二十六种、湿草部二十种、芳草部十一种、蔓草部六种、毒草部四种、水石草部四种、竹木部二十三种、谷部五种、果部九种、菜部三种、金石部十八种、禽兽部十种、虫鱼部十四种、人部二种，凡十四部一百五十五味。卷三辑录邓苑《一草亭眼科全书》原文。卷四即《异授眼科》。本书条理清晰，论治扼要，便于学者融会贯通，为眼科临证较为全面的一部实用参考书。

序跋

文永周郁然堂自序 眼科一道，病状百端，脉理深微，医药靡易。自华佗、孙真人而外，虽医学代出，究未有专习此道者。予年十八即病目疾，延医调治，时愈时发。迨道光辛巳壬午，每岁常患目疾，发时翳膜满布，竟至月余方愈。予时忙然无措，检阅方书，幸得仁宇傅君《审视瑶函》，青江邓先生《一草亭书》，涿鹿李公《异授眼科》，黄帝岐伯问答《飞鸿集》，论症列方，分剖详悉。所云目虽开窍属肝，然五脏之精液皆上注于目而为之精，故养生家有内视静功，目光宵烛之说。惟内养既充，外邪不扰，则眸子瞭然常明。第人生斯世，劳心劳形之事，谁能免乎，或被风霜所触，暑热相侵，受伤于外；或郁怒伤肝，营血摧耗，受损于内。斯欲因病疗治，则终身明瞽之关系于医者之手，可不慎哉。予常珍视名家眼科病状七十二症，种种刊候，各辨虚实，内外病症，简而且明。憾予生也晚，少读诗书，何敢言医。盖医之为言，意也，我意目疾莫不由脏腑而达诸轮廓。是以凡人内有一病，外必现一症，余无他术，不过望而知其现症显形，闻而知其内损外因，问而知其致病根源，切而知其内障外障，以意度之，确有主见。由是遵方修合，加减用药，以治己目，兼治人目，出一方以疗之，无不随试辄效。十数年来，予少目患，且觉光明异常，故将已效药方，搜撮钞辑，名曰《感应眼科》。书内药方下注有豁然子者，系予试验之良方，余属古方，不敢妄为增减，贻误后人。爰不敢秘，并将《一草亭》《异授眼科》二全集原本均付梓人，镌成小册，以便随时携带，临证检阅。予自病目以来，存心敬礼太阳神君监造日月二光，嵌于金凤山峭壁土面，俾苦目疾者，每当冬月十九圣诞进香，庶几神药两感。予虽管见，留心订辑有年，四方君子幸勿哂焉。

时道光十七年岁次丁酉四月二十八日，豁然子文永周谨题。

文永周药性录要序 《药性光明赋》有七字诀，示人切矣。然一药有专治一病者，而亦有分治各经各病，并同某药则入某经治某病。统而观之，不明兼治之法，而寒热妄投，鲜有不误者，甚非所以益学人也。予心惨然，因更增入眼科药品性味专治、分治，以及兼入某经治某病，注释详明，逐一备载，以便翻阅，对症审用，则升降有法，补泻得宜，药到病除，快何如之。爰弁简端，以自示其苦心，固非敢自矜博洽也，识者谅之。道光十七年丁酉孟夏月，郁然堂识。

版本及存佚

《一草亭眼科全集》(又名《一草亭目科全集》《感应一草亭书》)为清代万县(今重庆市万州区)名医文永周在明代李涿鹿《异授眼科》及清代邓苑《一草亭眼科全书》两书的基础上整理辑补而成，成书于清道光十七年(1837)。兹据《中国中医古籍总目》《新编中国中医古籍总目》《中国近代中医书刊联合目录》等著录及笔者查阅，该书现存版本见：

清道光十七年丁酉(1837)万邑永征祥刻本(见存)

重庆图书馆　浙江省中医药研究院　河南中医药大学图书馆　等

清光绪二年丙子(1876)京都琉璃厂善成东记刻本(见存)

国家图书馆　中国中医科学院图书馆　辽宁省图书馆　等

清光绪十六年庚寅(1890)益元堂刻本(见存)

民国上海千顷堂书局石印本(见存)

中国中医科学院图书馆　苏州市图书馆　贵州中医药大学图书馆　等

附：眼科七十二症问答病因丸散（1837）存

〔明〕李涿鹿传 〔清〕文永周（卜庵、豁然子）辑

出典

中医图书联合目录 眼科七十二症问答病因丸散。清代文永周。

考略

参见“一草亭眼科全集”条。

提要

中国医籍大辞典 文永周编。刊于清光绪二年（1876）。本书即《异授眼科》中“眼有七十二症医治”篇，辑出易名而成。

版本及存佚

《眼科七十二症问答病因丸散》原系明李涿鹿《异授眼科》中“眼有七十二症医治”篇。清道光十七年（1837），万县（今重庆市万州区）名医文永周将《异授眼科》收入其所增辑《一草亭眼科全集》卷四，并题名“眼科七十二症问答病因丸散”。光绪二年（1876），这部分内容被单独刊行。兹据《中国中医古籍总目》《新编中国中医古籍总目》等著录及笔者查阅，该书现存版本见：

清光绪二年丙子（1876）刻本（见存）

上海中医药大学图书馆

活人心法　四卷（1838）存
又名敦伦仁寿续集

〔清〕刘以仁撰　王文选（锡鑫、席珍子、亚拙山人）增辑

出典

中国医学大辞典　活人心法。清代王文选撰。

中医图书联合目录　活人心法四卷。清代刘以仁著，王文选辑。

按：笔者查阅该书之清同治三年（1864）刻本，卷端署“刘以仁著，继昌姜永镇、永萱姚大椿同校”，卷末署“道光癸卯亚拙撰增”，可知该书原为刘以仁所撰，后经王文选增辑而成。

考略

参见“医学切要全集六种”条。

提要

中国古医籍整理丛书　四卷，清代刘以仁著，清代王文选辑。卷一为望、闻、问、切之诊法，卷二为伤寒舌鉴及药性炮制等歌诀，卷三为伤寒诸方，卷四为补益、救急、遂生、怀少、普济、外科、杂症诸方。全书博采众家，尤重舌诊。所载验舌图149幅，集清以前舌诊之大成，且每张舌图均详论病因病机，并附以治方，集“舌”“证”“治”于一体。

序跋

王文选序　先父正朋公在日，见有活法药方，命选录之，济人丸散，命选制之，无非活人之意也。然传药不如传方，方书必载。余思方不易传，药不易服，何也？病有虚实阴阳之别，症有缓急表里之分，虽有明医，不外望闻问切。余托诸友抄其视病之法、验症之术，惟《伤寒舌鉴》辨症悉详，克晓六经传变，则诸病得法，而汇于心矣。余未知医，讵敢妄论，不过选其各家切要明显者，对病立方，详症用药，

汇成一集，无非欲使人人知病虚实阴阳，审症缓急表里，庶不误投汤药。及学医之士更宜玩究，而活人之法不无小补。复增集验诸方，内多云瞻王老师录选，及易公成富曾制备送，试验匪常，俱是活人良剂。但愿仁人君子修合普济，咸登寿域，而福荫无涯矣。今就二兄文相募刊，诸书得就善缘，以继先父拳拳活人之意。是为序。时道光十有八年岁戊戌十月十五日，安乡席珍子王文选敬识。

贺正笏序 昔范文正公曰：吾不为良相，必为良医。谓医之能活人，无异于相之能活人也。陆宣公晚年，得一秘方，必手录之，曰此亦活人之一术也。是二公者，一则以少年微贱，志存济世；一则以暮年倦仕，念切疮痍。二公之心，固无日不以活人为心矣。然徒有是心而不能得其法，不足以云活人，得其法而不能存是心，亦不足以云活人。活人之心何心？心范文正之心以为心。活人之法何法？法陆忠宣之法以为法。使有是心，得是法，非梓以行世，则能活一二人者，不能活千百人，不能活亿万人，斯其活人之法不周，活人之心亦隘而不广。予幼年嗜岐黄术，于读书暇，偶涉其藩篱，便欣然曰：此古人之所谓能活人者也。每欲拣其说之简而赅，方之精而良者，辑一卷以问世，而近以北辙南辕，有志未逮也。同邑王君出一箧示予，曰：此吾之欲付剞劂氏者。予览之，喜其立说之精，辨症之详，主方之简切，虽庸夫俗子亦解其意，俾家藏一编，人手一卷，庶六淫不足为灾，二竖可以无害，则所活者夫岂一二人已哉。予因其心之美，并羡其法之良，是其法虽未必如陆忠宣之法，而其心则未始非范文正之心也，王君其先得我心者欤。万邑举人贺正笏拜撰。

按：贺正笏，万县人。清道光乙未科（1835）举人。

版本及存佚

《活人心法》（又名《敦伦仁寿续集》）为清代万县（今重庆市万州区）名医刘以仁所撰，后经万县名医王文选（1808—1889）增辑而成，成书于清道光十八年（1838）。兹据《中国中医古籍总目》《新编中国中医古籍总目》等书著录及笔者查阅，该书现存版本见：

清道光十八年戊戌（1838）万邑南丹宫刻本（见存）

清咸丰九年己未（1859）三义公刻本（见存）

首都图书馆　上海中医药大学图书馆　湖北中医药大学图书馆　等

清同治三年甲子（1864）王同仁刻本（见存）

中国中医科学院图书馆　贵州中医药大学图书馆　等

选录必效（1842）存

〔清〕邱有荣（宗厚）辑

出典

该书未见书目著录。

考略

邱有荣，字宗厚，铜梁人。清代医家，生平不详。笔者所见《选录必效》之道光壬寅刊本，牌记页见“业医邱宗厚选辑”“板藏铜梁蒲吕场濂溪祠，凡印刷者，不取分文”等语。蒲吕场在铜梁县东南三十里，古名蒲江镇，清乾隆四十年（1775）设场，1919年改蒲吕乡。

序跋

邱有荣跋　此《选录必效》一书，所列诸方，悉采之古书，或得于师傅，要皆余数十年阅历之功，屡用而屡效者也。奇验者既不敢秘，未试者亦不敢载，凡以期有济于世，无误于人而已。且其药随处可有，不论富贵贫贱，皆所易为，但须依分轻重，如法炮制，方可取效。凡鹿茸、人参、洋桂、牛黄等贵重难觅之药，悉不开入，诚恐穷乡僻处及无力之家，不能购觅，虽有对症良方，亦束手无策耳。且此书之意，正为贫苦无力延医及医士不便者，开一方便之门。凡有病症相合，皆可依方取办，无不立效，并有起死回生之力，切无忽视。至于症不甚合，病危且杂者，宜择请明医，细辨症候，熟按脉理调治可也。伏愿得此书者，广为传布，所谓施药不如传方，自当获无量。倘高明之士，更为正订缺失，无讥浅陋，则尤幸甚。道光二十二年壬寅冬，铜邑医士邱有荣宗厚氏跋。

版本及存佚

《选录必效》为清代铜梁名医邱有荣所辑，成书于清道光二十二年（1842）。该书未见《中国中医古籍总目》《新编中国中医古籍总目》《中国近代中医书刊联合目录》等著录。兹据笔者查阅，该书现存版本见：

清道光二十二年壬寅（1842）铜梁蒲吕场刻本（见存）

脉诀总赋（1843年之前）存

〔清〕张亦仙撰　陶昔安　陶晋安辑补

出典

该书未见书目著录。

考略

［道光二十三年］补辑石硅厅志　卷八，人物志。流寓。国朝。张姓，逸其名，号亦仙，江右人。性严毅，恬退有逸致，精轩岐术，游历来石，所友皆正人。用药不泥古，辄奏奇效，求医者无贫富，悉为诊视。有虎而冠者婴危急，多金延之，弗顾也。庠生陈某疾，几不起矣，张切脉已作而言曰：是易疗，第愈后恐重听耳。已而果然。学使周公，有子遘奇疾，以名医荐致者，日数十辈，顾相视束手，莫能名其疾，后有言张术者，舆致，往焉，一药而瘳。会周内升京朝官，将荐张供奉太医院，谋偕去，力辞。旋里后二年，讣音至，石无智愚，皆为痛悼，素所交游，醵金钱为位而奠焉。

脉诀总赋整理后记　《脉诀总赋》据传为清代张逸（亦）仙遗著。余家世代业医，《脉诀总赋》一书文字通俗，赋体便于诵记，有裨于脉学入门，因而曾为家中授徒之脉学启蒙读物。1956年，余高中毕业，因疾归家，后祖母于祖父遗物中寻得已传数代之《脉诀总赋》抄本，然原文已残缺不全，余即转抄入笔记本中。1959年，原抄本因搬家不慎遗失。1965年春，余着手整理该书，由于原文残缺，错、脱、误之处不胜枚举，故而参考前人著述，以纠谬补缺。1966年，文革开始，被迫搁笔。1976年10月，再次提笔整理注释。由于余等水平有限，兼之中医各家学说纷纭，部分问题，莫定其非，故保留其古目，特选录部分原文附于章节之后，以之对照，以证并非作者臆造。每节均附浅释，并作部分注释，以便读者学习理解。末尾为脉形篇，作为原文的附录，附录中汇总历代医家研究脉学之经验总结。注释者识，1979年3月。（节录删润）

按：该整理后记附见于陶氏兄弟整理本，因其叙述冗繁，故据其原文节录删润，以便阅读。

提要

《脉诀总赋》为清代江西名医张亦仙所撰，原书共十一章。第一章为脉学总纲，第二章为诊脉手法及寸关尺所主脏腑分部，第三章为脏腑阴阳配属及脏腑四时配属，第四章以春脉为例言脉象生克之理，第五章言脉状，第六章论脉象主病，第七章论七绝脉，第八章论太溪之脉，第九章为脉症相参与脉症从舍，第十章论女子之脉，第十一章首言奇经八脉，次述七表、八里、九道二十七脉之脉状主病，末及阴阳离绝之脉。全书各章均为歌赋形式，便于记诵，章节呼应，言简意赅，为脉学入门启蒙读物。

版本及存佚

《脉诀总赋》为清代江西名医张亦仙流寓石砫厅（今重庆市石柱土家族自治县）时所撰，约成书于清道光二十三年（1843）之前。该书初仅以抄本流传，后辗转传至石柱世医陶氏家中。1965 年，陶昔安着手整理该书。1979 年，在其兄陶晋安的协助下，完成全书整理，并增补部分内容，后由石柱县科技情报研究所与县卫生局共同组织将该书出版。1982 年，陶氏兄弟将张氏遗著原文发表于《江西中医》杂志第 3 期。兹据笔者查阅，该书现存版本见陶氏兄弟整理本。

医学一统　一卷（1847）存

〔清〕黄为良（特生）辑　王文选（锡鑫、席珍子、亚拙山人）校订

出典

参见“医学切要全集六种”条。

考略

黄为良生平无考，仅见《医学一统》卷端署“合阳特生黄为良编辑，万邑亚拙王锡鑫校订”等语。其中，“合阳”与“万邑”相对应，当为黄为良里籍，“特生”与王文选之号“亚拙”相对应，或为黄为良之号。

《中医古籍珍本提要》称黄为良为今山西安泽人。兹考旧有合阳县，北魏建义元年（528）置，治所在今山西安泽县东南，北齐废。又有合阳邑，魏文侯十七年于西河之地，洽水北岸筑合阳城，汉置郃阳县，此后两千年未曾更名，1964年始改“郃”为“合”，现为陕西渭南所辖。

黄为良《医学一统》一书，现存最早版本即王文选所校订医学切要全集本，若将黄为良里籍确定为山西安泽，则存在诸多疑问。其一，（山西）合阳县建置仅存在数十年，且逢南北朝乱世，远不如岳阳、冀氏等安泽县旧称闻名，亦非两汉州县古称，若选用则与常理不符。第二，若黄为良确为山西人氏，其书既能流传渝地，必已广传，为何不见其它版本存世。第三，若黄为良确为山西人氏，王文选为何要校订该书，并附于自撰医书之末。

笔者认为，黄为良当为合州人，即今重庆市合川区人。第一，合川今有合阳城街道，战国时为巴国故郡，其后历为郡、州县治所在，宋置水驿名合阳，明洪武间定名合阳城，清光绪间为合州城厢。第二，合州署作合阳，有旧例可循，如合州举人欧阳步云为王文选《外科切要》撰序时署“合阳举人拣选知县欧阳步云”。第三，清代多见吟咏合阳诗词，如彭光煦《合阳竹枝词》、王采珍《渝州晓发回合阳舟中作》等，且合川历来有“合阳八景”之说。

此外，万县名医王文选对于整理川东前贤著述着力颇多，其曾于清道光十八年

（1838）整理并刊行万县名医刘以仁所撰《活人心法》。

提要

中医古籍珍本提要 一卷，成书于1847年。本书先由黄为良撰著以述医学之要义，后经王锡鑫校订附于《医学切要全集》。书中主要论述阴阳、脏腑、经脉，并详细论述七表、八里、九道等脉象之特征主病。全书文字不多，解析透彻，可启迪后学。

按：本书首载五脏六腑辨证、中药要略、问证等歌括；后为内、外、儿、妇、眼科等病证二十九门，收方二百零三首。

序跋

该书附刻于王文选撰《奇方纂要》之后，未见序跋。

版本及存佚

《医学一统》原为清代合州（今重庆市合川区）名医黄为良所辑，后经万县（今重庆市万州区）名医王文选（1808—1889）加以校订，于清道光二十七年（1847）成书。该书附刻于王文选《医学切要全集六种》之末刊行。现存版本情况详“医学切要全集六种”条。

赛金丹　二卷（1847）存

〔清〕徐朝宦（炳章、半峰、纯一、蕴真子）王三山合编

出典

全国中医图书联合目录　赛金丹二卷。清代蕴真子编。

考略

徐朝宦（1802—1878），字炳章，号半峰，又号纯一、蕴真子，璧山登里二甲（今重庆市璧山区三合镇）人。朝宦幼读儒书，有志科举，屡试不第，二十二岁时改习医业。其忠厚淳朴，乐善好施，于登里行医五十余载，医技精湛，所赖活者甚众，先后编有《赛金丹》《一囊春》《时经两方》等。

提要

中国医籍大辞典　二卷。清代蕴真子编。成书于清道光二十七年（1847）。上卷记载医家养生论、四诊要诀、用药宜忌和一百三十余种药物的功用、主治、炮炙，下卷按风寒、前阴诸证等门类论述证治方药。凡三十七类病证，于每病证下分若干方证。全书载方约二百余首。

序跋

徐朝宦小引　道有大小，活人之道可为；术分正邪，济世之术宜学。《灵枢》《素问》，无非圣帝之传心；橘井杏林，要同良相之医国。愚点金乏术，修丹未成。抱恙多疑，每乞灵于乩卜；学医未澈，时寄意于旁搜。方以类求，治归经验。多附简易，俾促办于穷乡；略注减加，请斟酌夫明哲。治虽未备，简而能赅。用药如用兵，须随机而应变；固本如固国，宜思患以预防。舍药施材，尤望富翁以济世；扶危起死，或赛金丹之度人。蕴真子识。

徐朝宦跋　上古之世，人皆度百岁乃去，良由真性浑朴，不借修为药石，自能各尽其天年。降及后世，人心浇漓，情锁真如，烟迷觉海，遂至日戕其生，而不如

黄老以金丹度世，教人尽性以至命，穷源溯流，超出三界之外，跳出生死之关。然火符金鼎，龙虎功能，终难概诸天下，则与其炼铅汞而夺造化，何如传方药以救生灵。愚与王子三山，博采仙方，广搜奇秘，序为上下二集，质诸黄君宝臣校阅绘图，精心缮写，颜其名曰《赛金丹》。伏望乐善君子翻刻广布，俾得家藏一编，庶共庆安全，同登寿城，则是书之济人，谓有赛于黄老之金丹可也。纯一徐半峰题。

徐世璠题赞　一编贮尽太和春，采辑搜罗费苦辛。珍重须知同拱璧，莫教负此有心人。松亭徐世璠题赞。

按：徐世璠，字松亭，为徐朝宦之叔祖。

袖海山房重刻序　苏子云：药虽进于医手，方多传于古人。是今世之良医，不外古方以求效。然往帙甚富，无力者既难备存；考验无征，检用者亦未敢遽信。惟半峰徐氏所编《赛金丹》一集，博采仙方，广搜奇秘，美皆成于集腋，效必见于已经，别类分门，区为二集，虽篇幅不多，而条理甚密，既简而能备，亦显而亦明，且锓刻广传，公之于世。盖以利己，不若济人，传方胜于施药，不出户庭之中，而可救万人之命，诚善本也。余获其书，喜其简便，究其方术信而有征，思欲人藏一编，而苦无其板，爰即其本重刻广布，俾使人人各得其宝，庶穷乡僻壤皆获良医，而贫乏无力及仓促难办者，亦可披帙而采择矣。时道光二十八年仲冬月，袖海山房谨识。

按：苏子，即苏轼，此句出自其所撰《乞校正陆贽奏议进御札子》一文。

周本立重刊序　有济世之心者，必有济世之道。自圣贤而下，言济世者，则莫如医。顾岐黄神术，习其业者，岂必尽能十全；卢扁妙方，绍其传者，不闻悉属三折，如是以言济世，济者几何。又或家资落魄，无从酬金，病发仓皇，未暇延请，如是以言济世，济者又几何。王君汝道、刘君运来，好善士也，夙怀济世之心，未酬济世之愿，一日以医书来，嘱余作序。询其意，则曰：欲捐资刻板，期有济于人耳。余览其书，颜曰《赛金丹》，辄诧其名，以为金丹乃黄帝旌阳鼎中物也，凡材俗品，而乌乎赛之。开卷批阅，首论病源，必固先天三宝，此即金丹上关之意也；次论药性，可以养精炼神，此即金丹中关之意也；次论药方，可以却病延年，此即金丹下关之意也。医理源委，备具册中，而丸散之方，用之又无不神效，比之金丹，是亦诚然。然神丹奇遇，千生不逢，飞升妙术，一粒谁饵，是金丹足以济世，而宝未尝济世也。若是书之用，业是术者，既明脉理，亦谙用方，即不业是术者，按病投药，亦无不立效，缓急可恃，贫富共资，其济世之用，虽不若金丹之神，而金丹则不若是之遍，名之曰赛，是诚赛之也。余嘉王君、刘君济世之心，故乐为之序。同治九年庚午岁上元，周本立序。

姚绍崇重刊序 坊间所刻方书多矣，求其简明切要，开卷了然，无过是书。初为川客李保芝携来，见者惜为枕中秘，思广流传，爰集同人，醵资重刻，则有李训叁、徐南山、方子霖、莫甫卿等各捐费若干。又虑鲁鱼亥豕，传写多讹，经文星帆、陈竹漪两君皆老于医者，悉心校正，庶临时检用，不差毫厘。昔陆宣公晚年家居，留心医药，闻有秘方，必手自抄录，曰此亦活人之术也。是书出，较抄录之功何如，人之欲善，当使不胫而走也。光绪六年季秋月吉日，益邑姚绍崇桂轩氏谨识。

按：姚绍崇（1805—1885），字桂轩，湖南益阳人。同治廪贡，候选训导，加中书衔。曾入湘军郭嵩焘、胡林翼幕。著《论语衍义》等。

凡例

一、是编先治未病，首重精气神及摄养诸论，四诊要诀，寒热虚实，表里阴阳，用药宜忌，药性炮制，脏腑图考，以为认症下药准的，阅者先于此参究。

二、是编所列仙方，系历年为己为人所请，均已经验，今删去医案，只以圣号列在各方头上，但症治未备，因略采古方紧要者，以便施治。又虑用方者泥而不变，于各方下详注加减。尤虑贫乏者无力服药，及仓猝难办，因汇集简易方以附。

三、所列方先正而后奇，分门别类，各门中论症，则先轻而后重。每方下论治及后加减，均以病属全身者在前，零星者则自头至足，药味或补或泻，各以类从。简易方中亦遵此编次。凡着眼字句用“△”，汤头用“丨”，通编俱有圈点，俾阅者了然，不蹈杂乱之讥。且上、下两编合成一卷，易于翻阅，出门易于携带。三易稿始成，煞费苦心。其有立效、立愈、真神、极验等字，多从删削，省文也。

四、施药不如传方，每见人私秘小方，甚属可鄙，然经广刻，又恐人以等闲相忽。此刻乃体不出门，救万命之说，最为善本，阅者珍之。

五、简易方宜常看记熟，讲与人听更好。至药有宜预办、栽种、收买者，须先为办备，以济己利人，即少取人财，半积阴功半养身，亦有功德。

六、所选单方有伤生命者，必万不得已而后用之，虽贵人贱物，然万物一体，必曲全补救始可。

七、每症选方，颇多详问病源，择其对症者用之，或内外兼治，奇正参用。至于戥分，须随病加减，不必拘定。或服此不效，另拣一方，勿谓不验，但恐胶柱鼓瑟，以致病不投方耳。

八、服仙方必须诚信配合，不可预先泄破，默祷神灵加护，改恶从善，虽冤债夙孽，亦必解释获效。

九、服药全贵真材制熬，孝子慈父，药必经手，始克奏功。若随药铺配合，轻重颠倒，及委粗心年幼煎药，多有误也。

十、是编所载不药奇术，既未经口授，无师可以默想，须凝神如太上在前，一诚相感方验。

十一、是编专为养病及好行方便者应用，故症治终多缺略。欲学医济世者，由此略观大意，再读《本草从新》《医方集解》《医学心悟》《景岳全书》《尊生全书》《石室秘录》《医学汇参》《伤寒集注》等书，方能贯通。

版本及存佚

《赛金丹》为清代璧山名医徐朝宦（1802—1878）与王三山合编，并由璧山名医黄钰（1817—1886）绘图而成。成书于清道光二十七年（1847）。兹据《中国中医古籍总目》《新编中国中医古籍总目》等著录及笔者查阅，该书现存版本见：

清道光二十七年丁未（1847）刻本（见存）

中国中医科学院图书馆　浙江省图书馆　云南省图书馆　等

清同治五年丙寅（1866）刻本（见存）

清同治九年庚午（1870）简州刻本（见存）

清光绪七年辛巳（1881）益阳救婴局刻本（见存）

清光绪十三年丁亥（1887）渝城天泰正号刻本（未见）

四川省图书馆　云南省图书馆

清光绪二十八年壬寅（1902）金邑姚市曾氏刻本（见存）

医诗必读　十二卷（1848）存

〔清〕冉敬简（慕竹）撰

出典

全国中医图书联合目录　医诗必读十二卷。清代冉敬简编。

提要

《医诗必读》为清代川东名医冉敬简所撰，成书于1848年。全书共十二卷。卷一为要论、脉诀，卷二为伤寒，卷三为中风、类中风、风暑寒火诸外感证及内科杂证，卷四、五续为内科杂证，卷六为女科，卷七为儿科，卷八为外科，卷九为药性，卷十为八法，卷十一为古医案，卷十二为诸方备考。全书均采用歌括体例，为综合性入门医书。

序跋

冉敬简自序　医书自轩岐以后，代有发明，至于今充栋汗牛，生其后者，何敢置喙，夫固知此书之不可有也。然医寄死生，理极微妙，使非记之极熟，终觉用之不出，故初学每阅一书，见其理极遥深，词多佶屈，苦于融会贯通，不免用药认证之难，学识未到，安保不自误而误人，欲求一词畅理明，便于睹记者，恒不多得，然又叹此书之不可无也。予质鲁材庸，于医道未能窥其万一，而于医书所载，见有益于人，切中其病者，不惮搜罗。诚以疾病者，人所时有，医药乃命所攸关，不揣庸愚，兢业而著为歌括，句虽修于予手，法皆本于古人。其初原欲奉为家藏读本，因其便于睹记，聊为初学开一捷径之门，非敢云传书也。质正高明，祈为就正是祷。道光二十八年桂月朔，冉氏敬简书于家塾草堂。

黄钟音序　今夫事有益于今人，而又不悖夫古人，其道足以济人，而其书即足以传世。考医自轩岐著《灵枢》《素问》，而大经大法以立，迄后历代明医，各有著述，亦云备矣。后人读其书，犹有精与不精之异者，何哉？大抵意深者渊涵浑穆，浅人莫能会通，言繁者累牍连篇，临证难以记忆，是以用力虽多，而成功卒少也。

冉君折肱有年，起废愈痾，不可胜纪，而又以其法于古，得于心者，笔之于书，深者显之，繁者删之，提纲絜领，示其指归，别类分门，叶以韵语，名曰《医诗必读》。是书也，为医书中仅有之书，即为医学中不可无之书，易于读，易于记，又易于解，诚能熟读深思，姿高者不过三月，质鲁者亦止半年，必能融会贯通，得心应手。夫疾病为人所时有，医药为命所攸关，此书词畅理明，匪特业医，则凡有身家者读之，当何如汲汲也。余尝谓医术也而心术，闵焉世有操一方一法，秘焉而不出以示人，则其心体之病，固已无药可愈矣，乌足言医。冉君操活人之术，不私其术，而又欲人人皆知其术，其用心相去为何如也。且医切于人，尽人所宜知也。故古训云：父不知医，比于不慈；子不知医，比于不孝。医固尽人宜知，特患无善本可读耳，果如此书之易读，易记，易解，吾一读之，更愿人人各读之，读得熟，自然用得出，自治治人，将以跻斯人于寿域不难矣。诰授朝议大夫赐进士出身翰林院编修国史馆纂修北城御史工部掌印给事中甲辰科会试同考官记名繁缺道加三级毅甫黄钟音拜撰。

按：黄钟音（？—1857），字毅甫，原籍福建永定。其父黄梅堂赴渝经商，因寄籍巴县。道光辛卯科（1831）举人，癸巳科（1833）进士，赐进士出身，朝考改翰林院庶吉士。散馆授翰林院编修，充国史馆纂修，后任巡视北城监察御史，升工部掌印给事中，记名繁缺道加三级。曾任道光甲辰科（1844）会试同考官。后丁忧回籍，主讲东川书院，为第五任山长。该序即撰于其担任东川书院山长期间。

耿目检序 余署幕客患血证，百治不效，一日，倾盆大吐，命如悬缕，困惫不堪，适川东山长毅甫黄公在署，谓余曰：此易事耳。归院即寄一方，依方配合，不十剂，而其病如失，应手痊愈。余惊而问之，毅甫曰：吾非业医者，此方盖冉君《医诗必读》中理脾饮也，无论知医与不知医，相其人之虚实，按证求方，无不奏效。因索其书，见其至简至当，加以韵语，便于记诵，论证则辨晰明，而无有错误，言方则糟粕去，而不至冗烦，会萃古人之精义，力破坊本之似疑，开卷之余，了如指掌，再试数证，无不立愈，诚轩岐之羽翼，医学之津梁也。夫立说传世，代不乏人，有矜博闻广见者，病其太深，有抱管窥蠡测者，病其太浅，此书出之以深，而阅者不见其深，出之以浅，而按之不见其浅，俾良医读之，愈以资其闻见，即庸医读之，亦可得其把柄，不亦善乎。毅甫曰：彼欲以此书公世，问叙于余，余已叙而付之矣，公盍亦叙之以弁其首乎。余故原其巅末，欣然而乐为之叙云。川东观察使者退思耿自检撰。

按：耿自检，字退思，陕西渭南人。清嘉庆十八年（1813）拔贡。道光二十三年（1843）任川东兵备道。该序即撰于其担任川东兵备道期间。

版本及存佚

《医诗必读》为清代川东一带（今重庆市）名医冉敬简所撰，成书于清道光二十八年（1848）。兹据《中国中医古籍总目》《新编中国中医古籍总目》等著录及笔者查阅，该书现存版本见：

清道光二十八年戊申（1848）刻本（未见）

贵州中医药大学图书馆

清同治十三年甲戌（1874）务本堂刻本（见存）

清光绪三十四年戊申（1908）渝城意诚堂刻本（见存）

中国中医科学院图书馆

指迷医碑　二十卷（1856）存

〔清〕蔡玉美（珅、阳和、元和）撰

出典

中医图书联合目录　新刻指迷医碑二十卷。清代蔡玉美纂辑。

考略

［民国十年］合川县志　卷五十五，方术上。蔡元和，州西里白沙场人。少业医，既久于道，则见病知源，每诊脉后，辄能言其致病之由，及其所以治疗之道，闻者为钦服。然不轻用古方，多采时方用之，而著手成春，其应如响，远近叩请者，日不绝门。他人艳之，遇有同一之症偶相仿，用即不效，盖其临证熟而见几，审早迟轻重之间，固非可以言语形容者矣。著有《指迷医碑》若干卷，所论伤寒、杂病，致为详悉，而于杂病尤精。板出，人争购之，时医以其害己，托言书名夸大，讼之官，为封其板，识者惜焉。清光绪初，元和年九十矣，森楷遇之某戚座上，善饭，健谈，娓娓不绝，疑其不过五六十人也。后近百岁，潘岁贡一仑特为作启，征诗文及仪物寿之，未及期而卒。西里采访员投稿。

按：张森楷（1858—1928），字元翰，合州人。清光绪壬辰科（1892）举人。1917年受聘主纂《合川县志》，为近代著名史学家。

蔡玉美，又名蔡珅，合州西里白沙场（今重庆市合川区）人。生于清乾隆五十二年（1787），卒于光绪九年（1883），享年九十六岁，为合川名医中最长寿者。祖蔡朝忠，为儒士，博古通今，屡试未第，设私塾于老宅为教。父蔡如南，幼读诗书，壮习农圃，耕读齐家，育有五子三女，珅排第二。珅生而聪颖，读书不数过，辄能记诵，及为文，秩然就理，成童后小试遽列前茅。后因劳心过度而得弱病，医者不察，几乎不救。遂弃儒就医，取古今医书研习调整，病愈。遂潜心研究医术，约十载，终于自学成才。出而诊病，疗效显著，医名迅速传于渠江两岸，延请者盈门，从学者益众。其认为古医书汗牛充栋，学者目力难及，且易于迷途，于是集数十年读书临床之心得，撰成《指迷医碑》一书。

提要

中国医籍大辞典 二十卷。清代蔡玉美撰。成书于清咸丰六年（1856）。卷一、卷二载伤寒证方歌括一百四十余首；卷三至卷十五论内、外、五官、妇、儿等科病证主治，载方约七百首；卷十六辑集《大宝论》等六篇医论，后述戒烟、酒诸法，列方二十五首；卷十七为脉诀十八则及运气等十四则；卷十八先述七方、十剂等内容，后列奇证九十四种；卷十九论针灸要诀，载七十穴；卷二十为内、外科单方，共五十一证、近二百方。本书论证，皆先述其病因、病形、证治概要，后选诸名家要论，附选其方，并间出注释。

按：全书以“三生修福命，一片活人心”十字为序。

序跋

蔡玉美自序 古所谓不为良相，必为良医者，其立品不同，其救人之心则一。神农《本草》尚已，轩辕二《经》，扁鹊《难经》，异曲同工，汉张机始本类经以立法制方。唐宋而下，书出愈多，皆衍轩岐之经，未详底蕴，歧途繁焉。以主火而立言者，则金有刘河间；以苦寒为补阴者，则元有朱丹溪；以七十二法，三十六方，包括仲景者，则有陶节庵；以《伤寒十劝》，无一可师，浅识仲景者，则有李子建。诸家书出，附会刘、朱者过半，各出己见，寒凉妄施，途愈多而复愈远矣。惟明会稽张景岳，深发《灵》《素》二经之微，著为三十二卷，犁为三百九十条，更增以《图翼》十二卷、《附翼》四卷，详加注释，殚精究微，秋毫无漏。俾轩岐以来，存心救人者，首屈一指，大约如五经之有孔孟，百家之有程朱，辽豕自负，未敢轻量也。乃惑于习俗者，未能深知景岳，反以浅见议景岳，卤莽灭裂，师心自用，则大道仍成荆棘，山径终无康庄，斯世大魔，生民厄遇，每常痛之。余不敏，窃以为愚者千虑，必有一得，盖以仲景立法制方，固医中之关键，景岳后起突出，尤医中之橐钥，是医有仲景，轩岐之至道始开，医有景岳，扁鹊之妙术终明也。夫伤寒宜宗仲景，杂证宜宗景岳，殚究二贤遗书，揣摩体会者，亦几三十有余年矣。因难见巧，对证成方，则于仲景书中而有悟焉，是我用仲景而不为仲景用我，庶不迷于仲景也；温中托里，妙用如神，则于景岳书中而亦有悟焉，是我用景岳而不为景岳用我，又不迷于景岳也。历代诸家有所长，即有所短，余取其长而弃其短，要皆推本仲景、景岳之意，以互相发明，庶几择术于医，即能救人于医，于医道不无小补，若以为著述立说，而沽名钓誉于世，则吾岂敢。是为序。

刘泰吕序 宰相能活人，医亦能活人，故古人有不能为宰相，而即愿为医者。

盖人以心为质，舍是恐其不能活人也，顾宰相有是心，而又有燮理之功，是以能纳群生于在宥，以佐圣天子，沛保乂子惠之恩而无难。至于医，不过行之于一乡一邑之间，而其所以活人者亦有限矣。然能合天下之群为医者，而皆以活人为心，使之营卫不乖，夭札不生，疾疠不作，危者以安，亡者以存，远迩一体，中外同心，则医虽小道，其所及者正宏也。吾友蔡君阳和先生，生而颖异，读书不数过，辄能记诵，及为文，秩然就理。成童后小试，遽列前茅，识者方以远到卜之，乃因劳心过度，遂得弱疾，而医者不察，药与证违，几于不救，遂弃儒就医，取古今医书若干卷，讲明而切究之，自加调理。未几，起色豁然。于是益苦心探讨，穷二气之消长，辨五行之生克，明四时之代谢，分九土之刚柔，化而裁之，变而通之，神而明之，我用我法，不袭于古，而自不悖于古，触手回春，投无不效。盖惟自活，乃因以活人也。夫医之为道难矣，不熟药性，不精脉理，不详气色，不别声响、缓急、先后，倒行而逆施之，以人之病，试吾之方，方可屡试，而人可屡试乎，是以活人者，而转杀人也。蔡君痛庸医之迷于所往而杀人也，因作一指迷碑，本其所用之而效者，勒集成书，其言简而赅，其意深而远，其旨显而达。得是书者，参以己意，合宜而用之，不啻醉者之醒，而梦者之觉矣，于以活人，于以济世，亦何必宰相而始能活人也哉。是为序。钦加翰林院学习士壬午科举人年家眷弟谦斋刘泰吕拜撰。

按：刘泰吕，字谦斋，合州人。清道光壬午科（1822）举人。博学能文，尤工制艺。曾主瑞山书院，后移主合宗书院。

何平尤序 天以阴阳五行化生万物，人得天地之中，以生目之于色，耳之于声，口之于味，鼻之于臭，四肢之于安佚，自有正性。而人偏之，或淫于声色，或癖于臭味，或一于安佚，于是阴阳失和，寒热不调，而疾生焉，病者迷矣。神农氏出，爰有医书，后有作者，踵而法之，如轩辕、岐伯、雷敩、伊尹，衍经《素问》《炮炙》《汤液》，其书最古；扁鹊、张机，《难经》《玉函》，悉遵先圣，以补不足；至东西两晋，后周隋王，渐增渐多；唐宋元明，刘朱张李，名称一时，以至《钩元》《琐言》《集成》《回春》《杂证》《伤寒》，纷纷不一种，出则汗牛，入则充栋，累案叠箧，指不胜屈。读之者非识见浅陋，不能窥其渊微，即己见偏执，用以试其针砭，兼之道听一方，耳闻一说，亦打包行药，误世殊多，医者又迷矣。赤水阳和蔡君见而悯之，搜罗百家，贯通诸子，近揣诸身，远取诸物，昼研暮揣，豁然有得，出以济人，应手甡甡。爰取其书之误者正之，偏者全之，散者会之，晦者明之，合者分之，乱者疏之，又详其四时异宜，五方异性，讲明而切究之，析于几微，辨之毫芒，一一指陈，使迷于病者醒，迷于医者觉，缕缕详密，凿凿简要，如惊醉者之梦，似晓行者之途，迷者悟矣。请先生之指竖碑当衢，为迷于医者导。署通江县儒学正堂甲午科举人姻晚晴嶅何平尢拜撰。

按：何平尢，字晴嶅，合州人。清道光甲午科（1834）举人。

沔溪公之子序 志在苍生，勿药有喜，作事愦愦，以庸医杀人者，当尽投于沮洳场中耳，返沉迷指，以碑胡为者，盖尝论之。夫不知进退，人指为似宗元；不审存亡，人指为似伯喈；不甘澹泊，人指为非武侯；不识伦常，人指为非睢阳，指之于人大矣。竖起脊梁，悬碑当路，迷途未远，今是昨非，良有以也。则果无疾痛害事，彼屈而不伸，特无名之指耳，十目所视，十手所指严乎。赤水阳和蔡君，诚余之故人也乎，业岐黄，察膏肓，曩者从游于余先君子沔溪公之门，少小谈心，忽伤老大。今特以所辑《指迷碑》一集见示，余捧读之既深，叹蔡君之苦心孤诣，又痛念先君子之取友必端，愿以告世之指以喻，指而未知，指其所指者。

杨蔚起序 夫医之为道，兹大语，然人共由之，人共行之，本日用常习之事，有荡平显易之途，其理易明也，其术至正也，使习之未专，诊视不明，用药弗慎，迷于证即迷于治，并迷于治之不执于方也。先正语而恐歧途，甚至歧之又歧，不向其人指明之，则迷者弗悟，此庚兄阳和先生《指迷医碑》所由作也。予两至合邑，始晤丰仪，惜旅次仓皇，未暇深谈。秋九月，请驾来渝，留数晨夕，乃徐稔其生平，而知先生心平气和，识高养粹，少即笃志岐黄，后复以医学授门人，口诣指画间，于古方中质以己意，举阴阳虚实之辨，脏腑表里之分，以及寒热燥湿，君臣佐使，靡不瞭如指掌，考究三十余年，于此道已三折其肱矣。令嗣君墨轩，家学渊源，克成厥志，以此书订为三集寄予，捧读之余，洞悉本源，缕晰条分，推先生之意，恐人迷于认证之误也，先指之以论证；恕人迷于治法之乖也，次指之以治法、述古；恐人迷于用方之拘也，又指之以论方、附方，勤勤恳恳，指示详明，务使不迷于曲径而入于康衢，诚济世之金丹也。先生第秘之，以为课徒之具。予曰：盍付诸枣梨，俾乡邑中业医者各置一编，广所见闻，识迷途之来去，则先生之教泽愈宏矣，而以此保身，以此活人，载其口碑，其利济，又岂有当哉。书既竣，爰为弁言，以志向往之意云。时咸丰六年岁四月浴佛前三日，宕渠庚弟致堂杨蔚起书于重庆府学之养心官舍。

按：杨蔚起，字致堂，渠县人。清嘉庆丙子科（1816）举人。曾任内江县训导，升重庆府教授。

蔡玉美自题诗二首 其一。医碑敢诩继前贤，矢愿活人志愈坚。迷指途中参鄙见，奇搜海上悟真诠。寒冬校字笔呵冻，盛暑编方墨吐烟。谬说从来删不尽，发明奥义最精研。其二。几载编书数十篇，更深月影映窗前。毕生儒术成虚愿，半世医门务远愆。杏树春回董氏宅，橘香日暖苏家泉。口碑莫笑呕心血，寿世寿人不计年。

版本及存佚

《指迷医碑》为清代合州（今重庆市合川区）名医蔡玉美（1787—1883）所撰，成书于清咸丰六年（1856）。兹据《中国中医古籍总目》《新编中国中医古籍总目》等著录及笔者查阅，该书现存版本见：

清咸丰七年丁巳（1857）友杜山房刻本（见存）

吉林省图书馆　河南中医药大学图书馆

清同治四年乙丑（1865）恒盛堂刻本（未见）

中华医学会上海分会图书馆 中国科学院国家科学图书馆

新刊经效妇科　一卷（1857）未见

〔清〕李恭山撰　陈洪春校正

出典

全国中医图书联合目录　新刊经效妇科。清代陈洪春撰。

中国医籍续考　新刊经效妇科一卷。李恭山撰，陈洪春校正。

考略

《新刊经效妇科》一书，笔者查《全国中医图书联合目录》《中国中医古籍总目》《新编中国中医古籍总目》三书均见著录，署作陈洪春撰，版本仅见清咸丰七年（1857）刻本，藏成都中医药大学图书馆。笔者曾于成都中医药大学图书馆查阅该书，然未能查见。

陈先赋等主编《四川医林人物》(1981年出版)，收有“陈洪春”条，称“陈洪春，江津名医。著有《经效妇科》一书，今存。”裘沛然主编《中国医籍大辞典》(2002年出版)称《新刊经效妇科》一书，“经查未见”。王瑞祥主编《中国古医籍书目提要》(2009年出版)亦称该书“未见”。

刘时觉主编《中国医籍续考》(2011年出版)对该书记载较为详细。刘氏称《新刊经效妇科》为“一卷”，成书于“1857年”，署作“李恭山撰，陈洪春校正”，随后在按语中对该书主要内容进行了介绍，并称“有晚清刻本藏成都中医药大学，《大辞典》谓经查未见。”然刘氏本条标题仍作“未见”，不知是何缘故。

综上所述，《新刊经效妇科》一书，或仍存世，然笔者查阅未见，姑仍列存部，以待后考。

提要

中国医籍续考　时觉按：列经候诸证60条，胎前65条，产后54条；下卷常用方歌，附新刊经验奇方70首。

序跋

笔者未见该书，故阙，以待后考。

版本及存佚

《新刊经效妇科》为清代名医李恭山所撰，又经江津名医陈洪春校正，成书于清咸丰七年（1857）。兹据《中国中医古籍总目》《新编中国中医古籍总目》等著录及刘时觉《中国医籍续考》记载，该书现存版本见：

清咸丰七年丁巳（1857）刻本（未见）

成都中医药大学图书馆

应验药方（1859）存

又名应验良方

〔清〕王文选（锡鑫、席珍子、亚拙山人）辑

出典

中医图书联合目录 应验良方。清代王文选录。

考略

参见“医学切要全集六种”条。

提要

中国医籍大辞典 不分卷。清代王锡鑫撰著。成书于清同治十三年（1874）。是书系作者多年诊治各科疾病简便灵验之方汇集而成。全书共一百五十九方，涉及面广，多为世不经传的成方。前九十五方，每方皆有组成、主治、炮制、服用方法等项。末附选录的“孙真人海上仙方”六十四个，采用歌括形式，以七言四句诗歌编排，简洁、流畅、易记。

按： 该书辑成于清咸丰九年（1859），详本条“版本及存佚”部分。

序跋

王文选安乐铭原序 余居市井，未尝学问，然凡读正蒙训世之书，莫不信为神明，凛如蓍蔡。近复获睹《安乐铭》一册，所言皆日用伦常之事，持身涉世之方，不揣固陋，刊刻传世。首载《朱子家训》，上著圣贤诗歌，后附杜公十戒，末增谠言数则，其为书言简而意赅。高忠宪公有云：凡人因一句善言，提醒了一点善心，便做了一世善人。岂但转祸为福，直是起死为生，可见先正格言有功后人不小。今余勉刻是书，惟愿人手一卷，家藏一编，因以父教其子，兄勉其弟，将从其善，而改其不善，行见礼让，可与伦常无愧，可无负忠宪公之所云也。余力不足，并募诸公善缘，以成斯举，而今而后，触目警心，共相则效，庶几善与人同云。是序。时道

光壬辰孟春中浣，书于翰斋书屋，万邑王正朋命子文选敬录。

王文相初次重刊序 是书之传，先叔正朋公在日，书以训选弟也，亦未尝不有意训相。不意一载，而先叔见背，选弟思其手泽犹存，因募诸公醵金付梓，已公于世久矣。予犹未介意，不数年来，各省乐善诸公刷印甚众。予方惊悟，展卷细阅，其味无穷，皆实学也，善读者玩索而有得焉，则终身用之，有不能尽者矣。惟是寒暑几历，版多模糊，余虑其久之或不传于后也，方思鸠工重刊。适晤李君篆振亚，并坐谈心，与言及此，遂毅然有倡助之意。余鉴其欣羡豫悦，而知其心之笃嗜者为不虚矣。予犹服其竭虑输诚，而叹其乐与众嗜者亦非伪矣，岂非先得我心之所同然者哉。兹谨依录全篇于左，后增蒋公劝民，先贤针砭，以及方药，付之剞劂。庶无负先叔训诲之意，而诸公公世之忱，亦不致湮没之无继。则是编之流传于将来者，永无暨矣。是为序。时道光十有九年蒲月天中日，南浦王文相君佐氏谨识。

王文选京都重刊跋 先君子在日，见有效验药方，命选录之，及于亲友中有恙者，必抄方以传之，使其患愈而乃快。故并刊之，但不能悉刊，特于生产、救急应验方药，照前刊之，复增《海上仙方》。惟冀同志君子，乐善刷印，以传而广之，使人人置之案头，平日熟记，遇有染恙，亦可共传，讵不方便之一助耶。亚拙王文选敬录。原板存万邑天德门同仁号，欲请板印送者，分文不取。咸丰九年正月（阙）日重刊于京都，以便乐善诸君印刷施送。板存廊房头条胡同西头路南，晋文斋刻字铺。

版本及存佚

《应验药方》（又名《应验良方》）为清代万县（今重庆市万州区）名医王文选（1808—1889）受父王正朋之命所辑录。道光十二年（1832），王文选初刊《安乐铭》一书。道光十九年，王文选之堂兄王文相重刊《安乐铭》时，将王文选所辑录方药附于书后。咸丰九年（1859），王文选于京都（北京）再刊该书时，于前刊方药之后复增《（孙真人）海上仙方》，至此该书得以定本。兹据《中国中医古籍总目》《新编中国中医古籍总目》等著录及笔者查阅，该书现存版本见：

清咸丰九年己未（1859）京都晋文斋刻字铺刻传家必读安乐铭本（见存）

国家图书馆

清光绪二十二年丙申（1896）京都永盛斋刻传家必读安乐铭本（未见）

国家图书馆　北京中医药大学图书馆　等

仲景存真集 二卷（1864） 存

〔清〕吴光慧（海山、蓬莱）撰

出典

中医图书联合目 仲景存真集二卷。清代吴蓬莱编辑。

考略

［民国十年］合川县志 卷五十五，方术上。光慧，字海山。传启予之学，全活甚众。著有《仲景存真集》二卷，劝读张仲景书十则，语皆扼要，梓板今存。永里采访员投稿。

按：《仲景存真集》卷首“长沙方小引”之后，目录之前，即光慧“劝读十则”，亦即“劝读张仲景书十则”。谓梓板今存，或即清同治五年（1866）合州怀德堂、清光绪八年（1882）合州文星堂两种刻板。

提要

中国医籍志 本书是一部伤寒歌赋集，刊于公元1864年。作者对仲景至为推崇，他将伤寒六经辨证、脉象脉理、运气要诀、全部方剂，都编成歌诀，以便初学者阅读。全书二卷，上卷主要载伤寒方歌括，其中有“伤寒论翼俚言”十六首。伤寒方中，大多为一方一歌，但也有一方双歌、三歌或四歌的，共计一百四十余首。下卷载脉象脉理、古方加减、煎药服药、运气要诀、奇经八脉等歌括共六十余首。书后附难字音释。本书内容浅近，利于初学者阅读，但较为杂乱，缺乏条理。

按：《中国医籍志》之“仲景存真集”条“作者简介”称吴蓬莱为河南濮阳人，此说疑误。据笔者考证，吴蓬莱应即清代合州（今重庆市合川区）名医吴光慧，字海山，蓬莱为其号。“海山”“蓬莱”，两者意义接近。

合川古名垫江，为濮族人主要居住地，至今尚有濮湖、濮岩、蒲（音同“濮”）溪等地名。孔安国《传》称：濮在江汉之南。张守节《史记正义》称：濮在楚西南。童恩正先生在《古代的巴蜀》一书中认为：“合川最早原为濮人的住地，这里似乎曾有一个较大的濮族部落。”后来巴族迁到这一带后，征服了濮人。《华阳国志·巴志》称：其属有濮、賨、苴、共、奴、穰、夷、之蛮。《舆地纪胜》记合川钓鱼山有“双墓”。据李文昌《图经》称：“巴王、濮王会盟于此，酒酣击剑相杀，并墓而葬”，民间称此双墓为“濮王坟”。

又清代合州名医刘绍熙（1840—1905）所撰《公余医录抄》之清光绪二十一年（1895）三槐书局刻本牌记页亦署“古濮刘庶咸摘录”。

又民国《合川县志》卷五十五“方技”条记载，合川名医陈启予为吴光慧之师，精伤寒，撰有《伤寒金匮附翼韵编》等书。故而吴光慧《仲景存真集》上卷所载“伤寒论翼俚言”或得其师陈启予所传。

序跋

吴蓬莱自序 医之一道，神圣为之于前，贤哲阐之于后。上通天纪，下察地理。调运和化，燮理之功甚宏；救弊补偏，匡扶之力更大。其方甚多也，其法甚备也。义理精深，白首未易窥其奥；编次繁杂，青年难尽读其文。倘非约繁词而归简要，谐声律以著歌词。则习是业者，苦于记诵之难；而售是术者，愧无淹贯之实。所以临症惝慌，猜阴而复猜阳；用药模糊，失寒而更失热。智圆行方，我未之见；胆大心细，人其奚能。吾是以志在活人，务期立人有术；心存济世，恒虑寿世无方。爰集成书，作为声歌，远综仲景之说，近体韵伯之注。理求精当，而非出以私心；词谢浮华，未常参以己意。因名其书曰《仲景存真》。盖存真则无伪，无伪则可传；真存则不杂，不杂则可宗。非好事也，欲易晓也。奈付梓之时，有徒恃己见，不按书理，将成编而更数句者有矣，将原句而改数字者有矣，究之驳而不醇，杂而不精，是存真反以乱真，去伪实以臻伪，何以为初学之津梁，后人之法楷乎。余因再为校正，更加斟酌。铲去旧板，恐有畔乎先贤；刻作新书，期无负乎后学。庶几天时寒暑之不齐，人事寝兴之难节，俾得共登春台，咸跻寿域，固余之所深期而厚望者也。古濮蓬莱氏题甲子初春也。

芥城甫序 从古圣贤著书立说，其义精，其旨远，其法尤备而无偏，虽历久遗亡，非学贯天人，识通古今者，不容轻于补论，慎失真也。汉长沙太守张仲景先师为医中之圣，所著《伤寒杂病论》，合十六卷，原以六经为百病立法，不专为伤寒一科，伤寒、杂病治无二理，咸归六经之节制，六经各有伤寒，非伤寒中独有六经，其常中之变，变中之常，靡不曲尽。览其全书，即可见病知源，此张公之活法，实张公之真诠也。惜晋王叔和分伤寒、杂病为两书，而编次差谬，仲景之真已失。及林亿诸公较正，不得仲景原集，惑于《伤寒论》之名，又妄编三百九十七法，一百一十三方，以附会叔和，而仲景之真更失。成无己矫然特出，欲为仲景功臣，以不得仲景真传，故注仲景书而旨多不合，作《明理论》而理反不明，又不能辨许叔微三方鼎立之谬，反集诸注，以开疑端于后人。他如方中行作《条辨》，使仲景之规矩准绳益坏。卢子由作《疏抄》，而仲景之法遂扰乱于不堪。嗟乎！尚论愈奇，则去理益远，条分愈新，则古法益紊，仲景之真几荡然无，三人了存矣。幸近代名贤柯韵伯先生，尝叹仲景伤寒、杂病合论，天苞地符，为众法之宗，群方之祖，尚论者泛涉则管窥蠡测，终身莫殚，揽要则玄珠妙谛，罔象可求，杂以后人识见，反为尘饭土羹，莫适于用，由是即仲景《金匮》之遗，因端竟要，寻流溯源，作为二《翼》，复使原文合论之书，昭如日星，而其真不赖韵伯之羽翼，千载长存不坠哉。时值末流，道降术升，医事不振，习业者少读书明理之士，类皆略识之无，并目不识丁辈，故不特《内》《难》《甲乙》等经，未能窥其底蕴，即仲景《伤寒杂病论》与后人编次论注，亦真赝难辨也。唯古濮吴蓬莱先生自幼聪明颖异，枕经胙史，博雅宏通，壮岁业医，上自《灵》《素》，下迄《龙宫》《千金》《肘后》《青囊》，十三代之奇书，四大家之秘诀，无不参究其精微，尤于韵伯伤寒二《翼》，独能探骊得珠。且受高人秘传，如欲上池神水，灵心慧目，洞见脏腑。其制方大法，以人合天，悉按周天度数，合阴阳升降，河车运转而不息，患人饮药，罔不坤转乾旋，赖为起死回生大药王。是以声名大噪，远近执弟子礼，奉为医宗者，不下数十人，因即韵伯伤寒二《翼》，作歌以教后学，编成付梓。门人执书求俚言以并首卷，余见其遥吟俯唱，言简意赅。仲景大法久掩于论注辈，而其真不出者，唯先生出，通天手眼，提纲标准，去肤留液，俾天下后世知六经为百病立法，其理平而奇，其用圆而神，学人融会贯澈，自可一法通来，了万千也。夫仲景得韵伯而其真存，韵伯得蓬莱而其真长存，韵伯与蓬莱不共为仲景之羽翼也耶。时维大清咸丰岁次乙卯桂月，琼池后学芥城甫拜识。

吴蓬莱长沙方小引 《汉文艺志》云《汤液经》出于商伊尹，皇甫谧谓仲景论伊尹《汤液》为十数卷，可知《伤寒论》《金匮要略》诸方，除崔氏八味肾气丸、侯氏黑散外，皆伊尹之遗方也。伊尹因《内经》只有十二方，详于针灸而略于药，遂宗神农《经》旨，专以汤液治病，补《内经》所未及，长沙得其真传，可谓大而化，化而不可知矣。然余读《鲁论》能近取譬二句，想见长沙当日必作泛泛而求，大抵入手功夫，即以伊圣之方为据，有此病必用此方，用此方必用此药，其义精，其法严，毫厘之判，无一不了然于心，而后从心变化而不穷。论中桂枝证、麻黄证、柴胡证、承气证等，以方名证，明明提出大眼目，读者弗悟也。然而可以谓之方者，非圣人不能作，非明者不能述，其药品察五运六气而取其专长，其分两因生克制化而神其妙用，宜汤、宜散、宜丸，一剂分为三服、两服、顿服、停后服、温服、少冷服、少少咽之，服后啜粥、不啜粥、多饮水、暖水之类，而且大煮、微煮、分合煮、去渣再煮，渍取清汁，或用水，或用酒，及浆水、潦水、甘澜水、麻沸水之不同。宋元后诸书多略之，而不知古人之心法在此。其药证、分两、煮法、服法等，所限弗能工也。取《伤寒论》原文重加注疏，书成二卷，按方而细考之，俾读《伤寒论》者，于人略我详处，得一捷便之法云耳。

版本及存佚

《仲景存真集》为清代合州（今重庆市合川区）名医吴光慧所撰，成书于清同治三年（1864）。兹据《中国中医古籍总目》《新编中国中医古籍总目》等著录及笔者查阅，该书现存版本见：

清同治五年丙寅（1866）合州怀德堂刻本（见存）

四川大学图书馆　广州中医药大学图书馆　等

清光绪八年壬午（1882）合州文星堂刻本（见存）

中国中医科学院图书馆　等

清宣统三年辛亥（1911）潼南文裕堂刻本（未见）

重庆图书馆　四川省图书馆　等

正骨心法（1864）存

又名氏正骨心法

〔清〕桑天埴（赞元、保丞）续撰

出典

该书未见书目著录。

考略

桑赞元（1834—1907），名天埴，号保丞，为开县桑氏正骨鼻祖桑立三之曾孙，桑紫卿之子。其少得家传，以正骨济世，誉满川东。同治三年（1864），赞元遵其父遗命，续编《正骨心法》以传世。光绪二十年（1894），赞元谋将此书付梓未果，后门人竞相传抄，流传至今。2023年，学者陈代斌受桑氏正骨传人桑良燕、桑晓燕等委托，以桑赞元所撰及桑氏传人续撰资料为基础，并参考民国及建国初传抄本，整理编成《桑氏正骨心法》一书。该书以桑赞元《正骨心法》为主体，保留了大量桑氏正骨术理论与临床实践资料。

提要

《正骨心法》一书，首重医德，技术独特，从头到脚各骨、各关节损伤，受病根源、手法、验方、禁忌一一论述。将诊断与治疗相结合，手法与固定相结合，固定与锻炼相结合，手法与药物相结合，药物外敷与内服相结合。因人而异，因病而异，药方独特，并附医案，通俗易懂，便于学习。是桑氏骨科的经验总结，川东民间辗转传抄甚多。其学术特色为“十法三步骤”。十法即按、摩、擦、揉、端、搓、提、抖、捏、拿。三步骤即屈伸关节，松弛肌肉，消除痉挛，减轻疼痛；行气活血，舒筋活络，通利关节；整复对位脱臼关节，吻合骨折断端，敷药固定。书中还指出“正骨施术，当循序渐进，手法灵巧，用药得宜，内外同治，标本兼治”的治疗要诀。桑氏祖传玉竹强筋汤、加味益气汤，所有药方经历代传承运用，且在五世之前视为秘不外传之神剂。

序跋

桑赞元自序 正骨以全活人，亦外科所匪易者也。盖人性命形骸完缺，关系于其手，苟欲为人补助，非其深造详参，专习此道，而期于人尽无缺陷，于已幸勿遗憾，岂可得哉。赞思学习要必至精至熟，斯能济人而无误。我祖传正骨济世经五代矣，先曾祖立三公有《正骨心法书》，嘉庆遭回禄灰尽，越先祖鹿峰公，传先君紫卿公，不数年先祖即逝，先祖妣张孺人尽以教先君，先君由是得其传，精心谙理，著手成春。虽据理论症，而语必寓箴规，神妙莫名，贤声远播，施膏丹不吝，阅寒暑不辞，就治者踵门踏至，日无暇晷，窃维念切救人，视人疾若已疾，且治人疾每忘己疾。洵如陈缉庵山长赠诗云：世泽历年均远被，生民愁痛一肩担。赞自幼受先君传教，常以体恤病者痛苦，精勤疗治，为之谆谆。又俾诸症历治殆遍，踢打断挫，状莫尽言，接逗夹缠，法难备述，症有百出，治即百端，间有求治，人竟至莫可转移，多成残废者，先君悯念久之，曰：是正骨之误也，苦无书传故耳。即拟叙周身骨骼，明受病根原，用各手法，用各验方，应何护持，应何禁忌，著书传世，庶免误人，旋因贼乱未果。嗣于同治甲子三月廿六日，先君六旬无疾见背，易箦数日前，以著书事未了心愿，叮咛嘱赞继之，言犹在耳。赞奉行《正骨心法》数十年，无方不效，是法俱灵，常即随试辄效者，录之成帖。今赞年属六旬有三矣，恐其久而失也，谨遵先君遗嘱，将人身筋骨、榫头、穴窍，各受症、各手法、各药方，逐类详载，按序编缉。颜曰《正骨心法》，共计二卷。词繁者，所以求理之明；言简者，所以求意之赅，阅即易知，虽无奇，而用者必效。噫！是编也，前人藉以传心者在兹，即后人求其心得者亦在兹，非敢云继先君志也。时从吾学者万邑则有易君坤山、万君庆之、万聘三、万献之、万肇之、万镃谨，开邑黄君子溪、袁君少白、文君辅成、程君本荣，湖北宜昌府东湖县罗君仲霖、东乡戴君华级，新宁陈君代哲，外甥易君渊如，外孙李君芳本，门生黄君化成、黄受庵，嫡堂侄祚沛，小子祚全、祚隆、祚觐等，虽各授秘诀以去，而其中妙法，匪凭记载，虽妙弗传，仅记先君生平若何，行持及所教所勉赞者，皆有可法，以深望后学辈耳。留心斯道者，请览此编，细意体会，不啻口授心传，俾法精手熟，不致误云。开邑善字山居士保丞桑赞元谨记，清同治三年。

按：该序署作“清同治三年”，但序中可见“同治甲子（即同治四年）”的表述，故作序时间存疑。然笔者未见原稿，姑存其疑，以待后考。

版本及存佚

《正骨心法》为清代开县（今重庆市开州区）名医桑天埴（1834—1907）继其曾祖桑安宁《正骨法门》、其父桑国吉《接骨纪略规条》两书续撰而成，成书于清同治三年（1864），此后多有增补。该书曾于光绪二十年（1894）谋付梓未果，后门人竞相传抄，流传至今。2023 年，学者陈代斌受桑氏正骨传人桑良燕、桑晓燕等委托，以桑赞元所撰及桑氏传人续撰资料为基础，并参考民国及建国初传抄本，整理编成《桑氏正骨心法》一书。

附：正骨法门（清中期）佚

又名正骨心法书

〔清〕桑安宁（立三）撰

出典

正骨心法桑赞元自序 立三公。正骨心法书。

考略

川东开县桑氏骨科，始于桑孝知。桑氏一族，原籍湖北。清朝初年，孝知从湖南湘潭刘法斌、冉法灵等处习得骨科秘术，后传其子桑立三。桑立三（1730—1798），名安宁，世称安宁公。生于湖北，曾拜刘素道长为师，学习骨科秘术。乾隆十三年（1748）入川，居开县善字山庐家湾，三年后迎父入川。立三善使一对流星锤，武艺出众。其精通正骨，兼治眼科、外科诸证。自立三始，桑氏于开县以正骨术济世活人，代有传人，声名远播。立三撰有《正骨法门》一书。

版本及存佚

《正骨法门》（又名《正骨心法书》），系桑氏家传《正骨心法》之第一稿，为清代开县（今重庆市开州区）名医桑安宁（1730—1798）所撰，成书时间及具体内容不详，其书稿在嘉庆年间遭火灾焚毁。

附：接骨纪略规条（清后期）佚

〔清〕桑国吉（芝、紫卿）续撰

出典

接骨纪略规条范泰衡序 紫卿。接骨纪略规条。

考略

桑紫卿（1805—1864），名国吉，为桑安宁之孙，桑家和之子。紫卿得家传正骨之学，著手成春，终年施丹药不吝。其为往来接应登门求诊者，于铁桥半边街置田产三十石，名“膏药田”。万县儒学范泰衡曾赠联云：有德积百年，元气后语良。万州书院山长陈缉菴亦赠诗云：世泽历年均远被，生民愁痛一肩担。紫卿续撰有《接骨纪略规条》一书。

序跋

范泰衡序 余应万州张明府修志之聘，同事则万州院长缉庵陈君也。暇时余言，开县桑君接骨术神，自护国先生迄紫卿培之，历五世矣，新、开、梁、万各州县求医者踵门无虚日，桑君愈不受谢，并药饵饮食之，数十年来，全活以数万计。予尝书联赠紫卿：有德积百年，元气后语良。非溢美，唯念叩求之众，费用之多，男女内外，往来接应之繁，窃代忧焉，忧其日久不支，渐至废驰，而远近灾黎之臻，而待命者将无所靠也。缉庵与紫卿季弟世交，爰请往劝滨南置公业以垂久远。丙寅花朝，滨南邮寄《接骨纪略规条》，乃知尊翁以亲病求医，曾得异传。夫以护国公不忘其亲，因得济人之术，滨南昆季叔侄不忘其亲，又协筹所以永远济人之方，桑氏之兴，其庸可量乎哉。第虽有舍业，仍苦支绌，望扩而大之，取原数倍蓰加焉。庶几广先人之德，培燕翼之基，异日子孙发名成业，必有所以宏济世之模，衍祖泽于无穷者。是月余将北上，匆匆草数语以遗桑君叔侄，更望缉庵之玉成其事也。前任万县儒学范泰衡书，同治丙寅年二月二十七日。

按：范泰衡，字宗山，四川隆昌人，清道光甲午科（1834）举人，清咸丰元年（1851）任万县训导，清同治三年（1864）主纂《万县志》。张明府即张琴，字鹤侪，甘肃武威人，廪生，清同治元年（1862）任万县知县，同治三年（1864）主修《万县志》。陈缉庵，名光熙，万县人，清道光二十三年（1843）副贡，同治三年（1864）分纂《万县志》。桑国有，字滨南，为桑国吉之弟。

版本及存佚

《接骨纪略规条》系桑氏家传《正骨心法》之第二稿，为清代开县（今重庆市开州区）名医桑国吉（1805—1864）所续撰，成书时间及具体内容不详。该书部分内容或被保存在《正骨心法》中，其原稿应已亡佚。

一囊春　三卷（1866）存

〔清〕徐朝宦（炳章、半峰、纯一、蕴真子）
徐祝三（正华）徐星五（正奎）合编

出典

全国中医图书联合目录　一囊春三卷。清代徐炳章等编。

考略

参见“赛金丹”条。

提要

中医古籍珍本提要　三卷，成书于1866年。作者认为人贵先治未病，不如先摄养，而终于不病。故书中首列先贤卫生诸格言。卷一列述天年论、摄养论、卫生必读歌及切脉图式、十二经络歌、分类见病用药歌括等内容。卷二分述伤寒、血症、咳嗽等内伤杂病及眼目、耳鼻五官科诸病。卷三介绍妇、儿、外科证治，并附杂治补遗和畜类证治，概述灭跳蚤、蚊蝇、虱类方药和治疗牛马猪羊诸病方剂十余首。

序跋

徐朝宦自序　夫医术者，活人之首事；制方者，济世之良规，而方之不善，则用之鲜效。故《周礼》医师掌医之政，令聚毒药以共医事，岁终则稽其医事，十全为上，十失一次之，十失四为下。又《曲礼》曰：医不三世，不服其药。其周详审慎，良有以也，医之一术，岂可忽乎哉。况今人不能摄养治于未病，百忧感其心，万事劳其形，思其力之所不及，忧其智之所不能，暗自戕贼，百病丛生。及夫既病，徒恃参苓，宜其自迎肃杀之威，远背阳和之气，欲其万病回春，难矣。仆素不敏，未能融会乎百家，贯通乎诸子，敢妄为著作以误人性命也，不过因人成事，暇时与侄华集古今之成方，择其有合于症，不悖夫理，随用辄效者，取而汇次之，不蹈杂乱之讥。俾寻方者，依病用药，一见了然，齐登仁寿之天，共免夭札之患，岂曰括囊无咎，聊云著手成春，其有知我罪我者，亦不遑计及也。因为数语，以弁卷首耳。纯一徐半峰题。

陈祥凤序 谚云：施药不如传方。所言是也。然医自岐黄后，方书日多，用之鲜有成效。尝谓古人著书，症求其备。大抵照症立方，如士子之拟题，不必皆亲临是症，而后名是方，故其效未可，必也先方，而不效与无同，且因以败事，为害多矣，此半峰先生《一囊春》所为作也。先生少业儒，不得志于有司，遂绝意功名，隐居自乐。性好诗，吟咏成帙，皆不落恒蹊；嗜山水，尝裹粮游骆駷、峨嵋诸山，所至扪险探幽，有谢灵运之慨；旁通艺术，于天文地理、医卜仙释之书，无不历览，而医尤为世所称许。前著《赛金丹》，不胫而走，群医奉为圭臬。近又汇集名医经验良方，取罗洪先一囊药贮太和春之篆，颜曰《一囊春》，征序于余。余维天地者，万物之囊橐也，人处其中，有此臭皮囊，本非易易，而世多悠忽置之，一遇疾厄，辄陨身黄泉，为可悲也。先生存寿世意，殚精竭力，而成此书，其所集者，皆经验之方，与古人之想症拟方者，大有异矣。同里诸公复不惜囊金，以成其美行，见此书一出，如和风所至，万物皆春，其济世之功，岂浅鲜哉。然先生具囊括宇宙之念，不获如锥处囊，脱颖而出，以展其志，而仁民爱物之心，仅于此书发之，吾尤不禁为先生惜也。是为序。同治五年丙寅岁修禊月穀旦，仙洲陈祥凤顿首拜撰。

按：陈祥凤，字仙洲，璧山举人。

徐朝宦自赞 两神不清，尔貌不扬。探胸无多墨水，握笔实属荒唐。矧素愚昧，未谙岐黄。漫持小技，遗笑大方。然欲因应咸宜，抒成三卷；须思述而不作，春贮一囊。半峰自赞。

徐朝宦自题 宏济无能鬓已苍，漫凭心性寄岐黄。难寻海上回生药，且贮囊中起死方。几卷编排宁我作，数年辛苦为谁忙。集成笑付麻沙本，应有仁人代播扬。半峰徐炳章题。

徐正华题 隙驹暗度负居诸，谱得奇方乐有余。半壁霞光朝秉笔，一窗灯影夜抄书。已教序次推将伯，更喜清謄笑起予。敢道流传称不朽，聊凭寿世竟何如。祝三徐正华题。

徐正奎题 医虽小道术称仁，好向《灵枢》细问津。妙诀原来搜不尽，大还应许守能真。香流笔楮烟云幻，风漏竹林岁月新。依亦从公参活法，喜教万病悉回春。星五徐正奎题。

凡例

一、人贵先治未病，与其既病，而恃夫药饵，不如先摄养而终于不病，故首列先贤卫生诸格言。然人生饮食起居，稍有不慎，焉能保其一疾不生，是以又列望闻问切以及脏腑部位、十二经络、二十七脉、医方八略，并见病用药等法，俱序次妥协。凡歌诀药方，调顺平仄粘连，叶清韵脚，使阅诵者不至缬舌聱牙，见而生厌，伤寒大症另附于后，诚为善本，阅者珍之。

二、仆素有迂癖，凡见人书籍错杂乱置者，必代为之依类整齐，虽经昼夜，不顾劳倦，觉必如此，心始就安。又见坊刻医书，每多杂乱，欲寻捡一方，暂时难觅，故序此编。全部正简两种，其分门别类，以及一症之中，所列正方，每方之下，论治及后加减，均以病属全身者在前，病属零星者，则自头起至足止。一症有数正方者，则以初起病轻或总治数症者列前，病重虚弱或分治一二症者列后。每方中药味，或补气滋水、补血安神、开窍收敛、理气行血、利水化痰，或润凉，或燥热、解毒杀虫，一一依次序下，间有颠倒者，亦各有道理。简易方仍照此编次，有以药味多而煎服者在前，少而噙敷洗搽者列后，有条不紊，阅者细心察之自明。凡着眼字用“△”，汤头用“｜”，通编俱有圈点，用者易于寻找记忆。其各类论方，或有而不备者，添补好方又增入，全无者搜补，论治恒多添改，区别正简，安顿前后，杂乱之中，签出条目，煞费匠心，一二年始成。酷暑严寒，夜深昼永时，未尝下案，件件经心，方方检点，每觉头晕眼花，神昏意乱，夜睡尤见心里燥疼怔忡，莫可名状，梦魂恍惚，每一梳发，则脱落不堪。常有俚句云：一腔心血销磨尽，几缕鬓毛脱落无。自笑从来医方，孰似此迂拙编次者，非伐劳也。但愿仁人君子怜仆痴苦，不吝锱铢，广为刷印，或翻刻传布，俾得家藏一编，同登寿域，困一人可以济千万人，庶不枉仆等一片苦心，则铭感无暨矣。

三、集中不药奇术，有同系一法，用处每多互异，且浑详不一，雅俗悬殊，类皆以讹传讹。不揣迂愚，略为润色，细加释明咒语，俱改有韵脚，俾习者一见能晓，且顺口易记。神在心中，只要一诚感格，聚精习练，无有不灵。

四、编中采列正简之方，颇多用者，须照症分清表里、寒热、虚实六字。症有水极似火，内真寒而外假热者，此犹可辨；更有火极似水，内真热而外假寒者，实属难分。仆每愧此，倘辨之不清，凉燥之间，祸在反掌。故编中间有大克削之方，必嘱慎用二字，始不致胡猜瞎谙，以误人性命也。

五、遇有病当用某药，必拣择道地真材，依古炮制，孝子慈父，务要经手，熬用大瓦罐，庶不箍药。药水须适中，头两道不可久煎，三四道方可多渗水熬浓汁，空心服之始有效。若随药铺配合，药既不佳，戥分颠倒，又委之无知小子，聊草熬制，焉能取验，莫徒怪方之不灵也。

六、是编其规款安顿，虽效《赛金丹》，而方各不同，已录者不载，仆意在求全。故于下编正奇两方，囊括无余，间有挂漏者，又有《补遗》一帙，方不嫌多，以求合璧。然美不胜收，高明倘有良方善法，幸祈勿秘枕函，日后翻刻增入可也。

七、是书上、中、下编，颇觉全备，欲习医者，能照此研究，自可得其大概，又参以《张氏医通》《景岳全书》及《冯氏锦囊》《医门法律》等书，则已升堂，何难入室。

八、凡事先贵有创垂，然后有继述。胞伯登庠公，号知育，素精医学，凡闻人有秘方，必虚心访问，随手录记。故数十年来，采集不下几百方，编中所列者，多出其手。所谓利济为怀，没世不能忘也。

九、是编非祝三、星五二侄赞襄，不克成其事。祝三汇纂群方，搜采遗靡，暨后誊清，凡数易稿，不间寒暑，无分昼夜，煞费心力，阅者鉴之。

十、此书之成，却有预兆。仆昔年与王子三山，黄君宝臣编刻《赛金丹》，叔祖松亭师赠诗云：一编贮尽太和春，采辑搜罗费苦辛。珍重须知同拱璧，莫教负此有心人。余编一囊春成，忽忆此诗，觉首句预藏有书名，岂天教仆再续刻此编以济世。而松亭师之赠言，竟成诗谶者欤。

十一、医方关人性命，岂敢妄为著作，部分班列，编中所采，俱系述前人神方，以及良朋素经奇验秘而不轻传者，多方探讨，片羽之投，奚翅百朋之锡，必有灵异，始登之集中，用者照症择取，焉有不效之理。世有讥仆等才一学医，就要著书，以欺世盗名。非好名也，总欲得一奇方，不忍私秘，体自济济人之意，以公诸世云尔，识者谅之。

版本及存佚

《一囊春》为清代璧山名医徐朝宦（1802—1878）与族侄徐祝三、徐星五合编而成，成书于清同治五年（1866）。兹据《中国中医古籍总目》《新编中国中医古籍总目》等著录及笔者查阅，该书现存版本见：

清同治五年丙寅（1866）刻本（见存）

重庆图书馆　河北中医药大学图书馆

枌榆小草　二卷（1868）存

〔清〕赵澍（雨人）撰

出典

全国中医图书联合目录　枌榆小草二卷。清代赵澍撰。

考略

［光绪二十年］黔江县志　卷四，选举志。保举。赵澍，报捐巡检，光绪七年举孝廉方正。

按：赵澍，字雨人，黔江人。其父赵正言，年高德厚，家中藏书万卷，而于医书亦备数十种。澍少负俊才，天姿超妙，于经史子集诸书，皆过目了了，习制举业，暇旁参孙吴兵法、岐黄医书，悉解其奥。年十四，父丧，家道中落，即躬理家政，乘暇攻帖括业，后补弟子员。咸丰八年（1858），赴成都乡试。同治元年（1862），以素明韬略谒熊用成军门，后受张春霆司马荐列曾尚人幕府，所至辄射奇策，大为嘉许。后因其母张氏不欲久离膝下，遂刻日束装，就道旋里，此后不出。惟设馆深山，肆力于《灵枢》《素问》《金匮玉函》等，乃求方者毂击肩摩，而方药甫投，效若桴鼓。同治七年（1868），澍复采其心之所得者，将所治诸病，列为成案，撰《枌榆小草》一册，以重乡党。光绪七年（1881），举孝廉方正。

提要

《枌榆小草》二卷，清代黔江赵澍撰，成书于同治七年（1868）。赵氏以枌榆为名，意即故里，以重乡党。该书是一部医案著作，所收录医案患者均为邻里、友人乃至亲眷，共收录医案三十八则，上卷收自“治太阴经肿胀病情”至“治少阴经喘逆病情”等二十则，下卷收自“治太阳经兼太阴经黄瘅病情”至“治太阳经兼少阳经耳鸣咳嗽病情”等十八则，包括太阳经病七则、阳明经病七则、少阳经病二则、太阴经病九则、少阴经病八则、厥阴经病五则，其中有兼病、并病、传病七则。赵氏以六经辨证为纲，用于医案的总结与编排，极具新意。除伤寒六经理论外，亦兼采三焦、营卫气血理论。赵氏认为，辨证准确是首要前提，并强调因人、因时、因地三因制宜。赵氏对证分经用药，皆遵古方，尤其推崇仲景心法，而在具体运用时，又能结合自身经验，灵活化裁，变通应用，尤为可贵。

序跋

赵澍弁言 医案汗牛充栋，可遵可法者，大率以某人病情系某方治愈了之，无问后学能比照案内证方主治否。即能比照案内证方主治，而证变百出，方拘一定，差之毫厘，失之千里矣。纵有获效，尚不知其病在何经，方系何义，未免望洋兴叹，实不足以开后学法门。兹编一案，必指明男女老幼；病情天时之五运六气，四季八节，轮年司天在泉；地土之高下寒暖；境遇之富贵贫贱；体质之寒热虚实；脏腑之营卫脉络，起注腧穴；脉候之七表八里，奇经八脉，七怪绝脉；病因之阴阳表里，标本中气，上中下三焦，阳极似阴，阴极似阳；病机之七传，间传；十二经之起自何经，现在何经，转属何经，过经不解，并病合病。界限划清，然后对证分经用药，当寒温补泻，汗吐下和解，补母益子，泻子泄母，治未病不治已病等法，皆遵古方。详其一药自有一性，一性各走一经；或得别药，又走一经；或当别制，兼走一经。定其君臣、佐使、引药，合成一方，专治某经某病，并治某经某病。宜膏，宜丹，宜丸，宜散，宜汤；宜分煎，宜合煎，宜先煎，宜后煎；宜缓火，宜急火，宜煅火，宜忌火；宜温服，宜凉服，宜早服，宜晚服；始服何方，继服何方，收功服何方，层次井井，均按病取证。《内》《难》《汤液》《金匮玉函》《外台》《活人》诸书精义，扫去一切成方治证套习，究之不出仲景三百九十七法、一百一十三方之范围。盖仲景为万法之祖，讵可谬执己见，上干天和，下损阴骘哉。第一时知识有限，不无错简，阅者正之，予实幸甚，世亦幸甚。时同治七年岁次戊辰孟夏月上浣，雨人赵澍自撰于存养堂之西德求放心处。

夏书勳序 盖闻为人子者，不可以不知医，夫医固不可不知，而医岂易知哉。余性拙，欲知医而未能，窃最喜读医书，如《内经》、《金匮》、王太仆、《难经》，与夫朱丹溪、李东垣、刘河间、喻嘉言各名家，及吾徽吴天士之《医验集》，闽省陈修园之《公余六种》，《御纂医宗金鉴》诸书，无不遍取而玩索之，外此杂家臆说无论也。但每握卷，反复寻绎，希图有得，漏五下犹不忍释手，此余素嗜医书之痒也。然未尝轻与人治一病，立一方，洵以医理亦甚深微，非浅见者所能遽窥其奥蕴耳。顷阅赵君雨人手著医案，见其有对症而正治之者，有背症而反治之者，有隔症而旁治之者，有舍症而巧治之者。昔孙真人云：行医之人，智欲圆而行欲方，胆欲大而心欲细。雨兄之精于医，其正治也是行方，其反治也是智圆，其旁治也是心细，其巧治也是胆大，所以药饵甫投，沉疴立起，医如雨兄，可谓神而明之。兹征序于余，余不知医，何以知序，虽然，阅雨兄医案，了如指掌，而于医理，不啻思过半矣。爰就医案中之引而不发者，特撮要而伸明焉，以为天下后世之学医者法，即为天下后世之行医者警，使无雨兄之行、之智、之心、之胆，纵能读尽医书，不过徒得前人之糟粕，而顾可自谓知医术能活人耶。抑亦思医能活人，医亦能戕人。余于雨兄，固无虑是，是以乐为之序。同治八年岁次己巳嘉平月既望，皖江夏书勳拜叙于丹兴官廨之浴新小榭。

按：夏书勳，皖江（今安徽）人。丹兴，为黔江古县名，以其地产丹砂而得名，东汉建安六年（201），益州牧刘璋析涪陵置之，晋初省入汉葭县。此序作于丹兴官廨，然笔者查清光绪《黔江县志·职官志》未见相关记载。

支承祜序　医者，意也，意无定而医之效则有定；医者，理也，理有定而医之法则无定。昔人云：不为良相，必为良医。谓相操生人之柄，而医有活人之术也。且名医之用药，如大将之用兵，用兵者未有理不直而意复纷乱，而能操必胜之权者也，惟医亦然，习之者非天姿超妙，学识兼长，未易能窥其阃奥。盖不深析其理，则中无主而以人试药，不善会其意，则执一偏而以药绳人，皆失也。人以性命相托，而徒共陋儒庸医之一试，可慨也夫。光绪纪元长夏，家居得晤雨人赵君，因得读其《枌榆小草》一册，半自纪其治病之要，与其人受病之源，大都师古人之意而变通之。予见其析理澈，其用意审，由其操术也慎，故其收效也速，得用兵之遗意，而无奇非正，体古人愿为良医之心，而阴行其济世活人之术，非其天姿超妙，学问优长，而能若是欤。使由此精而进焉，必以斯道鸣于世，而传于后世几，几乎与名将相争烈矣，安得以一艺之士少之哉。因弁其首，而乐为之序。时光绪元年岁在乙亥仲夏月，员外郎衔兵部武库司主事芙田愚弟支承祜拜撰。

按：支承祜，字芙田，彭水郁山人。清咸丰十一年（1861）拔贡。盐商，捐官兵部武库司主事。擅书法，曾受聘主纂《彭水县志》。

龙辉廷序　昔范文正公为秀才时云：不为良相，当为良医。诚以医非小道，非活国即活人者也。今吾邑赵生雨人，甫业医，所试辄验，由其平日博及群书，故能一见了了，遂将其所治诸病，列为成案，以余素知此道，求余更正。见其分经辨症，奏效如响，非比俗医株守一《寿世保元》等说，顿沾沾而自喜也，从此而精之以驯，致于活国不难矣，岂曰小道云乎哉。时同治六年岁次丁卯仲冬月中浣，丙午科解元截取知县健堂龙辉廷拜撰于三台书院。

按：龙辉廷（1804—1873），字健堂，黔江蒲花人。清道光丙午科（1846）解元。精堪舆，习岐黄，活人甚众，曾主讲黔江三台书院。

李昌琇序 医宜辨症，而辨症莫先于六经，六经辨之未明，百病治之难愈，凉药热药，冒昧杂投无当也。夫阳明病也，治以少阴之方，破阴行阳，谬矣。少阴病也，治以阳明之法，破阳行阴，愈谬矣。盖由六经表里，未能见微知著，动辄执蝭母以为君，谓乌头而可帝，能不以热增热，以寒增寒，明明可救之症，而置之于死地哉。古云学医人废，其信然欤。在庸医固无定论，而时医之任意立方，间有获效，遂自以为得计，而其实不知病在何经中，意可无歉焉。吾邑赵生雨人，少精制艺，壮从戎军，以名利为鞿镇，以圭组为瓦砾，居恒好奇书，而于岐黄家尤心藏心写。张仲景之良法，孙真人之名言，以及六经起注，六经传变，莫不洞悉无遗，故得心应手，因时制宜，足以起人之沉疴，并以志病之要，各旁引曲喻，益人神智不少。阅其案，而知其学医之□大矣，学医之法精矣，行见深求《素问》，厌窥末世之书，早悟华琳，宜饮上池之水，於以使一世之人，跻仁寿之域也，岂不懿欤。时同治六年丁卯岁季冬月上浣，邑岁进士分发训导丹崖李昌琇拜书于卧云山房。

按：李昌琇，字丹崖，黔江人。清咸丰五年（1855）岁贡。

陈崇曦序 且夫神农尝草，岐伯传方，医之道由来旧矣，后世百出其途，未闻以忠之之心，广仁寿之域者。若我赵兄雨人，有足异也。咸丰戊午，兄赴秋闱，甫与兄晤于成都旅邸，一言不动，襟怀坦白，不涉城府，遂相契如弟昆，颇得悉其生平焉。兄大父国学经畬，公年高德厚，爱士礼贤，藏书万卷，而于医书亦备数十种，为却病计。兄初不以小道限，年十四，兄尊人正言公辞世，家道中落，兄以为是祖父之忧也，即躬理家政，以孝友医之，乘暇攻帖括业，务尽百尺竿头，与若弟云帆髫龄补弟子员，兄从同砚。及劝入成均，则兄于科名，亦非无心人也。顾兄素明韬略，壬戌春，杖策谒熊用成军门来说，不行，而熊军折北旅，受张春霆司马荐列曾尚人幕府，师仪事之防，黔兵捷，兄遂得以清衔入告。是则兄忠孝之心，可谓医家而家肥，医国而国活矣，夫亦安用学医为哉，不知兄以医道精微，关乎性命，视医家医国并重，故壮游归。爰集大父所遗医林各种而揣摩之，凡九折臂，三折肱，一一编为成案，以公同好，务使经络分明，病机朗澈，不仅以治愈为能尽其能事，岂非以忠孝之心，广仁寿之域乎。时同治七年戊辰岁仲春月花朝前一日，同邑廪生知愚弟曙轩陈崇曦拜叙于郁镇行馆。

按：陈崇曦，字曙轩，黔江人。清同治拔贡。

曾以序 惟仁者能生人，能杀人，亦惟仁者专生人，而不杀人。顾吾谓操生杀之权者，为将与为医，二者而已。为名将者，或时以杀为生，名医则第以生为生，要皆体上天好生之心，以期不失其仁心耳。姊丈赵雨人兄，少负儁才，经史子集，过目了了，故习制举业，暇旁参孙吴兵法、岐黄医书，悉臻其阃奥。弱冠橐笔从戎，所至辄射奇策，大为任推毂者所嘉许，方谓鹰扬奏烈，麟阁铭勋，可拭目待矣。倏以太孺人张君不欲久离膝下，勉寄当归，竟回远志，兄遂刻日束装，就道旋里。后足不出户，口不言兵，一惟设馆深山，肆力于《灵枢》《素问》《金匮玉函》，乃求方者毂击肩摩，而刀刀甫投，效若桴鼓。爰采其心之所得者，书之简端，颜曰《枌榆小草》，重乡党也。捧读之下，觉字字皆方，言言可法，病情之变幻百出，主治之因时制宜，罔不悉露于楮墨间，虽亲聆张长沙、孙真人耳提面命，不过是也，岂株守宋元以下诸家一说者可同年而语哉，兄其勉乎。昔范文正公云，不为良相，当为良医。兄亦云，不为良将，必为良医，何其与古适相吻合如斯也。他日活国活人，寿民寿世，厚生正德，一视同仁，皆自此时推之。兹编虽有生而无杀，特其嚆矢也夫。是为序。时同治七年岁在戊辰嘉平月小除夕，同邑廪生姻愚弟涧蘩曾以拜撰于收天下春尽入胸中轩。

朱振彩题词 君不见，文正当年自许期，不为良相为良医；又不见，忠宣昔日秉国钧，不惟活国复活人。斯道由来重千载，憾煞时医未问津。惟我赵氏称连城，元方季方莫与京。五岳归来隐巫彭，一生傲骨薄功名。职列参军忘好爵，寄居市尘闲采药。有时报膝独长吟，有时沽酒当花酌，有时谈笑傲王侯，有时橐笔从戎幕。儒家风味总超然，诀得长生独占先。不忍独善思同善，医方医案各成编。闭户著书多岁月，挥毫落纸如云烟。有药囊中不计钱，只期服药可长年。陆范二公当日志，惟有故人可比肩。昔闻业岐黄，尚未登君堂。今读先生书，胜获龙宫方。一腔心血谁知苦，寿或同跻岂小补。但愿此书垂千古，志士仁人争快睹。同邑附生愚弟朱振彩素卿氏拜题。

版本及存佚

《枌榆小草》为清代黔江名医赵澍所撰，成书于清同治七年（1868）。兹据《中国中医古籍总目》《新编中国中医古籍总目》等著录及笔者查阅，该书现存版本见：

清光绪元年乙亥（1875）刻本（见存）

成都中医药大学图书馆　广州中医药大学图书馆

意然集　十二卷（1869）　残存

〔清〕李长豫（意然）撰

出典

该书未见书目著录。

考略

李长豫生平无考。笔者所见该书之"同治己巳岁菊月"刻本，牌记页见"西蜀城口李长豫编辑校正""致知各类药性读本"等语。该书现残见卷十一"致集"、卷十二"知集"两卷，系药物部分内容。

提要

《意然集》十二卷，清代城口李长豫撰。前十卷约成书于1866年，后两卷成书于1869年，各自单独刊行。前十卷暂未见刊本存世。后两卷卷首见李氏僭作伏羲、神农、轩辕、岐伯、孙真人、张良诸先师叙文各一篇，多为赞誉本书之语。卷十一为致集，首为药性总义，次列苗根类、茎稍类药物共计100味。卷十二为知集，先后列藤蔓类、花穗类、皮壳类、树木类、叶品类、实核类、果物类、子累类、仁米类、膏脂类、湿生类、五金类、玉石类、土属类、水津类、飞禽类、走兽类、虫介类、人身类、鱼蚌类药物共计238味。两卷共列药物338味，各药简述其性味、归经、功效、主治、宜忌等。末附李长豫跋。跋后见扁鹊仙师诗、吉平先师诗、采药仙子诗、药师咒等。

序跋

李长豫后跋　医书曷名乎《意然》也，乃意其医之理必于然耳。同治丙寅冬，梓工告竣。越丁卯之秋，暇时玩索，药性失著，乌能协夫理之自然。意医之为书，虽无文章钜丽之观，然能起沉疴，益人神志，弱可令壮，郁可使宽，虽无关于道脉，而能有助刚大之形躯也。意其雕虫篆刻，然而实有裨生成之大德。意医学之要，莫不先于切脉，脉候不真，则虚实莫辨，攻补妄放，然不夭人者也。意其次当识药性，如病某经当用某药，或有因此经而旁达他经者，然补母泻子，扶弱抑强，意有多端，指不一定，靡不兼贯博通，不但呼应不灵，反致攻邪失正。意用药如用兵，然则不可不慎也，复增药性二卷。李白仙拟致知字号，以补全集之不逮，能明病症之义。意谙药性，相投之必然自宜，滴露研朱，药从病顺，乃能得心应手，而理则可必矣。意惠之士，由此而究图焉，苟小道之可观，然不至致远之恐泥也乎。同治己巳岁菊月廿日，李意然书。

版本及存佚

《意然集》为清代城口名医李长豫所撰，全书共十二卷。前十卷约成书于清同治五年（1866），后两卷成书于清同治八年（1869），各自单独刊行。该书未见《中国中医古籍总目》《新编中国中医古籍总目》《中国近代中医书刊联合目录》等著录。兹据笔者查阅，该书前十卷未见刊本存世，或已亡佚；后两卷现存版本见：

清同治八年己巳（1869）刻本（见存）

新编保生录要　一卷（1870）存

〔清〕静安山人辑　王桂林（小山、守拙居士）订正

出典

四川民国中医文献联合目录　新编保生录要一卷。静安山人纂辑，王桂林订正。

按：静安山人，生平无考，仅知其为“蜀东”人士。

考略

王桂林，字小山，号守拙居士。为清同治、光绪间重庆名医“三王”（王桂林、王德宣、王意德）之冠，于渝城设丛桂堂普济众生。其医术精湛，无论外感伤寒、内伤杂病，均多独到之处，声誉颇高。治愈危症，活人无数，时人称之为“救命王”。王桂林曾订正《新编保生录要》一卷，补注《桂林医鉴》九卷，编有《重庆丛桂堂各项药品汇总》一卷。重庆名医文仲宣（1893—1966）曾回忆称：“余姻长彭杏舫，曾向余谈及某年患疳病数月，经多方医治无效，后王桂林先生诊视一次，处方后嘱将药煎好置天井露一夜再服，果一服疳即止，调理数方而愈。”

又有《简明眼科学》一书，署作“明程松崖撰，王桂林增注”，见民国绍兴裘氏国医百家丛书本。笔者查阅该本，见卷端署“古歙槐堂程松崖著，山东诸城王桂林肖舫增注，浙江余姚康惟恂燮忱加按，浙江绍兴裘庆元吉生校刊”，卷首增注序署“中华民建国之九年庚申孟夏，山东诸城王桂林肖舫，浙江余姚康惟恂燮忱同拜序”。可知该书为山东诸城王桂林所撰，与重庆名医王桂林无涉。

序跋

王桂林自序　易云：大哉乾元，万物资始，至哉坤元，万物资生。孟子曰：苟得其养，无物不长，苟失其养，无物不消。而人为万物灵秀焉，有不培其生长之道乎。拙入岐黄有年，常存活人心，独怪世之生产重事，反委投稳婆，伊辈明理甚少，反致正产变异，异产变危，不亦伤哉。是以遍访秘方，幸得静安氏藏本，无方不备，无法不周，更有善于达生编者，名《保生全集》。拙嫌其篇页大繁，剞劂维艰，是以

录其紧要者，再辑前贤活人之奥方，为今世胎产之妙用，付诸梨枣，颜曰《保生录要》。惟祈拙之萱堂春永，愿世之胎产平康，若得家喻户晓，则拙之幸甚。是以为序。同治庚午岁孟冬月穀旦，古渝守拙居士敬书于慎独山房。

何竺桢重印序 天地生生不已之机，活泼灵妙，原无凝滞患害，而世之重身妇人，其产子也，偏有坼副灾害之苦者，非天也，人也。然人以血销气烁，百病既生，则补虚衰盛，良工之责也，故昔之名医于胎前产后，列为专门，后贤踵之，复著《达生》《福幼》诸篇，其所以保全之者，至详且备。惜乎医药难备，而接生手术不传，比及坐蓐人，每延稳婆候之，夫以生死呼吸之顷，而委之愚妇人，夭折众多，何怪其然。今者科学发明，厥有产婆，其手术均自传习研究而来，以视无知识之稳婆，相去何啻霄壤。第人之气血不同，生质各异，产婆手术虽工，其遇形质强壮，年龄方盛之妇，幸可无事，其在血弱气虚之人类，以失于调养胎，既下而命顷者，亦复不少。星阶王先生，心焉悯之，谓医以十全为上，前之重医药而轻手术，与今之重手术而弃医药，其害等耳，安所谓十全，乃检其尊人桂林老先生所遗之《保生录要》，重付剞劂，意以救手术之所不及，而有志未逮。张君筠书闻而怂恿之，曰：此书若出，流传弥广，活人必众，盛举也，请其原刻捐资付印，书务精良，不取分文。余喜星阶先生救世之心之苦，与张君好善之心之笃也，特叙而扬之。时民国十五年岁次丙寅秋七月下浣，铜梁东嵒何竺桢识于渝州客次。

按：王麟，字星阶，为王桂林之子。张应富，字筠书，以重庆纯阳洞明达慈善总会名义捐资刊印此书。

版本及存佚

《新编保生录要》原为蜀东静安山人纂辑，后经清代重庆名医王桂林订正编次，成书于清同治九年（1870）。兹据《四川民国中医文献联合目录》等著录及笔者查阅，该书现存版本见：

清同治九年庚午（1870）渝城小梁子术古堂书铺刻本（见存）

民国十六年丁卯（1927）重庆中西铅石印局铅印本（见存）

四川省图书馆

草木便方一元集　二卷（1870）存

又名草木便方、草木药性歌诀

〔清〕刘兴（善述）撰　刘尚弱（士季）增补

出典

全国中医图书联合目录　草木便方二卷，又名草木药性歌诀。清代刘善述撰。

考略

［民国十年］合川县志　卷五十五，方术。刘善述，名兴，以字行，州西里刘家岩人。少读书，能文，屡试童子，均不售。改习医，特留心药学。以为医之大端，脉经、方剂、药物三者而已。诊视虽审，刀圭虽适，而药非其药，犹无当也。因采辑川东土产、草木、金石等物，察其性质，究其作用，集成医方，撰为《草木便方一元集》二卷。区分类别，一见了然。即善述之读书临证，攻苦半生，概可想见。年六十余卒。其书同治九年刊行。光绪六年，族孙刘绍熙追为之序，亟称之。

提要

中国医籍大辞典　四卷。清代刘兴撰。刊于清同治九年（1870）。一名《草木便方一元集》《绘图草木便方》《绘图草木药性歌诀》。作者完稿后即卒，由其子刘士季定稿刊印。前两卷为草药性，收药五百零八种，分草、木、谷粮豆菜、金石土火、人禽兽、虫介鳞甲、器物七部。后两卷为草药方，收方七百余则，分通治、妇女、外科、幼儿、眼目、上、中、下八部，部下再按病证分门，总计一百二十四门。书中绘有墨线药图四百三十二幅，突出药用部分，便于读者“详辨真伪”。书末附居家常造饮食有益人法。本书主要收载川东地方药物，采用七言歌诀形式，介绍其性味、功用，简明易懂，便于记忆，是一部富有特色和价值的地方本草，对了解清代四川地区草药分布及其临床应用有参考价值。

按：刘兴卒于清同治十二年（1873），而此书由其子刘尚弱以《耄寿医学》为基础编成于清同治九年（1870）年，故“作者完稿后即卒”一说当误。

序跋

刘尚鼒序　疗病之功，医明为先，医明之功，药真为贵。药真而医明，天下无有不瘳之疾，天下岂有误死之人。顾何以贫者乏钱，而真药难得，富者多金，而真药亦难求，此其故，非误认伪作真以导盲，即故用伪替真以图利，是以医虽和缓而罔功，疾未膏肓而莫救，所在识之最精，辨之最明者为良乎。噫！人生致病多端，偶染一病而即不起者，岂真气数有以主之耶。抑医之不明，实药之不真也。余弟士季得授家传，作医拌药，四处采访卅余年，深悉其弊，因于古书《明医本草》中纂辑川东土产、草木、根皮、枝叶、花实、油浆、五谷、豆蔬、金石、水土、人物、禽兽、鳞甲、介虫、器用，一切性味形状，详辨真伪，用以救世，俱有成效，不欲自秘，故编歌诀，集成医方，为后世之业轩岐者简而便，于医道病家不无小补云。同治九年庚午岁春日，柏村汝和刘尚鼒题。

按：刘尚鼒，字汝和。为刘兴之子，刘尚弱之兄。

刘绍熙序　医之为道，最切于日用，不可谓非至便也。然病非一端，药亦万族，通都大邑，或不难骤而致之，若夫僻壤穷乡，人村寥落，偶婴一疾，必数十里而后有医，又数十里而后有药，间有病卒引救，数人奔走，稽延终日而药不得入口者。又况药有贵贱，人有贫富，或需是药而力不能购，或取诸肆而药非其真，以之疗病，而轻者增剧，重者濒危，如是则便者不便矣。熙堂叔士季撄心久之，爰取先叔祖善述公所著《耄寿医学》，并数十年读书临症所得，辑为成书，出以示熙。熙受而读焉，见其科无内外，症无大小，人无老幼男妇，悉以眼前方治之，俾医家病家随地得药，随药愈病，颜之曰《草木便方》，良甚便也。虽然，便方云者，为其便于日用，非取其便于医学也，人苟欲专精此道，则明药性必于《神农本经》，论病情必于《灵枢》《素问》，病而药，药而方，必于伊尹之《汤液》与汉季张长沙之《伤寒》《金匮》。下学上达，以致于粹精之域，而为医中巨擘，不且由此便方基之哉。熙制举子业外，兼通堪舆、星学，尤嗜医，向得闽省陈修园先生《公余医录》十数种，寝馈多年，颇有弋获。今阅士季叔所辑，又复增益所不能，因促请付之梓人，以公同志。吁！后之览斯集者，或亦共喜其方之便也夫。光绪六年岁庚辰季春上巳后一日，愚堂侄邑增生刘绍熙庶咸谨识。

按：刘绍熙（1840—1905），字庶咸，合州人。邑增生。为刘尚弱堂侄，刘兴侄孙，生平详“公余医录抄”条。

版本及存佚

《草木便方一元集》（又名《草木便方》《草木药性歌诀》）为清代合州（今重庆市合川区）名医刘尚弼以其父刘兴（1785—1873）所撰《耄寿医学》为基础整理增补而成，成书于清同治九年（1870）。兹据《中国中医古籍总目》《新编中国中医古籍总目》《中国近代中医书刊联合目录》等著录及笔者查阅，该书现存版本见：

清光绪六年庚辰（1880）岳池学文堂刻本（见存）

国家图书馆

清光绪二十二年丙申（1896）日新堂刻本（见存）

民国三年甲寅（1914）成都裴氏刻本（见存）

四川省图书馆　成都图书馆

附：耄寿医学（1870之前） 佚

〔清〕刘兴（善述）撰

出典

草木便方刘绍熙序 善述公。耄寿医学。

考略

草木便方刘绍熙序 熙堂叔士季撄心久之，爰取先叔祖善述公所著《耄寿医学》，并数十年读书临症所得，辑为成书，出以示熙。（节录）

［民国十年］合川县志 参见“草木便方一元集”条。

版本及存佚

《耄寿医学》为清代合州（今重庆市合川区）名医刘兴（1785—1873）所撰，系《草木便方一元集》之原稿。笔者查阅《中国中医古籍总目》《新编中国中医古籍总目》《中国近代中医书刊联合目录》等，均未见著录此稿，或已亡佚。

一见晓脉诀 一卷（1872） 存

又名陈氏脉学、一见晓脉理正宗

〔清〕陈际昌（文渊）编

出典

全国中医图书联合目录 陈氏脉学。清代陈际昌撰。

考略

［民国四年］潼南县志 卷之五，艺文志。医道溯源序（按：金堂举人邓林撰，详“医道溯源”条）。按：陈君际昌，县属下县人。著有《医道溯源》四卷，《脉诀一见晓》一卷行世。

毕博题陈氏脉学文 此书原名《脉理正宗》，或曰《一见晓脉诀》，盖皆取其明白畅晓之义，使人易读也。然其所论颇有创见，实成一家之学，故乃题今名二，核实之义云尔。毕博识于长安，三十一年双十节日。

提要

《一见晓脉诀》一卷。清代潼南陈际昌所撰，成书于同治十一年（1872）。全书首见脉义总歌、切脉指下歌、定脉至数歌、脉窍根源歌及四时、六气、分配脏腑、分十二经等脉学歌诀，益以脉贵胃气歌。其次分列二十八脉歌，冠缓脉于首，使知二十七脉，均必兼冲和胃气为要；结脉附于缓脉之后；又以浮沉、迟、数、虚、实、大、细为纲，余脉则分附其后。书中每陈一脉，先述脉象，次为辨误、脉义、主病、兼脉等，并附以脉诀歌括，其间多引《内经》及仲景《金匮》原文。书中语句浅俗，缘作者志在写出脉道义理，无意文字之拙工，更冀中人以下，文理稍通者，俱能一见可晓，故名。

序跋

陈际昌自序 慨夫《脉诀》撰自叔和，歌诀伪于五代。厥后粗工不究原委，只徒熟诵口头，摸风捉影，藉此为求食之资，佯与人诊候，实盲无所知也，不过打些口风，摭取陈有，侥幸病来粗合耳。《内经》曰：微妙在脉，不可不察，察之有纪，从阴阳始，始之有经，从五行生，生之有度，四时为宜，补泻勿失，与天地如一，得一之精，以知死生。是则业医者，若不知其脉之微妙，阴阳五行、四时补泻、生死等理，不可以言巧矣。昌一日闲坐之间，有门人进而问曰：吾博览一切脉诀，终觉指下不能相符，心中不能了然，不知先生可有一直捷口诀，使如拨云雾而见青天，其可得乎？昌曰：凡以前脉诀，固不独尔一人见之，不能得心应手，也只因以前脉诀均未著得真透，真则未有不能与指下相符者，透则未有说不醒使人一见而即晓者。堪叹以前名医辈出，接踵而著脉经者，奈多执影响成说，牵文袭义，及浑沦莫解之语，谁将二十八脉所以然之名义，与所以然主病之由，塌实指陈乎。甚至未经亲明指下，徒增自己臆见想像猜估，又兼附和前言，挪前换后，以取著作之名，致使业医者苦记歌括，白首不得其旨也。昌幼承先君庭训，复受业于梓镇县丞陈公官篆朝钦先生，忝附门墙，留心此道，研究有年，诊脉之际与既诊之后，必印证于二十八脉，问心无愧而始休。凡遇脉诀与指下有不相符合者，而寤寐之间，其疑难终不能释，既而睹《人镜经》及《医学通元》等书，有医必通乎易之说，因复留心易学。而于彖、象二曰之句，忽悟及脉象之理，遂将二十八脉之字义、字象，反覆思维，乃豁然大悟，曰：昔苍颉夫子之造字也，有字义，有字象。即如爹妈二字，从父从多，言父亲多恩多德也，从女从马者，言母亲之于子，不是怀抱，即用背负，如马之被骑一般也。故始之著脉经者，亦按字义、字象而命名，毫未妄用一字也，敢为一语道破，曰顾名思义四字尽之矣。使读者能解二十八脉之字义，则二十八脉之意义虽精微，虽繁杂，而一时之间，便可将二十八脉之大概，了然于胸中，实发千古不泄之秘。《灵枢经》曰：知其要者，一言而终，不知其要，流散无穷。洵不欺也。昌正欲畅言其中妙义，以示诸子及吾子也，兹因子之问，试将脉之字义、字象，一二言之。比如牢、革二脉，昔贤误著者甚多。夫牢字，上从“宀”（音“绵”），《说文》曰：交覆深屋也。古人以之为家。又曰：闲养牛马圈也，坚也，固也。言牢脉沉而极有力。上从“宀”者，象脉之沉而在里，即交覆深屋之义也；下从“牛”者，言牢脉沉部极有力，如牛之力大也。其义为坚固，故病亦为癥瘕坚固之疾也。夫革者，取皮革之义也。言革脉浮部极有力，如按鼓皮，一般下面却是空的，而革脉只有浮部坚劲，沉、中二部却是空虚的，故名之为革脉也。故病亦主内伤精血之候也。有诸内者，必形诸外也。又以脉字言之，夫脉字，从“肉”从“永”，言脾胃主肌肉，气血资之以生，而永其天年也。而二十八脉之意义，均可由此触类旁通焉。兹特将二十八脉，条分缕晰，直直道破，浅浅说出，将各脉之名义解醒，主病之原由指明，兼引《内经》《金匮》二书佐证，及亲临指下屡验符合者，逐一录出，不执泥成言，不蒙混挪扯，不想像猜估，不假文墨之工，惟期意义明白晓畅，欲使中人以下，文理稍通者，俱一见而可晓焉，名曰《一见晓脉诀》。更以浮、沉、迟、数、虚、实、大、细八脉标宗，以为分别，表里、寒热、虚实、在气、在血之大纲，而以相类，相反之脉分附之。如罗经之既定子午，则凡各向之正针、兼针，自可一目了然。并以缓脉独冠于首，使知二十七脉，均必兼冲和胃气为要。庶几须眉活现，朗若日星，一见清真，得之心者，应之手矣。但此草菅之见，虽有发前人所未发，犹恐有私心自用，难免无偏见、成见之弊。爰付枣梨，质诸海内高明，协为就正其得失，或可传信于来，兹为万世民生之益也，则幸甚。时同治十一年壬申岁桂月，陈际昌文渊氏谨识。

按： 陈朝钦，福建建宁人。监生。咸丰八年（1858）署潼南县丞，咸丰九年去任。

钟震序 医理精粹，非有慧心，无以参其奥；医法圆通，非有慧眼，无以察其变；医学源远，非有慧根，无以续其传。陈君维祚，予窗友也，心性灵明，具有夙慧，看书一见能解，作文一笔即成，屡试不售，弃儒习医。凡所治症，一服即效，予每叹其技迅夫神，以为当世莫及，后世必无能继者矣。同治十一年，其嗣君际昌著《一见晓》，然以发明二十八脉，因字象以通字义，因字义以明脉理，因脉理以定病症，明白晓畅，毫无影响模糊，令人一见了然，此真有慧心慧眼，能续先人之书，而夙慧常存也。嗟乎！世之业医者，暗于理，拘于法，盲于学，胶于传，不能知脉，乌能知病，不能知病，乌能施治。今得此书以醒医士，谁不一见而晓，指下了然哉，活人必多，而寿世必无穷矣。虽然，际昌读《医学通元》等书而作此篇，其慧性所了悟，岂仅在医哉。他日挟飞仙，抱明月，其逍逍遥遥，正莫测耳。同治十一年，瀑泉钟震撰书。

凡例

一、是《脉诀》之作，语句浅俗，字多未妥。盖缘志在写出脉道底蕴，义理精微，无意文字之拙工，更冀中人以下，文理稍通者，俱能一见可晓，阅者慎勿以为浅近俚语白话不雅，而忽之弃之也。

二、医道非《内经》无以认症，非脉诀无以审症，非药性无以治症也，此三者，乃医道之大关键也。奈文理通达之人，但能博览群书，便自夸张精明，徒陈纸上空谈，说得天花乱坠，及至临症之际，恒多指鹿为马，此缘藉口于书，而无心力会通之学，亲历指下之实，故其著书立说，剿袭纸上虚词，添以臆度凑砌，此为摹拟假知也。真知者悉从心力会通，亲历指下，故其论确，其义醒，词不厌俗，语不厌繁，临症清真，得心应手，有非笔舌所能尽也。

三、是《脉诀》辨误，共计有八，并非想像猜估，妄辟先贤，悉从亲历指下，心聆神会，屡验符合，后复经二十余载之心力揣摩，方敢录出，非敢云超出先贤也。须知圣人千虑，岂无一失，愚人千虑，岂无一得乎。高明诸君，试将所辨误诸脉，质之指下，自必点头心服，始信吾言之不欺。

四、是《脉诀》惟引《内经》《金匮》二书佐证，盖以医之有《内经》《金匮》，犹吾儒之有《四书》《六经》也，虽以后名医辈出，所著脉诀岂全无一美善兼该者乎，须知立志要大，取法要高。孟子曰：乃所愿，则学孔子也。故惟引《内经》《金匮》二书佐证，其余一切先贤，少有附录，免致议论纷纷，反以杂乱圣经。一欲使人知此医道，其理不本乎《内经》，法不熟乎仲景者，不可以言明医也。堪叹今医，问其所学，不外《脉诀规正》及《六大六小之佛点头》等书，而聋瞆之师，多奉是为资生至宝者，以其编成俚语，易于习诵也。

五、是《脉诀》既将二十八脉所以然之意义说醒，所以主病之由指明，实经阅历亲验，并非臆说想像，又恐无征不信，故特引《内经》《金匮》二书佐证，庶不以昌为无稽妄谈也。转思二十八脉仅能言其常理，未能言其变故，又将脉症之流派及兼见之脉，或阴中兼阳，或阳中兼阴，或阴极似阳，或阳极似阴，或脉同而病异，或病同而脉异，或病上而脉下见，或病下而脉上见，或病左而脉右见，或病右而脉左见，种种参伍错综，变幻莫测之理，实属笔不能达，口莫能宣。故又引仲圣之脉症方义，不厌其繁，欲使中人以上，初学之辈，由此推类尽余，扩充脉窍精微，因常以知变，由浅以入深，而悟决生断死之方，起死回生之法也。

六、是《脉诀》既明脉义、脉象所以主病之由，而复编成歌括俚语者，是为中人以下，便于诵读计也。至若中引《内经》与仲圣之脉症方义，则听其阅览与否也。

版本及存佚

《一见晓脉诀》（又名《陈氏脉学》《一见晓脉理正宗》）为清代潼南名医陈际昌所编，成书于清同治十一年（1872）。兹据《中国中医古籍总目》《新编中国中医古籍总目》等著录及笔者查阅，该书现存版本见：

清同治刻本（未见）

陕西中医药大学图书馆

民国十六年丁卯（1927）钟燊刻本（见存）

时经两方　三卷（1873）存

又名医学捷妙提纲时经两方

〔清〕徐朝宧（炳章、半峰、纯一、蕴真子）编

出典

中医图书联合目录　时经两方。清代徐朝宧撰。

考略

参见“赛金丹”条。

提要

中国医籍续考　卷上以七言歌诀概述妇、儿科病证，附应用时方；卷中下介绍伤寒经方、金匮经方。

序跋

徐朝宧小引　仆年已七十矣，其于艺学虽多涉猎，迄无所成。惟医理一事，殊癖嗜之，谓可以利己济人。然习之不精，未免药石妄投，则草菅人命，绵里藏刀，阴律何罪，可戒可畏。医固贵于临症，尤恃夫方药，向亦见症用药，恒照时方，未尝不效，每蹈泛常之变。后览古今名医，专精不杂，无不以经方为是尚，盖制方自由分寸，不能妄可加减也。故业是道者，须求性地光明，仁爱为心，聪明作用，随机应变，不可徒执己见，恃才矜能，妄意贪求，草草了事。《一囊春》书成后，兹再纂《时方》一卷，编成歌括，俾能读者记在胸中，遇症自可择方。又恐药味难明，随后照《赛金丹》药性，逐次注出，性拙者亦可依方，久用自能默记。间有重出者，前无歌括，不妨再录。至于《伤寒》经方，分为类数，虽未依六经所序，其方原可以统治杂病，不仅医伤寒也。《金匮》经方，前已分门，今少为移易配搭，以便寻找，非敢乱为割裂。二书中各家方解，因篇幅窄不能兼收，寻原方查看可矣。方下序病，仍依前自头至足。总前分后之例，药方轻重，亦有次第，不至颠倒，阅者自

知。望闻问歌，以及六经病状，亦觉简切精赅，几经寒暑，费尽心血。古人云：常将人病如己病，救得他生是我生。体贴斯言，即胸内所藏，不敢隐秘，精力疲困，亦所不辞。伏祈同志者珍之重之，则幸甚。同治十二年秋月榖旦，后学生半峰徐朝宧谨识。

黄钰赠言 轩岐以后推名医，惟汉仲景能继之。从此微言久中绝，离经畔道争相驰。半峰山人最好古，捡阅方书剧辛苦。沿流溯源景长沙，余子纷纷那足数。旁搜远绍肇有神，不憎今人爱古人。片长薄技也相许，都来并作一囊春。只此婆心不可及，探遍瑶函与秘笈。书成不胫走天涯，神方到处鬼应泣。君不见，陶隐居，自爱白云私著书，水蛭虻虫获赦宥，翻然移步游太虚。又不见，孙真人，嘉惠后学垂《千金》，龙宫禁方暗传世，香火因缘隆至今。君能成兹大著作，姓名定许录仙阁。但未识此锦囊中，曾否贮有长生药，我欲从之乞一勺。同里黄钰宝臣拜题。

按：黄钰（1817—1886），字天锦，号宝臣。清代璧山名医，生平详“伤寒辨证集解等四种”条。

版本及存佚

《时经两方》（又名《医学捷妙提纲时经两方》）为清代璧山名医徐朝宧（1802—1878）所编，为续《一囊春》之作，成书于清同治十二年（1873）。兹据《中医图书联合目录》《新编中国中医古籍总目》等著录及笔者查阅，该书现存版本见：

清同治十二年癸酉（1873）璧山徐氏刻本（见存）

云峰医案　二卷（1873）存

〔清〕颠连道长传授　陈明赞辑录

出典

难经经室藏书目录　云峰医案。清代云峰道长著。

考略

［同治五年］增修万县志　卷三十一，士女志。孝义。陈大方，字钜宜。性孝友慈仁，早孤，事孀母能以色养，兄弟怡怡翕和。母族贫者，多依之居，母乐之。家不甚丰，族姻乡邻有丧葬、婚嫁无力者，大方辄引为己任。贫人称贷，辄焚其券。荒年则捐谷赈济，全活者众。尝念岁凶民困，艰于医药，备药饵。命子光熙兼习岐黄赴其急，至求诊切方饵者盈门，则色喜然。大方好施予而取甚廉，常曰：士大夫若爱一文，不值一文。闻者无不肃然起敬。同治三年详请旌表。祀忠义孝弟祠。

按：陈明赞，万县人。陈大方之孙，陈光熙之子。曾受父命具书请业于颠连道长门下，照案批方，行医有年。

陈光熙，字缉庵，一作缉菴，万县人。道光二十三年（1843）副榜贡生。候选教谕，保升知县。同治元年（1862）举孝廉方正，以亲老辞不赴。同治五年分纂《增修万县志》。同治十一年辑《蚕桑实济》。曾任凤山、文峰、莲峰、万川书院主讲。受父命兼习岐黄，求诊者盈门。光绪年间整理刊行万县刘以仁撰《脉法条辨》，修订浦江倪枝维撰《产宝》。

提要

《云峰医案》整理与学术研究　《云峰医案》刊印于1873年，为万州地区名医陈明赞跟师颠连道长的医案记录，曾为内部流传的秘本，处方用药特色鲜明，记录了当地群众诊疗情况，内容丰富，说理透彻，是一部有推广价值的古籍。

序跋

陈光熙序 时艺，小道耳。然一题到手，不为穷究其所以然，必不能探题之源而制题之命，虽多衍门面语，只落下乘于真际，固未有得也。医道亦然，近时医士见头治头，见足治足，处方者谓对证，制剂者谓对证，患病者亦谓对证，然投之往往不效，或此效而彼不效，或并不止于不效，其故何欤。彼所谓对证者，乃本证之门面药品，于证之所以然处，固未见到也。以药治病，实则以病试药，轻则加重，重则致危，刀圭中亦焉用此浅率者为哉。颠连道长之附笔于吾孙协五也，抱病求治者，必为推究病源，立案立方，投辄有验。初年所立方案底稿，每付求方者携去，未识珍存，数年后乃知所立方案之有益于医道也，转向求方者索底稿，辄散佚不可复收。厥后乃将一切方案抄集成帙，并命小子明赞具疏请业蒙之门下，每遇一证，道长必与揭明医案，命赞照案拟方，为酌是非，定弃取焉。如是者有年，求治愈众，积案愈多，远近求抄医案者，踵相接而苦难以应也。爰约王君鼎文、陈君眉山、卫君德宽、郭君愚溪、常君黼堂协捐付梓，颜曰《云峰医案》，以应四方之求抄者。窃谓医道之难，不难于对证立方，而难于对证之所以然处立方。读是书者，果能留心四诊，以究致病之由，庶与道长心源符合，不致与文家之敷衍门面，而未得题之真际者，同类而讥也。古语云：习字费纸，习医费人。作文而不得题之真际，不过劣于文，疗病而不得病之真际，则杀人无算也。愿以告世之读是书者。时同治十二年癸酉岁重阳前五日，缉庵陈光熙识。

冯卓怀序 同治十一年冬，余重游蜀东万邑陈缉庵山长馆。余于万川书院之东偏，昕夕晤谈陈君。固习于医者，因述其孙协五病时有神附其笔，自署颠连道人，为医案及方，依方治之，病良已。自后，数数附笔以应求医者，辄奏奇效，而协五遂以知医称。缉庵之学，亦益精焉。余始闻而疑之，省其案与方，因原竟委，洞中症结，盖良医也。夫医道微矣，自黄氏坤载以轩、岐、秦、张为四圣，而痛斥刘河间、朱丹溪、喻嘉言、张景岳诸人立方之误，以针砭世俗之庸医，斯道大明，如日中天。然河间诸人补偏救弊，亦各有其得力之处，虽矫揉少过或蹈一偏要，自有不可尽废者。道与时为升降，一弛一张，如三代后刑政之因时损益，变通尽利，不其然与。吾意贤人君子其生也，邃于阴阳，明于术数，天年既终，精气不敝于宇宙，而其康济斯民之隐愿，无所发抒，以借显于时，则依人而行，藉医理以拯人利物，盖所谓生而为英，没而为灵者矣。余观颠连之方，于景岳诸人之法时有取焉，傥为有明中叶以后之人与。不然，则如世所传张三丰颠道人之流亚与。其自署颠连云云者，生前不无困楚与。抑托为是名，而不必有其事与。均莫得而知也。陈君将梓其书，嘱余序其简端，愿意以质诸当世之明医者，以为有当焉否耶。钦加道衔四川候补知府前任万县事冯卓怀撰。

按：冯卓怀，字树堂，湖南长沙人。清道光己亥科（1839）解元，为曾国藩契友。咸丰七年（1857）至十年（1860）任万县知县，任内整理团练，募修万川书院，主修《万县志》。

左宜之序　颠连道长神乎仙乎，往来云霄间，视弗见，听弗闻，凡士庶之有疾病而祷求者罔弗应，起死肉骨，历显灵奇，乃知道长之心，无乐乎为神，无乐乎为仙，独乐乎为医，以救世也。年大人缉庵陈公，精岐黄术，佩服之下，举道长开立医方，缮写成帙，编次付梓，将来流传海内，因是书而全活者不知其几千万亿，此谁之功也夫，又谁之力也夫。四川癸卯科举人现任万县训导长邑左宜之撰。

按：左宜之，长寿人。清道光癸卯科（1843）举人，官万县教谕。

凡例

一、是书以云峰命名，缘道长方药神应，沐恩者竞欲设位以祀，求示道号秘弗告，厥后以恳求诚切，乃以御封云峰大法活人伏魔兹惠良师自号颠连道人二十字示焉，是书曰《云峰医案》，从所自示者命也。

二、医自四圣而降，代有传书，其最著者，莫如薛、李、朱、刘诸家。朱、刘主用清凉，薛、李则以脾胃立论，却后张氏景岳、冯氏兆张则以补阴立论，何议论歧出，若此亦世运为之耳。本书则以暖水温土舒肝，升阳降阴立论，亦见时医多泥补阴之说，不知近时却多阳弱之人，故为偏泥成说者痛下针砭。是书也为医病计，实为医医计也，愿读是书者勿挟讳疾忌医之见。

三、是书多采古法，而运用之妙，则别具化裁，所立方论，多与《黄氏八种》诸论符合。惟黄氏论多衍奥，此书明白晓畅，或理有难明者，则为罕譬而喻，深人浅人皆能领取也。于是书理会有得，便可登黄氏之堂而入其室，读者详之。

四、是书系各就叩求者详示病源，就证论治，其未经叩求之证诸多未及，非著书立说必求全备之比也，读者谅之。

五、是书所立方论，分门载列，详者勿论，略者或只列一方，并未论其所以然，亦以求治者多，不能一一详说，故为就证示方。其实各门各证，皆各有表里寒热虚实之辨，惟留心四诊，于证候错杂可疑处，仔细参审，自有真辨。若泥是书本门一方，而不知因证制宜，便非解人，便非道长所许愿。读是书者，推类以尽其余也。

六、是书别类分门，不过略见大意，其实彼此互见者甚多，不能一一确分门类，所列篇号宜以各门分叙为合，以后日可依类续增也。然不列长号，则刷印匠师难免舛误，阅者谅之。

七、是书之成，葳事太速，所立诸方，前后不无重见叠出之处，然翻阅较便。有续刻者，再加校正可也。

八、道长附笔，多在春秋月分，余季则不常降临。如有后缘，容俟补刻。

版本及存佚

《云峰医案》为清代万县（今重庆市万州区）名医陈明赞将其师颠连道长所传授医案、医论进行辑录，整理编次而成。后由其父陈光熙主持，于清同治十二年（1873）刊行。该书流传不广，未见《中国中医古籍总目》《新编中国中医古籍总目》等著录。兹考《难经经室藏书目录》著录同治刻本一部。《〈云峰医案〉整理与学术研究》称见存同治刻本两部。综上所述，该书现存版本见：

清同治十二年癸酉（1873）万川书院刻本（见存）

难经经室　重庆三峡医药高等专科学校

医道溯源　四卷（1876）存

〔清〕陈际昌（文渊）撰

出典

该书未见书目著录。

考略

参见“一见晓脉诀”条。

序跋

陈际昌自序　窃以医通仙道、医通易蕴之说，人皆知之，而人尽昧之。何者如今之医，只徒摭取陈方，夸他秘传几个汤头，几单丸药，巧言真传一张纸，假传万卷书，如何与通仙、通易之说相切耶。忆昌禀质素弱，自少多疾病，先君忧其不寿，遂弃儒业医，庭训十载，而理未明乎岐黄，法未熟乎仲景，不幸至咸丰癸丑冬，而先君见背。继闻署梓镇县丞朝钦先生，系五世儒医，复拜谒而受业焉。政治之暇，亦嘱昌曰：尔欲精习医道，而医通乎易，并通乎仙，非易易也。《灵枢经》曰：知其要者，一言而终，不知其要，流散无穷。须知仙道即易道也，试思《参同契》是言仙道之书，而曰《周易参同契》者，言其与《周易》相契合也。再思仙道是教人修性命，医道是与人救性命，而人生同是一个性命，无富贵贫贱之分。观文王《乾》卦中曰：各正性命。孔子赞《易》曰：圣人之作《易》也，将以顺性命之理。可知医与《易》同源，洵不诬也。奈昌赋性愚鲁，一时会悟不及，厥后得闻尧舜、孔门传授心法，而知尽性至命之功，《河图》《洛书》之奥，乃恍然大悟，而知医道、仙道、易道，俱从《河图》中来也。以易道言之，天悬日月于上，复出《图》《书》于下。《易》曰：河出《图》，洛出《书》，圣人则之。乃大道之肇端也，《河图》象《易》之日，《洛书》象《易》之月。《康熙字典》曰：日月合一为《易》，象阴阳也。孔子曰：一阴一阳之谓道。是易道本于《河图》《洛书》也。以仙道论之，《参同契》曰：三五一都三个字，古今明者实然稀，东三南二同成五，北一西方共四之，戊己自居生数五，三家相见结婴儿，婴儿是一含真气，十月胎圆入圣机。岂非是《河图》之北方一六水，南方二七火，东方三八木，西方四九金，中央五十土之义乎，此仙道之本于《河图》也。以医道而论，《内经》曰：东方青色，入通于肝，其数八；南方赤色，入通于心，其数七；中央黄色，入通于脾，其数五；西方色白，入通于肺，其数九；北方黑色，入通于肾，其数六。岂非是《河图》之东方三八木，南方二七火，中央五十土，西方四九金，北方一六水之义乎。但木、火、金、水四象，俱言成数，惟中土独言生数，亦五数居中，养育四方，四象俱赖以为生生之义也。及汉张仲景以六经立法，固从《内经》六气以立方，亦并及《河图》之旨也。观垂少阳属木之方，则用柴胡八两，黄芩、人参、甘草各三两，岂非取天三生木，地八成之之义乎；及通脉四逆汤之用葱白入肺，不用三、五、七、八，而少则四茎，多则九茎，岂非取地四生金，天九成之之义乎，此医道之本于《河图》也。何今之医学不知溯其渊源，悟通元妙，只以医道通仙、通易为口饰，只知医道始于岐黄，立法始于仲景，而不知俱不外《河图》之旨也。昌于医道通仙、通易之旨，大明无疑，觉慧心顿开，而脉窍精晰，预决三五年之死期，间有应验。又越九载，至辛未春，始著廿八脉，悉按字义、字象而畅发之，颜曰《一见晓》。至丁丑秋，自愧枉闻性命大道，虚度岁月，心德未纯，功善无几，而大数将尽，虽无有大病苦，而脉见乍数乍迟、乍大乍小，神气困倦，步履艰难，始仓惶大惊，于医治群病之暇，再著《医道溯源》。欲使有志业医者，知溯其源于《河》《洛》，不致为晋唐以后之方书所误，乃可业绍岐黄，以寿世寿国；更期有志学道者，知溯其源于《河》《洛》，不致为一切旁门左道所惑，直向大中以尽性，《周易》以至命，由希圣而希天，庶几医学拨正，道学昌明，或稍有些须功德。幸邀神天庇护，加我数年，卒以学《易》，可挽大过，岂有他意哉。但此书系因短期逼迫，甫三月告峻，虽体裁未妥，语句未善，而大旨自是不差，一时仓惶措笔，伏冀高明诸君原谅之，教正之，幸甚幸甚。光绪二年丁丑岁菊月，自书于养性书斋。

夏鹍题辞 我闻仙人住蓬岛，炼丹不炼神农草。盘古已更十万年，童颜鹤发还未老。此中妙有长生诀，伏羲肯书不肯说。银丸金液皆旁门，兑口坤腹天机泄。不采延年芝，不著《养生论》，第一真诠饱吃饭。种得红莲椀亦香，较胜辟谷精神健。君不见，黄土搏人人最苦，混沌凿残天要补。茫茫宇宙一脉延，谁与苍生鉴肺腑。忽有真人字文渊，术能通易并通玄。一卷书成数斗血，留与斯人参妙禅。况因多病药亲尝，杖履春风贮满囊。数点梅花红炉雪，天心端的是回阳。郭玉但言意，敬宗书不传，先生大笑心恻然。导河要深星宿海，看山直立昆仑巅。天生我才期不朽，青字绿文谁仔肩。坚固服饵不休息，金针度出十种仙。自序不嫌仿迁《史》，成一家言追稚川。我辈活人术更奇，但取江郎笔一枝。头风快读陈琳檄，疟疾教吟杜甫诗。烟霞痼癖都疗却，惟有一俗不可医。先生摇手此通病，换骨仙丹人少知。泄尽苞符万古秘，不曾游夏赞一辞。我是武陵迷津者，强与仙源作导师。光绪己卯春日，遂宁夏鹍题。

邓林序 天下有非常之任，必待非常之人，而天下非常之人，乃能克胜天下非常之任，否则蚊眉滋愧，螳臂贻讥，杯水车薪，奚益哉。夫病犹贼也，譬彼强寇凭临，非鞠旅陈师以备之，无以资捍卫而御凶锋；譬彼负隅抗拒，非选精蓄锐以凌之，恐无以入穴巢而歼丑类。理势如此，谁曰不然。己卯春，余馆于小溪贰尹於公笏珽幕中，旧恙发甚剧，连更数医，或效或不效，日重一日，已濒于危，痰涌填胸，汗流浃背，形枯色瘁，惫莫能支，群医束手矣。适有唐、张君，亦以医显名于时，佥曰细诊此症，阅时久，为害深，非峻厉之剂不为功。唯同道陈君世业医，平素识胆皆备，善用重药以治重病，人每疑而畏之，讵知重所当重，重则易于见功；轻不当轻，轻则反以滋过。予故排众议，而以重任任之，连进大剂，顿有转机，经旬有余日，而沉疴已起，渐次就痊。余感其德，且不忍没其劳，爰志其颠末，冠之于首，以表而彰之，并为同病与业医者参一解焉。是为序。时光绪五年岁次己卯闰三月下浣二日，金堂举人邓林竹坡甫拜撰。

版本及存佚

《医道溯源》为清代潼南名医陈际昌所撰，成书于清光绪二年（1876）。该书未见《中国中医古籍总目》《新编中国中医古籍总目》《中国近代中医书刊联合目录》等著录。兹据笔者查阅，该书现存版本见：

清光绪五年（1879）川北小溪陈氏刻本（见存）

脉法条辨 一卷（1878） 存

〔清〕刘以仁撰 陈光熙（缉菴）编次

出典

中医图书联合目录 脉法条辨。清代刘以仁编辑。

考略

参见“活人心法”及“云峰医案”条。

提要

中国医籍大辞典 不分卷。清代刘以仁辑著。成书年代未详。书成未梓，后经陈光熙编次，刊于光绪四年（1878）。全书分四门。其一，《医宗金鉴》订正《内经》寸关尺部位，后世诊家于右尺候肾阳之衰旺本此。其二，部位图歌。其三，左右部位图说。其四，诸脉提纲，浮脉统洪、虚、散、芤、濡、微、革诸候；沉脉统伏、牢、实、弱、细；迟脉统缓、涩、结、代；数脉统滑、紧、促、动；另有长、短、弦三纲。末附手足经脉歌、十二经天干地支歌、脉证宜忌歌、绝脉歌。其论脉象，分体象、主病、兼脉、辨脉之体阐述，辨别疑似，尤能明晰毫芒。

序跋

陈光熙序 鱼泉有隐君子焉，姓刘，名以仁，盖医林中名宿也。晚年编辑《脉法条辨》一书，分纲揭领，头绪秩然，其辨别疑似处，尤能晰及毫芒，虽初学亦易寻门径，以故习岐黄家，胥圭臬奉之，惜无刻本，率系抄传，其挟私心者，往往宝为枕中秘，虽苦索弗与也。崔公誉侯先生之奉委抽厘于兹土也，迄今已阅三年，洁己奉公，视前十年收解厘款，或倍之，或不仅倍之，而于商贾仍一毫无苛，以故宪眷隆焉，邦人士及往来估客胥爱焉，吏治之循良，于此已见一斑矣。先生为楚省名孝廉，仕籍隶蜀省与闱差门下，荐拔多知名士，公余辄好谈文章，邑中学子有以时艺求政者，先生辄赐斧削，其窜易处，率皆精理，内含宝光，外溢之文，先生其学优而仕者欤，抑亦仕优而学者欤。光绪戊寅夏，熙谒先生于行馆，先生闻刘君有未刊脉书，命熙代觅，慨然捐廉付梓，以公同好。是书为刘君一生心血，所寄延百余年，乃得遂嘉惠后学之愿，至求是书而不得者，亦皆因此而大快私淑之心，真善举也。抑又闻之上医医国，先生创刊此书，引而伸之，触类而长之，转瞬得位乘时，必能举一世疮痍之民，而胥纳诸寿域福林之内，又岂但为诊病疗病计哉。所愿得是书者，仰体先生仁民之意，熟味刘君垂训之言，因切脉之一端，而留心四诊，务令阴阳辨，表里明，虚实了了，俾求诊者不致受误于刀圭焉，是则先生之所厚望也。书成为志，其缘起如此。时光绪四年八月中旬，缉菴陈光熙沐手拜撰。

按：陈光熙，字缉菴，一作缉庵，万县人。

版本及存佚

《脉法条辨》为清代万县（今重庆市万州区）名医刘以仁所撰，成稿后并未梓行。清光绪四年（1878），同邑陈光熙就其原稿整理编次后刊行。兹据《中国中医古籍总目》《新编中国中医古籍总目》《中国近代中医书刊联合目录》等著录及笔者查阅，该书现存版本见：

清光绪四年戊寅（1878）蜀省崔誉侯刻善成堂印本（见存）

湖南省图书馆

清光绪四年戊寅（1878）蜀省崔誉侯刻德星书屋印本（见存）

四川省图书馆　上海中医药大学图书馆

王叔和脉经歌括　一卷（1879）存

秦良翰（显、中和）撰

出典

该书未见书目著录。

考略

秦良翰（1856—1935），原名显，字中和，潼川府中安里三汇场（今重庆市潼南区小渡镇）人。秦氏世代业儒，弱冠而精于学。后遵父命改习岐黄，悬壶当地，勤求古训，寝馈功深，经验宏富。1917年前后，避乱移居潼南城区，慕名求学者日多。秦氏因感《内》《难》等书古奥难解，遂编歌诀课徒授业，以便于记诵。秦氏于天文地理、玄易星象等学，亦有所涉猎。著《秦氏医通》八卷，分为元、善、亨、嘉、利、和、贞、干八部。秦氏晚年授徒众多，如王之香、王龙光、孙宗炳等人。子秦开兴亦承袭其业。

序跋

秦良翰自序　且医之切脉，亦犹士之认题，苟认题不真而欲作文，其理法安在哉，是医必精脉，从可知矣。然自古言脉，代不乏人，而言此失彼，漫无指归，则欲察病，病安察乎。如高阳生以大小肠居两寸，而更立七表、八里、九道之名，为世大惑，不知大小肠原属下部，自当诊于两尺，方合《内经》上以候上，中以候中，下以候下，岂得以表里差其部位耶。况脉之变化，从阴阳生，但可以阴阳对待而言，岂可以一浮二芤，而分为七八九之名乎。其有倒装五脏，反列命门，而意多歧出者，益累累矣。苟或一人曰是，一人曰非，不可也，而道理无穷，聪明日出，岂可执一而论哉。故取诸家脉诀，朝稽夕考，拟为一册，以九候分为八十一候，似属穿凿繁冗，难以分辨，予故以五脏引之，而复以浮沉迟数流之，而更明形象相似，顺逆相兼，而终以独脉贯之。正所谓有经有纬，而纲举目张矣。一脉而兼诸病，苟不分之，唯拘拘于浮风芤血，岂非按图索骥乎。彼如芤脉，在寸为吐血，在关为肠痈，在尺为淋症，岂得皆以吐血目之耶。然脉名虽多，以得其一二为准，又何之有，正所谓难而易者巧也。倘要而不精，无以广扩充之见；精而不要，无以纯精一之传。予岂好为多事哉，亦无非传学而详说之，将以反说约之也。但冀高明，幸为斧正。是序。大清光绪五年十二月上浣，良翰学名显识。

曹光甲序 春暖青囊，烟浮丹灵。具才学识之兼长，诀通三昧；有纯萃精之微妙，旨阐千金。仲维大英彦秦府大兄甫良翰者，予蒙师之众孙也，缅厥家学，源远流长，令叔进廷夫子，早驰誉于泮林，良翰亲炙有年。宜其独握如椽之笔，语必惊人；素饶拾芥之文，名将题榜。迩来旨究天根，笃嗜岐黄之学；师承国手，恒游卢扁之门。既多艺以多才，且不矜而不伐。得心应手之精，著书立说；薄植浅衷之士，授册析疑。甫启瑶函，有振聩发聋之意；恬吟金兰，洵利民寿世之编。古人云：医之所病，病道少。此可以概论哉。今研读良翰新著，以寸关尺分为三部，以浮中沉之在三部为九候，以九候推为八十一侯。《易》曰：引而伸之，触类而长之，天下之能事毕矣。故脉必有其本象也，而以诸经别之；脉必有其主病也，而以象类详之；脉必有其移易也，而以部位释之；脉必有其兼至也，而以症名分之；脉必有其宜忌也，而以脏病析之；脉必有其一致也，而以独脉归之；脉必有其死生也，而以绝形溪动占之。至于反关之异，有力之神，生克制化之机，真伪虚实之状，其义则不遗。夫累参其体，则如缀以贯珠，猗欤盛乎。挈要领于兰台，杏林春满；追奇踪于赤饼，黔首年延。予也诵维惟切，佩服惟深，一如春秋之笔削出自圣心，而游夏之徒不能赞一词云。时大清光绪五年已卯岁二月下浣，肇乙曹光甲百拜谨题。

版本及存佚

《王叔和脉经歌括》系《秦氏医通》之利部，为近代潼南名医秦良翰（1856—1935）所撰，成书于清光绪五年（1879）。该书未见《中国中医古籍总目》《新编中国中医古籍总目》《中国近代中医书刊联合目录》等著录。兹据笔者查阅，该书现存版本见：

民国遂宁昌明石印馆印秦氏医通本（见存）

云水游集　十四卷（1879）存

〔清〕程其芝（萱亭）撰

出典

重庆市中医古籍目录　云水游集十四卷。清代程其芝撰。

考略

程其芝出身中医世家，祖父程德鹏及父程祖谧，在当地均有医名。其父十四岁时，迫于家计，弃读而耕，继而其祖亡故，其父愤而弃耕，矢志岐黄，积十余年潜心钻研医籍，终有所成。道光辛卯（1831），邑中痘疫流行，出而治之，应手而愈。其父有志立说成书，手成医案，几近盈箱满箧，不幸于咸丰辛酉（1861）遭遇太平军乱，箱碎案失，心血湮没，抱恨而终。

程其芝（1841—1914），字萱亭，黔江青杠人。早年随父在青杠坪开药铺，行旅于吴楚之间。壮年时其父亡故，遂改习岐黄，以医为业。此后云游川楚、闽越、古滇等地，行医治病，拜访名医，医技大进。后归黔江，求诊者络绎不绝，其临症精详审慎，尤喜用附子，且用量较大，因而有“程附片”“火神菩萨”之称。程氏积数十年之临床经验，撰《云水游集》一书，以补其父之憾。程氏晚年赴渝，将此书刻印八十部赠予族里、亲朋。此外，程氏尤嗜吟咏，每与友人唱酬甚欢，所撰《云水游诗草》一卷亦收入《云水游集》中。

提要

《云水游集》十四卷。清代黔江程其芝撰。成书于光绪五年（1879），初刊于宣统三年（1911）。全书共十四卷。卷一首明五行、八卦、命门等说，再述脏腑、四诊辨证及经络理论。卷二载麻风诊治及瘟痧挑割法。卷三为五心痛如钱大、三阴症、瘫痪等杂症。卷四为吐、鼻、便诸血症。卷五为痢疾一门。卷六、卷七分别为妇科、小儿科。卷八为牛痘直指与痧名详辨。卷九至卷十二分别为痘科、眼科、验方随录及肿病。卷十三载药性理论，依次为药性捷诀论、程氏家传药性歌、十八反、新增八反歌、十九畏、药性赋、详辨天地雄黄论。卷十四附载程其芝《云水游诗草》一卷。

序跋

程发轫题程祖谧医案序 此序原因我父有志立说成书，而手成医案，几见盈箱满笥，不幸辛酉岁竟遭长毛逆贼，以致箱碎案失，吾父心血竟湮没于世矣，致使吾父抱恨九泉。今因书成，未得吾父心血昌明于世，不堪痛恨，因拾得堂叔发韧公题父遗序，不忍弃失，特附于兹，亦得略志我父一生之大概云耳。

按：此段为程其芝小序。

医者意也，虽属小道，非格物致知，以至诚意，临症之时，必不能分经辨络，洞悉病情，特出手眼而取捷效。如徒拘守成方，如喻氏之所谓议药不议病，凡读书识字者，皆可为之，何□来称名医者，仲景喜言，而外寥寥无几。予家世儒素，代有知医。先父痘科活人不下千百，然皆未录案，故没而不彰。嫡堂理元兄，生而颖异，幼承庭训，聪慧过人，先伯父喜其颖悟，功课之余，令其兼读本草，并与讲明症治大义，意盖以不为良相，当为良医，利物济人，庶乎于世有补。年十四，以家计，故弃读而耕，相其阴阳，适其燥湿，胼胝之功，寓调燮之理。继而先伯父弃养，兄私愤然，曰食力躬耕，只足自计，家有传书，何自甘农夫以殁世也。爰搜集贻书，如《灵枢》《素问》《甲乙》《难经》，以及《尚论篇》《寓意草》等书，潜心玩索，杜门者十有余年。间有疑义，诸父、兄弟问难，幸不乏人，果一念之诚，通于冥寞，随举一病，造化生心。辛卯岁，痘科大行，出而治之，应手而愈。后蒙邑侯静生朱老先生格外引契，以致合邑乡绅，倾心器重，而吾兄手不释卷，谨慎精详，毫不敢自满也。今年已六旬，遍历名封，间有奇症，虽方书不备载，庸医不及知，兄之议病用药，如射者人，聊以贻之孙子，俾操是业者，广识兄备手泽云耳。是为序。同治丁卯岁季夏月，于住宅之西轩，嫡堂弟云阶程发轫序。

按：此段为程发轫原序。程发轫，字云阶，黟江人，为程其芝之堂叔父，程祖谧之嫡堂弟。

程其芝云水游集自序 医之由来久矣，自岐黄以后，明医世出，国手代生，继继承承，难以枚举。如仲景立三百九十七法，一百一十三方，其为后世指迷津者不少，无如当今之世，入门者虽多，而执法者寥寥。故家先父尝云，吾家医门，另有一法，不与世同。余昔尚未深信，继因家事凋零，始托为业，云游川楚及闽越、古滇等地，得会各境医人，谈旋此道，方知其中果有捷诀。众皆捕风捉影，以病省药，以药省病，即间有高明者出，无非寒则温之，热则泄之，虚则补之，实则里之，表则表之，风则驱之，略有经络之分，脏腑之别，至于按经治病，而对症用药者鲜矣。独不思《难经》王应声有云，见痰休治痰，见血休治血，无汗不发汗，有热莫攻热，气盛无耗气，遗精无泄泄，明得个中趣，方算医中杰。数语乃抽爻换象之玄机，取坎填离之妙术。吾尝三复斯言，击节称善，顿开茅塞，心机豁然，方识为履医门之要诀，破迷津之通衢也。时医何竟漠不相关，而所尚者，某方治某病，某病宜某药，胡瞎乱撞，不顾标本，倘或幸投，恍如扁鹊复生，和缓再出，遂辟他人用药荒唐，不寻此道，诚哉岐黄中之罪人也。譬如芒硝、大黄、附子、干姜之类，有起死回身之力，返本还元之功，时医禁若砒毒，每以地黄、丽参等味，视为至宝。夫地黄、丽参，余岂视若砒毒，而不用耶，但宜先健脾胃，俟病痊方可，然必佐以桂附，不然，则为害不浅矣。原熟地之性，守而不走，滞气凝血，莫此为甚，若脾胃虚极之人，及月信不通之妇，瞿然服此，更加血凝气滞，有不病嗟日臻，毙伤立待者乎。至附子一味，人当砒毒，我当至宝，本草名附子者，天雄也。试思天雄二字，天者阳也，雄者亦阳也，以阳济阳，乃助精益阳之上品，引火归源之圣药也，盖性走而不守，如五心潮热、舌燥咽干、目瞑倦卧等症，明系真阳外越，舍此其奈之何哉。余聊创此集，敢曰饰才而作俑耶，诚恐后世子孙，有体吾心，业吾道者，特立捷径之门，点穿密窍，道破玄津，使其迷途远离，不误己以误人耳。余愧无才，兼又长作风尘之客，因之笔墨久荒，不过略寄一生之大概而已。愿我后者，犹须传览名篇，以广其志焉，慎无视为医门之旨可也。是为序。光绪五年己卯岁季秋月中浣日，于里居之西轩下萱亭程其芝自序。

李实云水游集序 昔陆宣公之言医也，活国而又活人；范文正之言医也，为医等于为相。医之为用，至矣，大矣，妙矣，善矣，斯诚蔑有加矣。念自岐伯尝草，巫彭制药以来，医道渐兴，医方聿著，望而知之，谓之神医；闻而知之，谓之圣医；问而知之，谓之功医；切而知之，谓之巧医。医诚有分，不可不辨矣。然医非三世，不服其药，臂经九折，乃得为良。如萱亭程先生之为医，果何如者，高华成性，风雅其情，读父书于乙夜，览载籍于丁年，深明陈法，继继承承，朗朗悉悉，殆三世其医，九折其臂者欤。予于己卯岁得遇其人，一日以《云水游集》一书相质。余伏案读之，始而疑，继而骇，终则心悦诚服，曰：有是哉！先生之学何其博也，人苟胸罗有限，将俯从时尚已耳，讵能辨其是，论其非，辟他人之谬妄乎。抑先生之心，何其达也，人苟胶固不通，将应声古人已耳，讵能操其源，神其化，出一己之心裁乎。且先生之识见，何其卓也，夫理判两仪，妙通八卦，在宿儒尚多梦梦其中，乃先生了如指掌，非烂熟阴阳，洞悉造化，讵能道其只字乎。医中国手可称学中大手，他年良相必推此日良医，卓卓然医中君子，诚吾县内所不多觏者，岐黄复出，卢扁再生，当亦相为许可也，况以下耶。是书之成，虽谓立后人之津梁也可，虽谓补后人之遗漏也可，且谓有裨医道，有功斯世，也亦无不可。不揣固陋，妄题数言以归之，敢谓有当君子之心，亦聊寄数日之爰慕云云。光绪五年岁序己卯孟秋月上浣，知愚契华堂李实谨序。

冉崇铭云水游集序 中国数千年，凡事因循不求进步，而于医学尤甚。自轩辕岐伯而下，虽代有奇人，惟长沙张仲景为最著，厥后若刘、若李、若朱、若景岳俱以良医名世，亦如落落晨星，屈指可数。范文正公以良医等于良相，足见医之难而可贵，固如此哉。盖医学之于人生种界、国界，其关系诚非浅少。今值世界竞争，各种学业蒸蒸日上，而于医学尤多研究，考求生理，发明化学，此海上所以设万国医会。惜我黔地处山陬，舟楫不通，商贾鲜至，芸芸众生，何日能登寿域，天地好生，而竟有萱亭其人者。萱亭程君，余忘年友也。余昔肄业青冈灵芝寺，萱亭居青冈坪，市开药铺，学韩康之隐。晤面初，余年甫冠，萱亭已逾大衍，时有感冒，萱亭一药而愈。萱亭嗜吟咏，因唱酬而情益笃，弹指十余年矣。今岁，余任黔高等小学监学，兼分任教科，学生九十余人，刻无暇晷，力竭身疲。时萱芝在黔城，星期又求医于萱亭，诊脉谓用心过度所致，治后出其所著《云水游集》医书一部。余详读之，见其参以五行，配以八卦，又以所治医案见证，俱见因时因地，各制其宜，洵得医家上乘，非徒墨守实泻虚补之通例也。萱亭本家学渊源，又得江山之助，故能参透阴阳，探原溯委，数十年之心血，成此卷帙，已有陆宣公活国活人之志，又何妨公诸斯世，不惟我黔增加幸福，而大地亦共春台。今当付诸剞劂，聊供数语于简端，以志仰慕云耳。是为序。宣统元年重九节，候选教谕知弟冉崇铭于高等小学校谨序。

版本及存佚

《云水游集》为清末黔江名医程其芝（1841—1914）所撰，成书于清光绪五年（1879），初刊于宣统三年（1911）。该书刊印数量较少，流传不广。兹据《重庆市中医古籍目录》等著录及笔者查阅，该书现存版本见：

清宣统三年辛亥（1911）渝州刻本（见存）

河北中医药大学图书馆　重庆市忠县图书馆（残）

眼科奇书（1886）存

〔清〕古渝李氏传　孙本端等辑录

出典

中医图书联合目录　眼科奇书。孙本端辑。

考略

［民国三十三年］长寿县志　卷九，人物，孝义。孙钦，字奉铭。附学生。千佛乡人。性廉介，任书院斋长三年，管出纳，数颇钜，钦涓滴归公，及卸职时，仍系原银交出，封识俨然。后移扇沱乡，于甘家坡购置义田若干亩，以作年振经费，乡人德之。卒年七十有六。

提要

中国医籍大辞典　一卷。不著撰者。成书年代未详。清代渝州李氏世藏秘本，蜀东长寿孙奉铭与李氏相契，借得此书，光绪十二年（1886）由其侄孙本端等抄录，欲公诸于世未果；至1923年付印，始得流传。1934年廖政参订，并更名为《眼科宜书》。本书分外障眼病、内障眼病、内外障兼病、治眼病根底要诀、眼病禁忌药品及炮制法，并附录治乳百验方等。外障眼病例举红肿不开、疼痛难忍、满眼红筋胬肉、羞明怕日、多眼泪、生眼眵、蟹睛、头风灌目等症。内障眼病详述目不红痛，眼珠清秀，只有视物不明、日久断光等证候特点。指出外障因寒，取四味大发散或八味大发散随症加减，忌服补药、凉药；内障因气，当用枳壳、槟榔、郁金、香附等破气之品，忌滞气、涩气诸药。内外障兼病，多系虚实夹杂证，主张先去实，而后补虚。认为男子眼病，若有遗精，先治遗精，后治眼病；女人眼病，若有白带，先治白带，后治眼病等，均有独特见解。本书论外障属寒，内障是气，与世俗“目不因火则不病”“内障多肝肾不足”之论相悖。其制方用药，每多出奇，治外障辛温峻剂，内障主以破气之品，剂量颇重，麻黄、细辛等用至两许，反映出著作者独到的眼病证治经验与用药特色。

珍本医籍丛刊 本书乃清代李氏家藏秘本，著者不详。文以“外障是寒”“内障是气”，在中医眼科理论中独树一帜。本书立论独特，潜方用药别具一格。治外障多以辛温峻剂，治内障则以破气之品为要，且药量畸重，非常所用。按书立方，临证施治，疗效奇佳。是一籍很有价值的中医眼科临证专书。至于本书方多温热，药量偏重，宜临证斟酌，化裁活用。

序跋

李氏老叟批 此书系仙人传授，治眼病百用百灵，勿以书少而忽之。书虽少，一百零八症之眼病胥在其中，症虽多，总不外内障、外障二大纲。何谓外障，外障是寒；何谓内障，内障是气。按此主方，百不失一。

孙奉铭注 此书得之于古渝洲李氏家藏仙传秘本，屡试屡验，较他眼科书最为简要，但其药分量颇重，宜临症斟酌戥分，轻重加减，用者慎之。蜀东长寿奉铭氏谨注，时在光绪丙戌春，于渝城天符庙之书斋。

按：天符庙位于重庆学院街，原址在今较场口石灰市一带。

孙本端志 此书古渝李氏世藏秘本，擅眼科专家盛名，远近男女患危险眼症求治者，日车马盈门。愚先叔父奉铭氏，以道德文章与李氏相契十余年，始得暂假一观。时在丙戌，愚同先兄奉礼本智侍随左右，读于天符庙之西斋，当即命愚等分临抄之。嗣后凡乡党、邻里、亲友患眼症者，按书依症增减，立方治之，无不奏效，愈试愈验，诚奇书也。于是互相传写，得此书者，不知凡几，医好危险大小眼病者，亦不知凡几。久欲公诸世，未果。去岁，忠州周君松荣，见此书而称赞之，慨然捐资印送一千六百本。相传既广，索者愈多，惜书已告罄，无以应付。今春，汉阴张君小林复捐资印送一千本，长寿李君学林捐资印送一千五百本。庶几自兹以后，天下无盲目之人，亦大幸事矣。特赘数言于篇末，以志其缘起云。蜀东长寿孙本端谨志，时甲子五月中旬。

蓝葆初重刊跋 乙丑夏差次，安康前县令柴嘏蕙赠是书，归示张君善堂、靳君子乾，谋付梓，得傅君及三与其侄芳亭力任斯役。凡阅月而书成，费二百余缗。人之欲善，孰不如我，爰缀数语，公诸同好。蓝葆初谨跋，潘子端敬书。

按：蓝培原（1868—1941），字葆初，汉中南郑人，清光绪癸卯科（1903）举人，曾主讲汉南书院。柴守愚（1867—1926），字嘏蕙，安康白河人，清光绪二十三年（1897）拔贡，曾任安康、南郑等县知事。潘子端，南郑人，以书法鸣世。

版本及存佚

《眼科奇书》原系渝州（即重庆市）李氏家藏秘本。清光绪十二年（1886），长寿孙奉铭借览此书，并命其侄孙本端等抄录，该书乃得以流传于世。民国十二年（1923），忠县周松荣捐资初刊。民国二十三年（1934），长寿名医廖政对此书进行订正，并将书名改作《眼科宜书》。兹据《中国中医古籍总目》《新编中国中医古籍总目》《中国近代中医书刊联合目录》等著录及笔者查阅，该书现存版本见：

民国十二年癸亥（1923）、十三年甲子（1924）铅印本（未见）

上海中医药大学图书馆　湖南省图书馆　河南省图书馆　等

民国武昌广雅书局铅印本（见存）

民国十六年丁卯（1927）汉中府南邑茶房寺傅氏刻本（见存）

四川省图书馆

伤寒方歌　一卷（1887）存

〔清〕甘席隆（襄士）撰　王德宣（瑞峰、守中）校

出典

中医图书联合目录　伤寒方歌。清代甘席隆撰。

考略

笔者所见该书之光绪丁亥刻本卷端署“蒙山处士甘席隆襄士著，渝城医学正科王德宣校”。又据该书甘席隆自序可知，光绪丁亥岁，渝城医学正科王德宣与甘氏商议付梓之事，后友人赵泽溥闻知，即于渝城刊刻此书，据此推知甘席隆应在渝行医已久。

甘席隆，字襄士，生平事迹无考，仅知其为蒙山人，行医渝城，以处士自居。兹考蒙山之称谓，山东有蒙山山脉，广西有蒙山县，雅安有蒙顶山，山西晋中、江西新余、湖北荆门均有蒙山，滇黔交界处有乌蒙山。甘席隆自称处士，并无官身，故应非宦游至渝，再察其自序，亦未言商路至渝，似是久居渝地行医之士。今考贵州桐梓县北有蒙山凉风垭，位于楚米镇，是自綦江经楚米到桐梓再到遵义的这条川黔古驿道的重要节点。古代川黔交通不便，沿驿道迁徙定居属于常理，因而笔者疑甘席隆所称之蒙山或即贵州桐梓蒙山，亦有广义乌蒙山之可能，余诸蒙山的可能性则较低。

王德宣，字瑞峰，号守中，重庆府人。与王桂林、王意德并称光绪间重庆名医“三王”，生平详“医学启蒙辑览”条。

序跋

甘席隆自序　余读仲师《伤寒论》，见其所立一百十三方，用药则审五运六气而取其专长，立法则因生克制化而神其妙用。同一方也，有宜汤、宜散、宜丸之殊。同一药也，有久煮、微煮、分煮、合煮之异。且一剂而分为三服、两服、顿服、温服、冷服，之后啜粥、不啜粥，或多饮水与饮暖水，以及用酒、用水，或浆水，或

潦水，或甘澜水，或麻沸水。各等引子，皆有区别，可谓至矣尽矣，篾以加矣。及观其自序，则竟是悲天悯人之意，始知医门之仲师，即儒门之宣圣也。乃于诵习之余，就原方作为七言歌语，旨浅言俗，蠡测管窥，不特无裨于仲师，且恐开罪于仲师矣。然吾心盖欲令吾子侄辈有业是道者，格外得一捷便之法耳，初不敢持以问世也。光绪丁亥，渝城医学正科王德宣先生于友人沈滈之案头见此歌，谓其可以付梓，商之于余。余曰：此蛇足也，以之灾梨枣，惧贻识者羞。既而友人赵泽溥闻其事，竟付剞劂焉。板成，始属余为之记。余益惶愧万状，不知所云。谨记始末，冀以就正高明云尔。光绪十三年嘉平月，甘席隆识。

版本及存佚

《伤寒方歌》为清代蒙山（疑即贵州桐梓蒙山）名医甘席隆于重庆行医时所撰，复经重庆名医王德宣校正，初刊于清光绪十三年（1887）。兹据《中国中医古籍总目》《新编中国中医古籍总目》《中国近代中医书刊联合目录》等著录及笔者查阅，该书现存版本见：

清光绪十三年丁亥（1887）渝城尊古堂刻本（见存）

四川省图书馆

桂林医鉴　九卷（1888）存

〔清〕王桂林（小山、守拙居士）补注

出典

中医图书联合目录　桂林医鉴九卷。清代王桂林补注。

考略

参见“新编保生录要”条。

提要

四川名医传　王桂林于光绪十四年（1888）撰成《桂林医鉴》。该书凡八卷。大旨取《医宗金鉴》各条而补注之，期于古人引而不发之处，详加训诂，务不惮烦，又以生平加减古方曾经效如桴鼓者，增注其后，用意精而不泛。卷七为伤寒古今医案，选录《儒门事亲》《本事方》《卫生宝鉴》《医学纲目》《寓草意》《医宗金鉴》，以及许叔微、李东垣、罗谦甫、朱丹溪、滑伯仁、葛可久等历代名医、名著伤寒医案，加以评注，使学有可宗，辨其异同。卷八列作者平生验案，犹供医者借鉴，知遵古变通、活法运用之妙。《桂林医鉴》虽取《医宗金鉴》加以补注，“盖述而不作”，实则包罗了王桂林平生丰富的医疗经验与体会，其中多有独到之处。

序跋

王桂林自序　医之义，大矣哉，其道阐自草昧之初，其术通乎人生之始，活国活人，胥赖乎此。是故圣人以六经垂教，亦必于疾而终致慎，于医而贵有恒，然其说而散见于六经以示警者，又未尝不章章如是焉。其在《易》曰：无妄之药，不可试也。其在《书》曰：药不瞑眩，厥疾弗瘳。且也疢如疾首，痛乎《诗》；药必先尝，示乎《礼》；美疢不如恶石，更尝著乎《春秋传》。然则业是术者，固不可以轻心掉，亦不可以躁心尝也。余自束发受书，私淑此道以来，数十年于兹矣。虽于古圣先贤之蕴，未能殚见而洽闻；窃于百家诸子之书，颇识去肤而存髓。谚所谓，考古宜证以今，多贪不如一得。余不敢薄前人之论，亦不敢矜在己之能，辄以所究心者，所试验者，并遵古而或变而通之，以曾奏效者，举而录之，更以平日选读《御纂医宗金鉴》手为详注者，广为一书，以便参阅。无如往来同志借观甚众，难以搜求，是以用灾梨枣。海内君子，或以医之义大，有陋管蠡之见，起而辱教之，则厚望矣。光绪十四年仲冬月长至日，王桂林小山氏自序于南窗寄傲轩。

陈建墉序 丁亥春，予因公自滇返蜀，道出渝州，得重晤王君小山，予医道中良友也。未几，予患热痢，日数十下，自诊脉，惶惑不能主。延王君至，为予定方，服数十剂，病瘳，且精神饮食倍未病时，盖非王君不能至是也。暇谈医，知其年来读书愈多，识症愈审，尝谓予曰：今之能用古方者颇不乏人，求其能变通而不泥于古卒鲜，盖平日读书，谁能明其理，而各病实未能精辨其异同，故一临时症，虽知选方，而诸药岂得详明其去取，病不奏功，往往然也。予深然其言。窃尝谓汉唐宋元明，以迄我朝才杰之士，无不各有一得，而其源无不出于先圣之书，分流而异派者，独怪其自树一帜，各标新颖，非以为独擅其能，即欲以别开生面，癖类好龙，邈同画虎，涉古人而实悖焉。奚可哉。奚可哉。王君因出近日所著《医鉴》一书相示，大旨取《御纂医宗金鉴》各条而补注之，盖述而不作也。予读数日，观其于古人引而不发之处详加训诂，辞不惮烦，又以生平加减古方曾经效如桴鼓者增注其后，用意精而不泛，无非本前人之义而扩充之。古人云：三折肱知为良医。当斯世也，非君而谁属哉。君行斯道三十余年，终日户限为穿，独于贫乏者不较锱铢，是尤其难能而可贵者矣。予意君之书，并书数语于简端，或谓老马识途，将不以予言为河汉也夫。光绪戊子重阳日，涪陵陈建墉星垓氏谨识于古渝之听秋声馆。

按：陈建墉，字星垓，涪州人。监生。曾任云南泸西、巧县等县知县，署宁州知州等。

版本及存佚

《桂林医鉴》为清末重庆名医王桂林补注，成书于清光绪十四年（1888）。兹据《中国中医古籍总目》《新编中国中医古籍总目》《中国近代中医书刊联合目录》等著录及笔者查阅，该书现存版本见：

清光绪十七年辛卯（1891）王氏丛桂堂刻本（见存）

四川省图书馆　天津中医药大学图书馆（残）

济世达生撮要（1889）存

〔清〕李泽身辑

出典

全国中医图书联合目录　济世达生撮要。清代李泽身撰。

序跋

李泽身自序　天地生人，即以爱人为心，非有厚薄也，而赋质成形，强弱不齐，又复中于风寒暑湿，瘴疠灾氛，遂多夭死瘥札之患，斯亦造物之缺陷也。先哲设立医药奇方，以补救之，其用以济世者至矣。尝观《大生要旨》《胎产心法》《达生》《遂生》《福幼》《寿世》等编，所论受病之原，调治之法，尽善尽美，世人如法行之，无不收效甚神。窃叹穷乡僻壤，不能尽睹诸书，或得于此而失于彼，得于彼而失于此，将补救不及者比比矣。余欲统诸书，合而刻之，俾天下产母婴儿，尽得其所，聊以遂天地爱人之心。特其中有议论相同者，有立法无异者，贵删繁而去冗，乃集腋而成裘。爰于冬日之暇，撮其最要者，序其条目，经半月而始成。余因请之进修师，以拟其名。师曰：此济世一片婆心也，可命曰《济世达生撮要》。然究非敢以此为功，以此沽名也。古人云：莫为之前，虽美弗彰；莫为之后，虽盛弗传。但愿自刊之后，流传里巷，家置一编，奉为珍宝，不至受困于庸医，而遥遥难及之乡，更有仁人君子，重加剞劂，使宇宙之大，人人共登寿域，不负天地好生之心，是则余之厚望也夫。泽身氏自序。

梁景炎序　从来行阴德者，莫大于济世，而济世者，又莫先于救人之急。若妇人生产、婴儿惊风等症，此皆急之又急者也，调治偶差，即命在顷刻。惟《达生》《遂生》《福幼》等书，实对症之良方，操回生之妙术，但此篇前君子曾镌板流传，僻壤狭区未必皆有。今岁冬，余友李君泽身者，好生系念，悲悯关怀，以数书合刻，商于予。予曰：善哉，真盛举也。吾愿得是篇者，珍而藏之，则而效之，庶几不失其治病之法，亦不负此济世之心也矣。是序。时光绪十五年己丑冬月，济皋梁景炎顿首拜撰。

李樾重刊跋 是书客岁舍侄于敝亲杨君卓之家携归，置案头。今春三月，天气倦人，久坐无聊，信手拈来，见面署《济世达生撮要》，系合州宗人泽身之所重刊者也。阅颠末，盖《达生》《遂生》《福幼》《寿世》等编汇合一集，其立法之妙，议论之详，无隙可指，非特于胎产婴儿造福无量，其于世道人心，亦莫不大有裨益，真所谓弥除高之憾，补造化之缺者矣。余家五兄见而喜之，曰是书雅佳，然究以方隅限也，非再创之，将一编独抱，能无得此失彼之虑乎。有乡长王君，字迁发，为家兄契交，凡利物济人之事，莫不切于有为，与商之，辄欣然乐从，是以爰募同人，捐金相助，重付枣梨，以期广布。俾得是书者，互相印送，家藏便览，庶几胸有成竹，不致坐误于庸医之手，其为斯世造命，功德容有量耶，是所望于心存济世者。光绪己亥秋七月既望，邑文生荫轩氏李樾谨跋。

版本及存佚

《济世达生撮要》为清代合州（今重庆市合川区）名医李泽身所辑，成书于清光绪十五年（1889）。兹据《中国中医古籍总目》《新编中国中医古籍总目》《中国近代中医书刊联合目录》等著录及笔者查阅，该书现存版本见：

清光绪十五年己丑（1889）合邑李氏刻本（见存）

重庆图书馆　泸州市图书馆

民国二年癸丑（1913）重庆治古堂刻本（见存）

民国十年辛酉（1921）合川会善堂慈善会捐刻本（见存）

民国十四年乙丑（1925）重庆中西石印局石印本（见存）

眼科集成　二卷（1892）存

〔清〕陈善堂撰

出典

中医图书联合目录　眼科集成二卷。清代陈善堂著。

提要

中医古籍珍本提要　二卷，成书于1892年。卷一列述十二经论、五轮定位论、外障总论、节录眼目十五论等；卷二介绍内障总论，并附眼科杂方、眼目外治方。书中集张盖先、傅仁宇、黄庭镜、王锡鑫、张子仙、王子先等眼科专家之说，论述各种眼疾之病因病机、用药及禁忌。全书将眼病分为45症，外障36症，内障9症，各症详加剖悉，凭脉认症，按症立方。立方既不拘于古人成法，又不离乎成法，善于变而通之。

中国古医籍整理丛书　清代陈善堂著。作者采录先哲名言，汇集名家确论，精选时方验方精方而成。全书按五脏列方，用药厚重与灵巧并行，治疗除常法外，具有寒药、热药并用，攻补兼施，治法多元的特点。

序跋

陈善堂自序　古人论眼目之症，有四十七症，有七十二症，有一百零八症，又有一百八十症，症多方多，难以枚举。兹特采其独治之法、兼治之法、因治之法，外障内障诸症，以及名家确论、先贤治方，逐一分明，彼此提出。症有未详也，详于论，论有未详也，详于方，以便学者分轮认症，按症立方。不拘于成法，亦不离乎成法，神而明之，变而通之，运用之妙，惟在临症时之剪裁焉。如此以为治，庶几于眼科一道，斯得而入其门矣。光绪十八年壬辰岁蒲月，善堂氏序于调元药室。

孙程远序　济世之道，莫先于医，范文正公云：不为良相，当为良医。诚以良相能医国，良医可活人，事殊大小，皆属燮理阴阳，保生康乐也。巴渝西城里土主场侧右五里许，昔年有陈公字善堂，天性真诚，本儒生，兼医士，学宗孔孟，术究轩岐。家居外自立调元药室，于眼目一科，更加细心考核，慎思窍妙，明辨精微，采先哲各论之明言，采前人未发之隐义，审情认症，按症立方，分类见其周详，合盘知其惬洽，婆心益世，公道济人，乡里信为专门。日时乐行善道，未甘厌倦，辛苦栽培。公哲嗣二，长嗣榜名炳昌，字图南，初试文场冠军，强台未上；次嗣业儒，字辅之，俱笃承父志，亲接心传，方便积功，遵行厚德。公年近六旬仙游，令孙鼎三先生祖述德业，家学渊源，仍守孝友，古风不吝，润沾今雨，令闻宜昭，广誉符称，三世良医也。予因患疾，延先生调治，言及先曾祖留遗《眼科集成》底稿，请出公世，先生欣然允诺。越日，送交予手。爰募资刻印，推广流通，一不负良工之苦心，一以慰同人之甘愿。俾习其业者大有裨益，遇斯疾者能自得师，庶僻壤穷乡，不致叹无方可治，厥疾弗瘳矣。共跻仁寿之域，可不谓生人之大幸事耶。爰走笔以纪其实。民国八年己未岁秋九月，孙程远恭纪。

辅仁氏医林引正救弊浅说　吾研究有年，应酬少日，得阅陈公善堂《眼科集成》二卷。细心参考，著意思维，采先哲之明言，集前贤之确论，凭脉认症，按症立方。钦其自志，专求益广，分类晰，立法良，不泛滥以支离，悉精微而极尽。有谓旁搜博引，非出心裁；不知广益集思，独饶精卓。不比方书杂沓，依定法以凑成；愈仰理学圆通，养灵机之活泼。得未曾有，专科家学渊源；知不难明，三世医门标准。大方家才广心虚，或加欣赏；聪明士理明书熟，谅亦赞扬。学人当起瞶发矇，病者亦高瞻远瞩。双明穷千里之光，一览觉众山之小。行仁术者，细阅此书，行法而不泥于法，用方而不拘于方，不徒增益其淹贯洪通，更任随其神明变化也。谓之有幸，谁曰非宜，固不可不传。培元子辅仁氏浅说于古渝州客次。（节录）

版本及存佚

《眼科集成》为清代重庆名医陈善堂所撰，成书于清光绪十八年（1892）。由孙程远于民国八年（1919）募资刻印，次年春月刊成。兹据《中国中医古籍总目》《新编中国中医古籍总目》《重庆市中医古籍目录》等著录及笔者查阅，该书现存版本见：

民国九年庚申（1920）渝城治古堂刻本（见存）

重庆图书馆　中国中医科学院图书馆

公余医录抄　六卷（1895）存

又名公余十六种汇抄

〔清〕陈念祖（修园、慎修）原撰　刘绍熙（庶咸）编

出典

全国中医图书联合目录　公余医录抄六卷。清代刘绍熙编。

考略

［民国十年］合川县志　卷五十五，方术上。绍熙，字庶咸。绩学工文。张之洞督蜀学，试补州庠生，旋充增广生员。负笈东川书院，从丰都徐学士昌绪游宫，师课皆有名，汲汲谋进取。然诵读之暇，辄手《陈修园医书十六种》阅之，同学偶有病求施治，为予方，应如响，则究心医道久矣。后屡试不中第，自念进不能有为，退可以济人者莫若医，于是吐弃一切，专力于医。觉欲窥仲景之堂奥，非由陈氏入门无从致力，而其书浩博，遍涉为难，因选择为《公余医录抄》六卷。虽著墨无多，而由陈氏以闯汉人之堂，其纲要具于此矣。书出，一时风行，以未署绍熙名，人不知所自出，往往托沪商或公车向京、苏购求之，其价值可知也。绍熙以光绪三十一年卒，年六十六。西里采访员来稿。

按：张之洞（1837—1909），字孝达，直隶南皮人。清同治癸亥科（1863）探花，同治十二年（1873）提督四川学政。

徐昌绪（1816—1884），字遁溪，丰都双龙乡人。清咸丰丙辰科（1856）进士，同治八年（1869）起任东川书院山长。

提要

［民国十年］合川县志　卷三十四，艺文二。公余医录六卷。东生堂原刻巾箱本。清代刘绍熙撰。绍熙事迹附见本《志》方术一《刘善述传》。考《公余医录》为道光中举人闽长乐陈念祖，官灵石县知县时所著，以公余之暇为之，故称《公余医录》。初止六种，后增至十六种，今且有三十余种矣。当时其书盛行，人往往取他书

附益之，非尽出念祖手。绍熙为此《抄》时，尚止十六种，非病其伪，病其繁不可读也，特以其所心得者节抄之，为课门人读本，颇得窍要。故刻出后，亦一时风行，故有向京、沪购求之者，则以其书《小引》署款邑增生，不云合州，故人或不知所自出。后加封面，注明合州，人始就所设之东生堂药肆购之，而书遂盛传矣。今考其第一卷为脏腑六经，所谓医经也。卷二为表里证诸病。卷三为寒热实虚症诸病，所谓证治也。而皆附以方，取便检阅，则不必尽用方伎之旧序矣。第四卷为女科、幼科、杂病、补遗及外备诸方。附以三字经及脏腑经络补。第五卷为《伤寒论》原文及霍乱劳复。卷第六为伤寒串解。皆本陈氏原文而抄之，虽未尝自著一字，而由陈氏以窥仲景之门，此固其阶梯也。

按：陈念祖（1753—1823），字修园，号慎修，福建长乐人。清乾隆壬子科（1792）举人，嘉庆六年（1801）大挑一等，以知县分发保定府候补，旋即丁忧回籍。嘉庆十三年（1808）后佐理磁州，任威县、灵寿县知县，署正定府知府。嘉庆二十四年（1819）告归。其所著医书十六种于同治四年（1865）由文奎堂首次合刻，名《南雅堂医书全集》，又名《公余十六种》。

序跋

刘绍熙自序　医虽小道，最切日用，不可不知。余读陈修园先生《公余医录》三十余年，粗有所得，投无不效，亲友辈见而羡之，每来问津，因辑所见，刊为读本，以代传抄，名之曰《公余医录抄》。学者果能将此熟诵在心，再取先生《十六种》参之，庶几见病知源，运用不穷，而长沙之心传可遥接矣。邑增生庶咸刘绍熙自记，光绪二十一年夏四月中浣榖旦。

版本及存佚

《公余医录抄》（又名《公余十六种汇抄》）为清代合州（今重庆市合川区）名医刘绍熙（1840—1905）以闽省名医陈念祖（1753—1823）所撰《公余十六种》为基础，辑录编次而成，成书于清光绪二十一年（1895）。兹据《中国中医古籍总目》《新编中国中医古籍总目》《中国近代中医书刊联合目录》等著录及笔者查阅，该书现存版本见：

清光绪二十一年乙未（1895）三槐书局刻本（见存）

成都中医药大学图书馆

民国二十二年癸酉（1933）民福公司铅印本（见存）

国家图书馆　重庆图书馆

增演易筋洗髓内功图说　十七卷（1895）存

〔清〕释静一空悟传授　周述官（守儒）增演

出典

全国中医图书联合目录　增演易筋洗髓内功图说。周述官撰。

考略

周述官（1853—1914），字守儒，巴县（今重庆市）人。自幼体弱多病，兼之饮食不节，壮年复沉溺酒烟，致身体羸弱，奄奄一息。幸于古渝遇松山陈老，得其传授功法治疗。后于成都道院得《内功图说》一册，遵行练习。光绪癸巳（1893），赴成都乡试，于资阳通慧寺得遇静一空悟老师，遂拜为师，研习《易筋》《洗髓》等经，临别又得授以《增益易筋洗髓内功图说》十二卷。此后练习愈勤，身体日渐强壮。周氏深感此法之高明，遂以空悟所授书为基础，编成《增演易筋洗髓内功图说》十七卷，并亲书三部，流传于世。该书后由其徒张瑶于1930年刊行。

提要

中国医籍大辞典　十七卷。清代周述官撰。成书于清光绪二十一年（1895）。书中内功图乃著者得于少林空悟老师者。周氏于每图之后注明体势、气数等，又汇辑释典、丹经、医书等说证明其旨。复由门人张瑶旁搜博引，阐发奥义。本书首两卷统言内功纲领；中十二卷图文并茂，详述功法；末三卷刊内功图说，并载易筋洗髓支流及分行外功，以供采择。

序跋

周述官自序　予生而体弱，长于调养。十岁前饮食不节，尝患疫寒、积滞等症。十岁后沉湎于酒，多生疮痍。至十九岁，又为洋烟困行。年三十，体愈羸，病日臻，动则惊怖，行则怔忡，风热燥湿，坐不安席，寒暑昼夜，时在病乡，体则奄奄一息，热又时时上蒸，攻散、和解、温补、清凉，无术可施。十余年来苦状难述，虽历经良医调治，先去邪，后扶正，症对方投，不无小效，而畏风怯寒，气短神衰，服姜桂、参茸近十年，元终难复壮年，几与耄年无异，清夜自思计，维坐以待毙矣。然窃念生寄死归，寿夭何惜，独是混世四十年，毫无善状，负疚孔多，志未竟者几何，分未尽者又几何，所负天地父母之生成，君亲师长之教育，友朋妻孥之属望，圣贤先儒之陶镕，更仆难数，退思补过，可奈时不及待，何自怨自奋，亦徒仰屋兴叹耳。幸于辛卯春，宴古渝之至善堂，遇松山陈老，师少林神功也，劝以其功疗之，尽传心授，于是顿起禅心，有因必访。又于成都道院得《内功图说》一册，简摩日久，稍有所得，遵图行之，体觉舒畅，至是求道益切。癸巳秋闱，复赴省应试，于资阳通慧寺中，忽遇静一空悟老师，睹法相，心知其异，一路探讨真谛，随驾至昭觉不离。竟底蕴，悉师自嵩山少林来，尽得少林术，是达摩嫡派，深通如来《易筋》《洗髓》等经，拜倒求度。师悯其诚，许之，遂执弟子礼而受业于门，口传心授，凡三逾月，尽得此中三昧。临别授以《增益易筋洗髓内功图说》六卷，卷分上下，共十二卷。戒之曰：此祖师真谛，非十八家支流可比，毋轻视，行持无间，足证佛因，切忌行至半途，自恃神勇无敌，遂弃上乘功夫，久恋人间勋业事。以吾弟文士，学成后，有心得处，可增演妙谛，以广慈航，万不可视为独得之奇，秘而不宣也，勉之慎之。余再拜受册，无日不习。方年余，颇觉病去瘾除，精神一振，体健身强，气力渐增，后效虽不能预，必此功终不敢稍废也。爰叙进道巅末于简端云。时大清光绪二十一年乙未孟夏中旬，古渝后学周述官谨序于士隐斋中。

周述官增演易筋洗髓合编序（卷一）《易筋》《洗髓》，自达摩祖师西去后，慧可祖师将《洗髓》携去云游，《易筋》藏少林壁中，由是道分为二。习《洗髓》者，仅能收心养性，习《易筋》者，仅能强筋壮力，千余年来，其书未合。后《易筋》经般剌密谛翻译出，代有传人，《洗髓》由慧可翻译出，亦有嫡派，两两相合，道本同源，理实一贯，一而二，二而一，两经非两派也。后世祖师得《洗髓》传，知道相表里，乃与《易筋》合成一函，虽纲领节目，综括靡遗，而奥旨微言，难寻次第。经少林门下诸老祖师，照诸佛菩萨、诸天神王、历代罗汉、宗师庄严法相，摩肇求之，合以《易筋》《洗髓》所论工夫，始知道出一辙，于是汇成一帙，名曰《增益易筋洗髓内功图说》，图多说少，其旨未畅。余不揣谫陋，依图演说，缮写《易筋》《洗髓》于前，益以各家论说，分为十七卷。首二卷，经文论说；中十二卷，历代宗师增益图像；后三卷，易筋洗髓支流，以备参悟采用，颜曰《增演易筋洗髓内功图说》。余何人，不足言道，亦不善属文，平日所得，虽未知当否，而吾师属意演说之命难辞，凡有所觉，罔不笔之于书云。

张瑶序 余方弱冠，患失血，体羸气微，医药罔效。清光绪乙未春，从周守儒夫子习训诂。夫子以所得于静一空悟大师之正、侧、坐、卧各图，依次授之，数月病愈，旋即废弃。阅六年，辛丑，疾复大作，夫子督促复习，未百日，病又愈。自是或作或辍，虽违师训，未尝日夜练习，然每因劳倦过甚或肠胃积滞，必凝神静气，择要行之。迩来三十余年，虽年逾知非，其精力尚足以应事，皆由于此。夫子于大师所授各图式外，又复旁搜博引，阐发奥义，名曰《增演易筋洗髓内功图说》，分为十八卷，订为十册，亲书三部，藏于其椟。丙辰冬，余自酉阳旋渝，夫子已归道山二岁矣，访其书，尚存二部。今夏复访之，则仅存其一。余深惧大道之没，而吾夫子推阐之苦衷亦随之而靡，亟商鉴涵世弟，谋付石印，以广流传。方今国术昌明，凡讲外壮者，多失内养，谈玄理者，罔识动作，兹编内外兼备，性命双修，诚人道之正宗，由道而佛之捷径，岂区区却病延年所能尽其功效哉。中华民国十九年庚午岁秋九月，门人张瑶莪耘敬述。

凡例

一、释氏口传心印，求之诸佛菩萨、诸天神王、历代罗汉、祖师，法象不一，各有得力，概难尽取，逐一习之过繁，择一习之过简。是集图式，虽由历代宗师增益而成，然皆有条不紊，步步加功，初学之，平易便行，引人入胜，深求之，该括无遗，殊途同归。

二、是书得于少林空悟老师，有图无说，编首只载《易筋》《洗髓》二经、起功、收功、总散歌诀数十章，编末仅行功要语数则，义虽备而旨未畅。余因于每图后，注明体势气数；又于首二卷中，汇辑释典、丹经、医书等说，证明其旨；后列内壮图说，附分行外功与此教支流，以便求道采择，眉目分明。

三、斯道得传，万不可任气贻祸，恃强为非，致蹈害己害人之咎，天诛王法，在所难逃。既入斯道，凡编中所载一切禁避，最宜懔之慎之，持戒终身。

四、是书分十七卷，首二卷统言斯道纲领；中十二卷详列斯道条目；末三卷博采斯道支流，周规折矩，纲举目张。得传者，细心体察，虔心参悟，功行日久，神妙莫名。

五、十二图中功夫，无论男女，俱可行持。惟女人受孕后，只宜多作定身图以养胎，余图俟产后四十日方可行。

六、是书为初学下手而设，故文不加饰，词不求工，上智下愚，俱能了了，无一禅机隐语犯入其中，朴实说理，淡而弥真，成功化境，亦不外斯。

七、是书能按图行之，固属全功，亦或有重病牵缠，身力不济，尘缘未了，无志求精，视病受何处，亏在何经，择一图或择数图授之，以起沉疴，亦方便之法门也。然有信心者，方与之。若入主出奴，明求暗攻，万不可传，漏泄天机，狎侮圣教，获罪匪浅。

八、是书虽明白显然，一见即晓，而体势运动，气数缓急，导引道路，存想中和，究竟有难以言语形容者。得是书而未得其传，宜多寻道友，拜求名师，方有益无损，不然势像法疏，难保无虞。斯道玄妙微杳已极，贵意会尤贵师传，无口传心授而卤莽行之，恐有谷不化精，气不过节，神不守舍，以致疮痍、痞块、痨疾丛生，毋谓是书度人而反灾人也。

九、编中所云一呼一吸、呼吸之间等语，是顺世俗常语而言，其实图中所谓呼吸者，皆先吸后呼，断无先呼后吸之理。

十、首卷所载《易筋》《洗髓》，文义深邃，词语古奥，非详释，意义难明；非引证，音读莫辨；非参以释典及儒道性理、丹经、古医经等说，不能得其真正实理。故末附翻译音释一卷，以证其旨。

十一、《洗髓》经文，慧可祖师译六朝有韵之文体，类偈语，韵多古音，凡与今韵大相异者，亦于音释内注明古韵读法数条，以备类推。

版本及存佚

《增演易筋洗髓内功图说》为清末巴县（今重庆市）周述官（1853—1914）以资阳通慧寺静一空悟禅师所授《增益易筋洗髓内功图说》为基础增演而成，成书于清光绪二十一年（1895）。周氏初仅手书三部，流传于世。1930 年，其徒张瑶因恐该书久则亡佚，故而主持刊行。兹据《中国中医古籍总目》《新编中国中医古籍总目》《中国近代中医书刊联合目录》等著录及笔者查阅，该书现存版本见：

民国十九年庚午（1930）重庆印刷公司石印本（见存）

中国中医科学院图书馆

六经释义　八卷（1904）残存

〔清〕吴继恒（怀成）撰

出典

该书未见书目著录。

考略

吴继恒（1865—1918），字怀成，铜梁白鹤乡人。幼读儒书，屡试不第，遂弃儒习医，兼躬耕以自计。光绪十六年（1890），从遂宁名医刘春台学，医术大进，得师授以“天人转度诀”归。其学宗仲景，兼通《易》理，于阴阳之道领悟颇深。后设帐授徒，及门者十数人，如合川李宇昂、铜梁余智瓶、昌州刘政举、合阳易显官等，皆受其业。吴氏著有《六经释义》一书，释仲景《伤寒》经义以课门徒。

序跋

吴继恒自序　医自《灵》《素》外，名贤著述钜起，惟长沙张仲景所著《六经论》，论之六经即天之六气，天以六气弥纶六合，而流行有常，人以六气贯澈人身，而运行不滞，倘流行不常而天道乖，疾病频仍而人道变，皆转度不合，气机不畅，仲师所以立论也。恒幼读其书，未得旨归，后遇诸明师详示，始知前所口吟手批，于风雨晦明中者，皆皮毛工夫，未得定理。夫不得于心，徒学无益，因取仲景原文，释其义以课及门。窃恐所释未当，遗笑大方，因志在活人，遂不觉其言之妄也，阅者幸勿深罪焉。是序。光绪三十年端午后八日，蜀琼江吴继恒怀成弁言。

吴继恒呈文　恒弱冠弃儒习医，迭经明师指授，颇得仲景心法，爰著《六经释义》一书，详诲门人，意者使若辈便于领略。初未敢持以问世也，后于琼江别墅，幸获崧生谭老夫子，见恒解释经义悉本《周易》卦爻，天人转度，发前贤所未发，辱承不弃，复示性命之学。恒言下顿悟，始知医道通于仙道，非有二义也，于是削肤存液，再为改著。爰命书成携至渝城，以灾梨枣，恒不敢违命，将全卷付与门人转达。老夫子座前俯祈诲正，则感戴无涯矣。光绪叁拾年立秋后二日，门生吴继恒敬呈。

易显官序 余自束发受书，屡试不第，弃而业医，读《内》《难》《甲乙》等经，仲景《伤寒论》，如涉大海，茫无津涯。适友人告余曰：琼江怀成吴夫子作有《六经释义》，言简意赅，洵为医学善本。及游其门，授而读之，憬然大悟，其中阐发纲领旨趣，方药精透详明，始知嘉言、韵伯后，医界亦尚有人焉。噫！微仲景不足以成夫子之道，微夫子不足以显仲景之功。夫子操何术也？明《周易》也。《周易》何道也？天地阴阳也。人亦天地也，偏于阴则病阳，偏于阳则病阴，仲景立六经论，无一不以阴阳括之。夫天地有六气，人身有六经，以六气贯六经，乃知六经为一经，六气为一气耳。余潜心斯道，如夫子本阴阳转度以治病，并以易象诠病象，晚近来诚属罕觏。慨自医学不讲，数百年于兹矣，如我怀成夫子，诚庸中之佼佼者矣。合阳易显官汝贤谨识。

李仁钺序 岐黄作《灵》《素》，仲景立六经。予读其书，味其旨，始知医虽小道，自有薪传。昨谒琼江怀成夫子，一堂晤对，仲景心法靡不一一讲画，并以《六经释义》相授，茫茫烟海，乃有涯涘。喟然叹曰：夫子于斯道至精且明也。精者何？仲景之法律。明者何？阴阳之转度。仲景，祖述岐黄者也；夫子，宪章仲景者也。宋元以后，宪章仲景者迭起，作《伤寒》注不下数十家，或参以己见，或颠倒经旨，或寻章摘句，或随文衍义，其阐发透澈，不背离圣经者，惟嘉言、隐菴、韵伯诸名贤。夫子于诸贤之中，诚堪添一座。特怂恿其付诸排印，以饷阅者，后之有志斯道诸君，庶其得渡迷宝筏乎。古赤水李仁钺定平谨识。

熊应福序 医自叔和书出，而医道大坏，虽作家亿万，而知本仲景者无几，肤阔诡异，毫无理想，或借八阵，或寓兵法，或名验方，或传仙授，诡奇离异，误人不浅，亦谁知考三坟诸经，按形气理以察病情哉。仲景立六经微论以垂世，探奇抉奥，洵医界之正宗，其于天人一理之精蕴，阴阳合辟之妙用，无不阐发尽致。盖人秉正气，物秉偏气，人与天地合德者也，有偏即有病，采物之偏以治病，非明阴洞阳，而登羲、农、轩、岐诸圣之堂者不能。福曩者博览群书，茫无头绪，后游怀成夫子之门，晨夕晤对，惠我春风，始知天地六气，贯人六经，按《易》推测，仲景心法，皆归于我矣。心领神会之下，始知医之奥蕴。微夫子之发，吾复终如瓮里醯鸡，而不知医道之通于易道也。琼江熊应福春林谨识。

顾香泉序 粤稽炎帝制药，首以养命，次以养性，故《灵枢》《素问》动详天地阴阳，而方治略焉。盖圣人立教，非仅为疗病计，特疗治不外其道耳。古来专门名家，若俞跗，若巫彭，若长桑君，若太仓公，皆杰出者，然名为禁方而书并不传。惟秦越人《八十一难经》，张仲景《伤寒杂病论》，洋洋数千言，本末备具，洵称后学楷模，究之言近指远，浅人安能梦及。此宋元以下，医道之多晦也。琼江有怀成吴师者，寝馈六经，以灵敏之思，发幽深之理，俾长沙遗法，昭然若揭，是亦范文正为相之心，陆宣公活人之愿也，岂直小道已哉。门人顾香泉谨识。

刘政举序 轩岐羲农之书，夺天地造化之机，尽人物生成之性，义精理邃，词远意深，后鲜明其旨趣者。窃叹诸圣之道，几晦而弗传，厥后仲景《伤寒论》作，撰用《素问》，上承三圣，下启后人。是书一举，如神龙出没，首尾相顾，鳞甲森然，为百世之宗，仰集群圣之大成，异端不作，人共赖焉。但其奥蕴高美，未易窥测，使学者临流却步，不无涉海问津之叹。降至后世，注《伤寒论》者，亦不乏人，要皆随文衍义，强词夺理，甚或偏好支离，及不尔者，亦深藏不露，欲求言简意赅，至当不易者，殊不可得。予始也力学数年，遍览诸家注作，竟不得其要领，厥后复从游于怀成吴老夫子之门，以《六经释义》示予，兼之口讲指画，无不以易理阐仲景之秘。予读未竟，不觉拍案大呼，曰：今幸得以夫子晤，数年日求而未得者，今何幸而得之。于此潜心玩味，未几，于心豁然，始知医、儒非二道也。能读夫子之书，则仲景堂室不难升矣，仲景之堂既升，则轩岐之道，莫非升降浮沉，补坎填离，而使运度流通，气机条达，先圣后圣，若合符节。此夫子所以羽翼圣经，发前人所未发，亦医人脑后痛下一针也。昌州刘政举平章谨识。

凡例

一、多用陪衬，陪衬则两面醒，多写半面，写半面则全神露，不费笔墨，意自赅括。

二、字句简括，从主脑发明，使读者久愈生新。

三、每证每方，于相似处发明相异处，不致混于两可，又专于疑难处发明根底，于大同处发明界限，于浅近处指出机关，逐处留心，庶开卷有益。

四、方证药味相同，只言一次，后必深一层发明，不就浮泛，特为刻意求精之助。

五、笔转字简，针定线索，寓意对面，读一句必求读一章，读一章必求读全论，是引至诚，拒粗浮之法。

六、斯道关系匪轻，必先引学者穷理，若过浅便图事，皮毛杀人。

七、古书详，只发精髓；古书缺，详补正义，引人博学，不冷落古训。

八、各家书皆有长处，皆有短处，宜择善而从，不可因一短而去。愚仅言根底，而不言巧妙者，引人博览，以培根底。

九、《御纂金鉴》集其大成，若明六经根底，字字皆活，用之不竭。

十、朱丹溪、喻嘉言、柯韵伯、张隐菴皆根底家，但著书不露诀，只论理，非有根底，理境澄澈者不悟。

十一、伏羲本山坟作卦，名《连山》，象山出云，连连不绝，统以位，即易之小成，对待者理。炎帝本气坟作图，名曰《归藏》，万物归藏其中，统以气，易之中成，流行者气。黄帝以形坟作《易》，名曰乾坤，象天地之体，理气寓中，统理气形，易之大成，理气者数。《灵》《素》《本草》可作三坟观，而三坟即《灵》《素》《本草》之精髓也，识此，古今医书括囊无遗。

十二、古方原有分两，今不录出，恐为分两所窘，临时难圆通，非敢摘去古训。

十三、因柯氏补方，理法精妙，予另立新纲翼之，非敢与论文并，又非杂入论文例。

十四、仅录药名，只释论义，方法未备录者，因附有方卷耳。

版本及存佚

《六经释义》为清末铜梁名医吴继恒（1865—1918）所撰，成书于清光绪三十年（1904）。该书未见《中国中医古籍总目》《新编中国中医古籍总目》《中国近代中医书刊联合目录》等著录。兹据笔者查阅，该书现存版本见：

清光绪三十三年丁未（1907）重庆广益书局铅印本（残存）

按：笔者残见该书卷一至卷二、卷五至卷八，阙卷三、卷四。

济世金丹（1907）存

〔清〕陈万全编　陈缙卿辑补

出典

该书未见书目著录。

考略

陈万全，铜梁人，余则无考。陈缙卿，铜梁人，为陈万全之弟。此书之外，陈缙卿尚撰有《应世权变录》一书，今存。

提要

《济世金丹》为清末铜梁陈缙卿将其兄陈万全所授秘方及己所闻妙剂，整理汇编而成，成书于光绪三十三年（1907）。全书不分卷，依次列有久年头痛、头生虫疮等五十余种常见疾病的治疗单方、验方，用方简易，方中所需药物亦随处可寻，因而具有一定的临床实用价值。惟书中所言退煞、掩煞诸法，限于时代局限性，今多不足为取。

序跋

陈缙卿自序　俗语云，积钱不如积德，施药不如传方，诚哉斯言乎。盖积钱只润一己之身，而不能润后世之身；施药只济一乡之人，而不能济天下之人。是积钱之功，弗若于积德；施药之功，远逊于传方也。恶能有人焉积德而传方，以济天下之人乎。予兄万全，幼业岐黄，精通仲景六经之法，深得华佗九龙之传，迎诊者无虚日，活人者济万家，真可谓济世之仁人也。一日，见予撰《应世权变》一书，谓之曰：弟之道，应世之道，吾之道，亦济世之道也，弟之道，通权达变，吾之道，亦行权应变也，弟盍不成吾之志，刊一书以续其后乎。予应之曰：然。因出秘方一册示予，余受而读之，见所言皆妙剂金丹，简捷至当，不烦药品，不费资财。予欲录而梓之，奈以人事旁午，未果。今春，予舌耕于龙穴山房，忽忆兄言，而兄则逝矣，虽然人逝而德不朽，容杳而功不磨，苟不梓行传世，不几负吾兄济世之心耶。乃将前所授秘方及己所闻妙剂，汇成一册，名之曰《济世金丹》，因以俗语编成歌括，出付剞劂，以公同好。但予所编歌括，限于炮炼戥分，未□体裁，只以词明意达为是耳。然是书也，伏愿仁人君子广播流传，治一病而愈一病，则人人同登寿域；撰一方而应一方，户户共乐长春。虽不曰积德，裕后聊亦遂吾兄济世之心矣。光绪丁未年大吕月上浣，铜邑陈缙卿谨跋。

版本及存佚

《济世金丹》为清末铜梁陈缙卿将其兄陈万全所授之秘方及己所闻妙方，整理辑补而成，成书于光绪三十三年（1907）。该书未见《中国中医古籍总目》《中国近代中医书刊联合目录》等著录。兹据笔者查阅，该书现存版本见：

清光绪三十三年丁未（1907）刻本（见存）

重庆丛桂堂各项药品汇总　一卷（1908）存

又名妙药神方

〔清〕王桂林（小山、守拙居士）编

出典

全国中医图书联合目录　妙药神方。清代小山撰。重庆丛桂堂各项药品汇总。清代小山撰。

按：笔者曾于中国中医科学院图书馆查见该书，扉页题“妙药神方”。

考略

参见“新编保生录要”条。

提要

中国医籍大辞典　不分卷。清代小山撰。成书于清光绪三十四年（1908）。是书汇总重庆丛桂堂精制各种膏丹散锭、胶酒蜡丸及饮片，计二百零八种。每种皆注明价格、功用、主治及服用方法等。犹如药品说明，使购买者一目了然，按病索药，采买不误。所录诸种均为常用中成药。

序跋

王桂林自序　圣王治世，政在养民，养民者，亦卫民之生而已，然而痌瘝在抱，痛痒相关，必沾沾焉。视民之疾苦为务者何哉，诚以天下之本在国，国之本在家，家之本在身，欲培国本，先重民身，欲重民身，先生民病，是知身也者，国本之强弱系焉矣。独是人之保有此身也，亦难言矣，或寒暑燥湿之不时，禀赋阴阳之未善，居恒调剂之失宜，有一于此，而病生焉。忆自神农尝百草，有一病即有一药以治之，而人之得赖以安者，药尔。盖医不善而病固难望其愈，药不精即医亦难奏其功，又焉能偏重于医，而不讲求夫药哉。余观今之市药者，其弊不可胜言矣，炮制不精，难免腐败之诮，药品不齐，必多旁贷之私。至于咀片之优者，尤显而易见，其弊尚浅，若膏丹丸散，隐微难窥，其弊甚深。或泥古方而不化，或恃聪明而妄作，或以败鼓腐皮杂错其中，或以假伪冒真而粧饰于外，更何论君臣佐使之不调，炮浸蒸晒之非法也哉。推原其故，希图渔利之厚裕，不顾人命之非轻，所谓卫生者安在乎。本堂有鉴于此，而深为慨之，讵敢矜世守岐黄之名，惟深懔庸医杀人之例，故不异重资，设立药肆，牌名丛桂，亦同登仁寿之意尔。不特药选地道，修合务真，所有本堂新造橘红夏柚、茶饼青果诸品，其味可口而性纯良，暨有丹膏散锭、丸片胶酒，均系家传秘方，精工制造，为世罕有。期归美善，暂不欺人，谓予不信，请尝试之。窃以予之设此铺也，无非本寿世活人之意，体天地好生之德，求并行不悖之功，以卫人之生而已。若谓专为牟利起见，亦听之而不辨焉尔。是序。光绪三十四年岁在戊申仲秋月，本堂主人谨识。

瑞龄序 小山先生研精医理垂五十年，久已名噪迩遐，活人无算。近复开设丛桂药室，精选诸品，功济愈宏。余承乏渝州，署中偶有疾病，皆先生诊治，效应如神。兹赴任保宁，惓惓之怀，殊未能已，爰手书数字，以彰功德，且以普告世人云。时光绪戊申新正，花翎三品衔署重庆府事保宁府知府长白瑞龄拜题。

告示 丛桂堂开设四川省重庆府朝天门内新街口，精制各项丹膏散锭、胶酒蜡丸、饮片，货真价实，并无折换，亦无分店。如有购者，请查明汇编，开载各名目，照方采买不误。

版本及存佚

《重庆丛桂堂各项药品汇总》（又名《妙药神方》）为清末重庆名医王桂林所编，成书于清光绪三十四年（1908）。兹据《中国中医古籍总目》《新编中国中医古籍总目》《中国近代中医书刊联合目录》等著录及笔者查阅，该书现存版本见：

清光绪三十四年戊申（1908）重庆丛桂堂刻本（见存）

中国中医科学院图书馆

医学启蒙辑览　七卷（1909）存

〔清〕王德宣（瑞峰）编

出典

全国中医图书联合目录　医学启蒙辑览七卷。清代王德宣编。

考略

王德宣，字瑞峰，重庆人。与王桂林、王意德并称重庆名医“三王”。约生于清道光间，家中世代业医，幼习儒学，兼读医书。二十岁时执教渝城，不慎染时症，得名医舒梧岗治愈，遂拜为师，此后以医为业。同治元年（1862）前后，重庆春夏温疫流行，经其医治多效。后重庆知府唐穉云招试医学，列榜首，名噪一时，后任渝城医学正科。久之，登门求学者益众，德宣遂采历代名医诸书，附以杂钞闲记，编成《医学启蒙辑览》。子荣儒，字文敷，嗣其医业。

提要

中医古籍珍本提要　七卷。成书于1909年。此书系作者“博采中正和平名医诸书所载精义、药性、方剂、证治要旨，约繁就简，汇为歌说”编成。书分四种，后附《杂抄闲记》一卷。其中第一种为经言要义，内容包括医学宗传、医家源流歌、脏腑经络图说、脉学易知等。第二种为药性宗旨，分列本草引、药性总论、本草分经、总类便览等。第三种为方剂歌括，第四种系证治汇说，分述各科病证。所论疾病一般介绍其主症、病因、病机、治法而略其方药。前三种各为一卷，第四种概括三卷。

序跋

王德宣自序　余家世知医术，备置药饵。先君嗜医尤笃，购书最多，原族处僻乡，偶有病患，延治惟艰，识得医药，能以养身保家，兼可济人，并未问名于世。迨余幼读儒经，长常多病，学暇遍取方书披阅，不过察方对症，涉猎而已。嗣因冠岁教读渝城，感染时症，为医误治，垂危之际，幸蒙舒梧岗先生救愈，遂师事之。即专志医术，研求诸书奥义，历数寒暑，于病之表里寒热虚实，渐得辨晰无惑。时值咸同之交，每岁春夏温疫流行，有感染者，就余诊治，幸多获效。前知重庆府事唐太尊稺云，念切民谟，招试医学，余谬膺首选，非所好也。迩来踵门问难，有从远方至者，余无暇接应，谨采中正和平名医诸书所载精义、药性、方剂、证治要旨，约繁就简，汇为歌说，务使详切畅明，辑成四种，而附以杂钞闲记，名曰《医学启蒙辑览》。俾有志于医就余问道者，钞录一函，庶乎由此入门，再参览名家全书，精益求精，不难寿身寿世。窃忆医道甚微，言之非易，其术理明通者，莫不由恒览明哲书中得来，但诸家著述，论各不一，而初学者奚所取宗。余是以忘其愚陋，搜罗先贤诸书，去取于其间，未暇论及僭妄云。宣统第一己酉春二月花期日，蜀渝王守中堂德宣氏时年四百六十五甲子识。

按：文末“时年四百六十五甲子”句中“四百”两字疑衍。

孙重熙序　熙少与王氏文敷同学暇，辄登堂仰拜其严君德宣先生，与之纵谈黄岐术，汩汩不竭，钦佩者久之。既与先生话故乡，道往事，知先生为渝北人，与熙先君同梓里，素相知。继从先君询其家事，始识先生姿性特达，博学淹通，其家世传医术，至先生益多发明，行道既久，活人良多。暇则编辑古善方书，经数十寒暑，著述益富，析为四种，曰经言要义，曰药性宗旨，曰方剂歌括，曰证治汇说，尤附以杂钞闲记焉，统曰《医学启蒙辑览》。游其门者，咸得钞阅，转相传授，无不啧啧称善，惟是钞录者众，假借綦难，未获钞者，皆有向隅之感。今先生老矣，而精神尤矍烁，文敷亦克嗣其医业，以济斯世。四月将望，实先生初度之辰，熙尾众宾祝嘏于室，因索文敷出先生编定书示众，众见而珍之，曰：先生是书折中精当，论辨详审，其寿世有自来矣，是编之成，固有待乎后人，而非徒为一时从游者计也。遂敦劝文敷亟加校勘，以付剞劂，而公诸世，且又命熙为之序。窃尝观古有志之士，不为良相，即为良医，以燮理为己任，然必有人焉诱而掖之，继起者始有所阶而进；必有人焉辅而翼之，倡导者斯有所托而传。先生既囊括群书，启提来学，又得文敷以为之继，不患无传人矣，所虑者，医道至微，讲求匪易，失之毫末，谬以千里，苟非宗一善本，鲜不昧其旨归。诚得是书，简炼揣摩，不难升轩岐之堂，入扁跗之奥，俾斯民同登寿域，则强种强国可立待也。熙有感于先君之逝，又羡先生老而弥健，是以忘其固陋，聊缀琐词，而弁诸简端。宣统元年四月既望，巴人孙重熙序。

版本及存佚

《医学启蒙辑览》为清末重庆名医王德宣所编，成书于清宣统元年（1909）。兹据《中国中医古籍总目》《新编中国中医古籍总目》《重庆市中医古籍目录》等著录及笔者查阅，该书现存版本见：

清宣统元年己酉（1909）重庆广益书局铅印本（见存）

重庆图书馆

桐君阁丸药提要（1910）存

〔清〕陈玉书编

出典

该书未见书目著录。

考略

桐君阁熟药厂由巴县富商许健安等于清光绪三十三年（1907）集资筹建，次年十一月正式开业。桐君阁制药房与售药房均位于重庆下半城鱼市口，为典型的前店后厂模式。桐君阁创办之初，重庆药业以广东帮与江西帮最有实力，广东帮以“壶中春”为首，江西帮则以“熊长泰”为首，而在制药与经营方面，广东帮又略胜江西帮一筹。因此，许健安在桐君阁招牌上亦加上“广东”二字，并从“壶中春”高薪聘来药师张荣发。张荣发来时，携有药书一册，内含膏丹丸散等大量古方验方。桐君阁开张后不久，许健安即抱病而终。此后，店内大小事宜均由经理曾会嘉主持，曾氏坚持精选货源，并在炮制方面严格把关，经售的制成品膏丹丸散有240余种，炮制饮片有400余种。此外，桐君阁还在米花街开设益新印刷局，店内所有仿单和标签都用有色道林纸或有光颜色纸铅印，字迹清晰。清宣统二年（1910），由店内坐堂名医陈玉书编成《丸药提要》一书，作为宣传推广之用。该书印刷精致，文字简明扼要，凡到桐君阁购药者人手一册。至1911年时，已再版印刷至两万余册。

序跋

桐君阁药室自序　自文明进步，卫生之学日跻于完备，海外以医学名家者，不可更仆数，理奥技神，迈越前古，遂乃鄙夷傲视，若除此外，皆不足以言医。噫！岂其然哉。吾国医学一道，圣圣相传，罔之或替，神农轩岐，为医家鼻祖，《内经》《素问》诸书，历千古不可磨灭，周秦以降，卢扁、叔和、仲景诸先辈继踵代兴，类皆造诣入神，著述宏富，门人弟子遍天下，洎今而其道弗衰。一孔之士，悬壶售技，尝试人命，谬种流传，寖不可收拾，而药商射利，以伪淆真，马浡牛溲，方自珍贵，迨方药杂投，险危立见，亦群归咎于医。夫以医之有败类，而谓医学之不良，以药品之失真，而谓药不足以治病，医与药皆不任其过也。鄙人以药材贩贸，足迹遍江淮、闽粤诸地，精心殚力，以穷究医之奥旨，采中外良方，择其历经试验而有奇效者，不敢自秘，以贡于人，一切膏丹丸散、胶酒油露之属，皆取诸囊中而具备。顾蒙虽不敏，亦颇知医药所关，动及于种族家国之大，欲挽医界之颓风，登士民于康乐，尚虑愿宏而力弗逮，惟研求不已，或庶几其有当。然若以牟利测鄙人，则殊失区区之用心也。因自为序。宣统二年岁次庚戌季春月中旬榖旦。种福堂谨识。

刘宇泰序 医为活人之术，药为活人之具，二者缺一不可。迄今医药晦盲，活人者反以杀人。古语云：庸医杀人。吾下续语曰：伪药不活人。是何故欤。是何故欤。所谓庸医者，不辨阴阳五行，色授臆断，掺杂失据，寒热妄投，是诚不能辞其咎。然如悬壶射利之徒，以伪淆真，服之罔效，使其人叫苦呻吟，于床笫不死不活之间，而卒致死阱者，又是谁之过欤。夫医学与药物学，本相辅而行也，行医者不谙药质，无异持暗箭以伤人，售药者不达医方，何殊馈鸩毒以毙命。中国四万万同胞，吾知死于医者半，死于药者亦半矣，心关民瘼者，能不扼腕而兴嗟乎。今有蜀东许君者，力除晚近浇风，廓清从前积习，不妄以医术鸣高，恐其草菅孟浪，贻患不小，专采道地药材，经心督率，并延一时页名望者，研考古今中外贤哲所彝纂经验方书，择其屡试而获奇效者，且参以己见，驳正归真，不惜钜资精炼，制为膏丹丸散、咀片、胶酒油露之属，以供医家、病家临时迫不及办之需用品。蓄愿既宏，奏效必伟，许君之心思魄力，亦何挚且壮哉。予闻其桐君阁药房落成，不禁为之可喜可贺矣。繇兹活民以寿世，强种以保国，踵西欧而进化，皆于此举预券。微特主人有药不冤人之幸，抑亦我黄族享种强国瘳之福也。是为序。宣统二年岁次庚戌季春月中旬榖旦，花翎二品衔内阁侍读学士刘宇泰拜赠。

按： 刘宇泰（1842—1917），字星阶，酆都何家场人。清同治十二年（1873）拔贡，历户部郎中、总理衙门章京、内阁侍读学士等。宣统初年，出任大清银行重庆分行总办。辛亥革命后归里。

周晓峰跋 余与桐君阁主人无杯酒交，然闻其间关岭海，宏致药物，极宇内之所储，而发愿力以济世，心甚壮之。夫外人讥我病夫久矣，致病之源，一由内气不充，外邪侵入；一由药不投病，病以滋多，遂乃彷徨无措，弗克自振。顾国病缘民病耳，吾国地博人稠，传染之灾，水旱厉毒之患，往往而有，猝然及身，群医相顾，束手戚戚嗟嗟，纷扰莫知，所治殆矣哉。今桐君阁主人慨然以救世自任，取古人之良方，诠中西之妙用，制为丸散，以公于世，志不在牟利，不在弋名，殆将以瘳吾名者瘳吾国，非所谓君子学道则爱人耶。蓄愿既宏，收效必伟，吾知主人于此必将有所合也。是为跋。宣统二年岁次庚戌季春月中旬穀旦，巴县中学堂监督日本法政大学卒业文生周晓峰拜赠。

按：周晓峰，字绍白，巴县人。同盟会早期会员。

唐风俭跋 人欲当立宪时代之公民，不可不首讲健全之精神，尤不可不预储公共卫生之药物。自文明愈进，事功愈繁，偶失珍摄，动关戕生，则卫生之学尚矣。然未病以前，慎风寒，洁衣食，寡嗜欲，或可弭患于无形；及既病以后，驱邪触，培元气，调精神不济，以膏丹丸散、咀片、胶酒油露之属，则亦空讲卫生而寡效。所谓国弱缘种弱，种弱缘民病，不其然乎。桐君阁主人深鉴乎此，慨然发愿力，以公诸世，出钜资以备采道地药品，将中西名哲所汇奇方，取其屡试神效者，分门别类，炼制贮藏。凡关于公共卫生之所需，罔不精益求精，以期改良进化。予尝馆于其家，凡材料之真，法制之善，品类之齐，戥称之足，皆身亲目睹，未尝有丝毫苟焉，已对症投之，活人无算。主人此举，愿普桐君妙诀，故即以是名之，所谓生死人而肉白骨者非耶，由兹齐民即以寿世，强种即以强国，具人民爱物之婆心，原为世所共睹也，牟利云乎哉，弋名云乎哉。是为跋。宣统二年岁次庚戌季春月中旬穀旦，重庆法政师范蚕桑各校毕业生员唐风俭拜赠。

周家桢跋 吾国医药二学之发明，远始于皇古炎黄二帝，实开五洲各国百学之先。而于医药二学之中，分发明之先后，药性尤先于医术。宜乎积世进化，今日药品极精，远为余洲余国所不逮也。乃自神农创《本草》，黄帝藉之以著《内经》，为医学发明之一大鼻祖。后中阅三千年，至长沙仲景先师，始本之以制定经方，集医学之大成。嗣是医学虽时有进步，而药性则无人深究矣。明李时珍著《本草纲目》，药性多淆紊。驯至今日，药品益杂而益劣，经方虽神而药品不精，有时寡效，致令人常疑中医多绌于术，而起视后吾国。开明之西欧则以理化学之精进，旁及医药，实验精审，不特医学家解剖诊视，为吾国所远不逮。而百药品汇，分化镕和，制为膏汁，用以治疗，罔不应手奏效，强国强种，隐与有功，则尤为吾国所远不逮也。噫！以何原因而至于此，毋亦医术虽精，而药材简拣多不经意，故往往法先师之经方，而不足以著手成春耶。桐君阁主人深有鉴于此，奋然起而矫之，精选道地药材，取古人万验万效之方，制为膏丹丸散，以精纯灵验之药品，治邪感痨伤之病疹，药到病除，殆可预券。吾知主人此举，不特足以驱中医绌术、经方寡效之讥，而神效所及，且足为强国强种之一助。比者人之卫生为人生必要之学科，而药性精研，尤为留心卫生学者所先，当有事全国咸知，趋重他日，当必更有所发明。主人首先注意及之，贮见药品，日精医术，随以进步，迟以时日，炎黄绝学不难踵西欧而进化也。是为跋。宣统二年岁次庚戌季春月中旬穀旦，巴县中学堂教员优行文生周家桢拜赠。

按：周家桢（1881—1929），字文钦，巴县鹿角乡人。

版本及存佚

《桐君阁丸药提要》为清末重庆桐君阁坐堂名医陈玉书所编，以作桐君阁熟药厂宣传推广之用，成书于清宣统二年（1910）。该书未见《中国中医古籍总目》《新编中国中医古籍总目》《中国近代中医书刊联合目录》等著录。兹据笔者查阅，该书现存版本见：

清宣统三年辛亥（1911）重庆米花街益新印局代印本（见存）

按：该本牌记页自右至左共三列，内容依次为“皇帝纪元四千六百零九年岁次辛亥仲冬月出版”“广东种福堂监制各项膏丹丸散蜡丸铭证书”“开设重庆府鱼市口坐北朝南双亭洋楼门面便是”。

（周氏）医学入门　二卷（1910）存

〔清〕周本一（伯贞）编

出典

中医图书联合目录　医学入门二卷。周本一辑。

考略

［民国三十三年］长寿县志　卷九，人物中。清。周本一，字伯贞，渡舟乡人。同治癸酉拔贡生，举光绪戊子顺天乡榜。父洪崖，为名诸生。受庭训久，为文扫去浮言，独标精谛，选拔后留京三年，文名噪一时，常熟翁同龢称之。精六壬神术。戊子入京，筮得晋伐秦。壬戌获晋侯卦，揭晓获售，日月悉与巧合。壬辰赴春闱南下，洼子地鸣，占之，知国有大事，及本月东三省军务起，次年和议成，日月俱见卦数。屡试不售，归里。癸未入忠州牧幕，某生以千金求县试首选，峻拒之。常言：得志，泽加于民，不得志，独行其道，官可作，败德事不可为也。主讲凤山书院，题门联云：锦水东来，试溯众流脉络；丹台西峙，从知九转工夫。深合训士勤学之旨。生平最尚行检，不妄入公门。前县宰霍润生以“行媲澹台”旌其闾。晚年精于易学，颇洞悉盈虚消长之理，至诚之道可以前知。民国三年，自知数尽，临终月前撰联云：浩劫将临，劝人阴骘；浮生若寄，还我本来。又云：属黄帝子孙，须留人种；宗素王教化，莫断书香。灵屋联云：四大皆空，有何挂碍；万缘俱寂，可以栖迟。可想见其人矣。生前著述只《医学入门》一书行世，其《地理解惑》《春秋简明录》《传家宝》诸书，零断残余，等于麟角。卒年七十有六。子怀璞，庠生，精医理。孙冕，毕业北京医科大学。禹勤，法政毕业，历任审判官，清廉自守，有乃祖遗风。

按：翁同龢（1830—1904），字声甫，号叔平，晚号松禅老人，江苏常熟人。清咸丰丙辰科（1856）状元，光绪十一年（1885）任户部尚书。

霍润生，字雨霖，山西沁水人。清咸丰庚申科（1860）进士，光绪五年（1879）任长寿县知县，光绪十七年（1891）去任。

提要

中国医籍大辞典 二卷。清代周本一撰。约成书于清末。周氏早年业儒，精攻理学，中年习医，擅治时疾，医名卓著。为便利初学，周氏撮取古代名著精要，贯以平生体验，撰就是书。全书统论中医基本理论，并将之与《易》理相互印证；分述各科病症，讲究脉证溯源，条理明晰，通俗易懂。

出版

为印行周伯贞先生遗著医学入门募捐启 窃以人生不能无病，有病即不能无医。中医自黄帝、岐伯以来，已有数千年之历史，为我国文化之结晶，流行书籍，汗牛充栋，虽中多影响模糊之说，不能律以科学之方，然其证治精确，方剂巧妙之处，亦有非西医所可及者。不过众说纷纭，真理隐晦，读其书者，不知善取，必难淹贯耳。乡先达周伯贞先生，德行文章，人皆景仰，中年更留心医学，老而弥坚，以学理与经验参证，去异议而独摅心得，以为医病不难，当先医医，于是有志述作，卒成《医学入门》一书。书中一字一句，皆古先贤圣之遗，而一字一句，实莫非由内心融铸而出，不敢稍涉支蔓，盖使学者由此而入，不误门径，庶不致以活人之术杀人，用心亦良苦矣。先生理学渊深，著述宏博，本不愿以医名，而亲戚乡党有患重病者，求为诊治，亦弗拒绝，辄著手成春。邑孝廉彭凤和先生，病时疫已二十余日，凉药服之殆遍，毫不见效，而先生诊断，仍用凉药，以白虎汤数大剂起之。启元叔祖子毅公，素以医名，偶染时症，神智昏沉，先生以硝黄下夺，病即外溃，子毅公豁然清爽，喜其药验，复将原方再检一剂服之，立复昏闷，气机不属，急请先生至，先生曰：病又入里矣，原药如在，可再服之，及药入口，而病又若失。又启元叔祖子英公，晚年气血大枯，肠胃闭结数十日，群医束手无策，先生力主下夺，群医以气脱为虑，先生卒排众论，子英公因而获愈。其他类是奇验，指不胜屈，于此足征先生学力矣。先生于民国三年作古。又三年，其门人璧山胡用康先生欲将此书传世，正待付印，而用康忽病逝。先生子孙又以家贫，一时不克举其事。同人以先生书成已十余载，深恐一旦散失致没，先生苦心而社会不传，所受损失亦不小。适东川道尹刘著存先生征求遗籍，一得此书，即乐为之序，促速印行。同人爰发起醵金，以作印资，使此书得以早惠世人，尚望当代大人、先生共表同情，尽力相助，成兹盛举，其功亦不让于著者，将来当以台衔，列于篇首，俾与此书共垂不朽云。长寿王璋、江石、李德渊、罗伯文、但其先、汪呈祥、汪显庸、廖寿康、韩任民、舒启元同启。谨将捐资诸公鸿名胪列于后。（按：捐资名略）

按：王璋，字劭芸，长寿古佛乡人，曾任川军刘湘部军法处处长。

封面题记 此书初版计印壹千贰百部，概系赠阅。嗣后任人翻印，或送或卖，均可自便。惟查书名有相同者，似当冠周氏二字于其上，以示区别。

序跋

周伯贞自序 医学不讲久矣，黄帝岐伯，生而知医，仲景以下，学而知医，三折肱为良医，困而学之也。予中年咳，痰中带血，疗以阴药，口舌多伤。甲戌北上，晤部员璧山廖镜堂君，谓宜阳药，疑之。次年五月，病危笃，廖君用白通加猪胆汁汤大剂回阳，继服阳药百余日始起，可谓三折肱矣。归侍先君，喘证旋愈旋发，咎医未精，留心于学，千虑一得，集之曰《医学入门》，俾学医者由是入云。大清宣统二年岁次庚戌仲春，七十老人汝南伯贞氏自序。

刘著存序 《医学入门》，长寿周伯贞先生所辑录也。审所自序，以侍亲病，咎医不精，乃留心于学。余竦惕其言，人孰无亲，疾病时有，当一榻呻吟，辗转日夜，心为痛楚，身不能代，病有寒热虚实，药有辛凉补泻，复不能知，而一以求疗于市医，此与委亲路人者何异。《春秋》书许止弑其君，为不尝药也。是故人子不知医，则被以恶名而不敢辞。天下养生之具，皆可通功易事，而惟医不容尽假，不蚕而知衣可暖，不耕而知食可饱，此不必事而知之者也，医则不然，故虽并世有良医，而不可自缓。余见子丧厥考，母丧爱子，往往执方责医，医不任咎，呼号于天，退而啜泣于室。嗟夫！死生大矣，莫知其由，岂不痛哉。余亦尝因慈母年衰，微躯多病，浏览医书，绵历岁月，而陈编浩瀚，莫竟其要，劳而寡获。读伯贞先生此书，乃恍若夜行得炬，脏腑经俞之隐，五运六气之奥，《灵枢》《素问》《伤寒》《金匮》，下逮宋元明清名医诸作，莫不揽要撷精，旨约辞寡，古今方备，而为卷不过二册，都目四十有九，最便初学。然世有性敏好学，博观泛览，及其深造自得，仍不外是，可断言也。题曰《入门》，示人简易焉耳。余闻先生品尤高洁，举光绪戊子北闱，时翁松禅当国，亟许先生能文，先生乃归蜀，作州县幕客，衡文至当。晚主讲凤山书院、鸿成书院，一以程朱之学教士，邃深于《易》，生平出处，悉决以占，易箦前期，自刻月日，可谓明于进退死生之故者也。尝自裒集所为诗文如千，晚悉焚之，曰立言之道不在是，而惟手写此二册，贻其孙子，身没十年，贫不能刻。先生有孙曰拙勤者，毕业医科大学，曰是宜与西医并存，况为祖贻，乃写副本授其乡人，醵资刻之。余分巡东川，清问遗贤，征求文献，爰为之序。使是编出，人尽知医，医无误治，父子家人，各遂天年，了无遗恨，更推而及于邻里乡党，尽疾病扶持之实，极人生性命之理。是则伯贞先生立言之意，与日月同其昭昭，山川并其悠久者也。荣县刘念亲。

按：刘著存，字念亲，荣县人。清末拔贡。师从章太炎，擅桐城派文章。曾任荣县中学国文教师、国民革命军第二十一军军部秘书长、东川道尹、国立重庆大学筹备委员会常务委员等。

温嗣康序 吾国医学，导源邃古，历代私家讲贯，大都矜不传之秘，乏公开研究之益，虽有著述，不易问津，以故习中医者，迄今犹无坦途可循，安望其能入灵山而发宝藏耶。至于西医，以科学为基础，设学校以传习，有所创获，播诸遐迩，途径分明，易于考究。宜夫国人竞尚西医，中医几在屏弃之列，非无故也。余惟医以治病为本，无畛域之可言。吾国医学，既有深长之历史，治病之征验，不当委其家珍，弃如敝屣。惟宜应用科学方法，加以整理，苟能公开研究，对于中医辨证独到之处，用药特效之点，详加考验，求其所以然之故，其所获当有出于偏重一方之上者。然欲从事讲习，宜先知其门径，而中医书籍，各别著述，自矜奥博，罕有能适普通教本之用者，假令办一中医学校，而选择教本，即不易得。长寿周伯贞先生网罗群书，提要钩玄，成《医学入门》二卷，其选材平正通达，详略适中，无门户之见，无偏畸之弊，允为学医善本。考厥所采各书，文字图说，一仍其旧，盖以介绍原书，不失本来面目为主旨，故所列脏腑经络部位，以今时生理解剖学证之，多有出入之处。他如五运六气、阴阳表里诸说，或中西异名，而其理相通，或独具玄解，而有待探讨，是在善读者之参证，故不宜有所胶执也。今首都人士，有中央国医馆之提倡，以采用科学方法，整理中国医药，改善疗病及制药方法为宗旨。足见国人对于整理中医，实具同一心理。而伯贞先生之裔孙继能，适于此时印行斯编，以应当世之需要，俾有志研求中医者，得藉是书窥其门径，洵可谓善述祖德者。余嘉其意，而为之叙。巴县温嗣康少鹤甫谨叙。

按：温嗣康，字少鹤，巴县人。毕业于巴县开智学堂，后任巴县视学。1931年前后任重庆商会联合会主席。

周怀璞跋 先君成此书逾二十载始获行世，怀璞曾躬与校雠，然后付印，于此谨向捐资诸公百拜致谢，并略述经过，以志不忘。初，先祖壮年病齁喘，先君即研习医学，继复身患重疾，几濒危殆，服四逆大剂始起。因思医之得失，生死系焉，学医者大都中人之资，苦于遗籍汗漫，旨趣难明，往往取舍失当，杀人而不自觉，于是心焉闵之，有志著述。积数十年之经验学力，将历来名家方书略加整理，删繁就简，去疑存真，订其舛讹，出以浅显，一洗牵强附会之习，既纂辑成书，名曰《医学入门》，意在指正学医门径。庶贤者得此，事半功倍，造诣益深；愚者得此，亦不致误入歧途，劳而无获焉。乃命六舍弟怀璋，录而藏之，期以数年，由怀璞弟兄集资梓行，孰意子侄辈逐渐成长，学费颇苦，拮据一时，遂无余力及此。民国六七年间，先君门人璧山胡用康先生至敝邑，见书快甚，允为印而传之，乃胡先生返家未久，倏忽病逝，虽未成为事实，而其心切意挚，良可感焉。讫民国十七年，涪陵施鹤老至渝，闻人言及先君遗著，因召小儿禹勤至前，告以前与先君留寓燕京，曾亲见其病中险状及病后留心医学始末至悉，并允为之序。时书存家中，不克呈阅，及将书取至，而鹤老已返涪，禹勤乃托其友东川道署科长黄子光先生转寄施府，殊书甫寄到，而鹤老忽患风症不能捉笔，后以鹤老久病不愈，复由黄先生将书取归，暂存道署，怀璞以为此书将终不传矣。乃道尹刘著存先生适征文献，一得此书，即序其端，复蒙同乡诸先生暨当世大人君子尽力襄助，兼渝商印书馆乐为承印，不索重值，卒使此书得以传世。甚哉！此中所经之曲折如此，不有叙述，何以征实，此怀璞所以不能已于言也。怀璞亦粗知医，近年日以此书置诸座右，借与他书互勘，临症之际，较有把握，益知此书之切实用。惟开卷数图不合生理在，侄作勤颇欲易之，怀璞以中医本将人身视为整体，药行何经，非尽直达，各从气化，不滞形迹略图，其意尚无大害，今暂保存本来面目。作勤既知西医，将来如能沟通中西，详加订正，俾合科学原理，而更神明其用，是则怀璞所厚望也。再南丰李氏曾先著有《医学入门》一书，流行不广，先君当时尚未见及，致是书名与偶合，今若易以别名，又恐失先君本意，不如姑仍其旧，名同而实不同，似亦无伤。又先君生平言必有物，理求其是，凡笔之于书，乃心有所得，读者幸勿以其多属陈言而易之忽之。爰附录先君事略于后，藉资参证。民国二十年二月八日，男怀璞谨识。（按：跋后所附《先君事略》从略）

按：南丰李氏即李梴，字建（楗）斋，江西南丰人。邑庠生。明代名医，著有《医学入门》九卷，明万历三年（1575）刊行。

周禹勤跋 是书经先君校雠后付印，付印时复由禹勤勘误。禹向不知医，兼昧体例，鲁鱼虚虎之讹，在所难免。原书每叶边际未列号数及书名、篇名，今禹权为补出，以便检阅，有当与否，则非所知。又《伤寒·厥阴篇》有晬时脉还句，先祖草本为猝然脉还，不知是否笔误。先君初校时，曾照仲景原文改正，惟猝然二字又未涂去，禹再校时即不知所从。因查陈修园《伤寒论浅注》，脉以平旦为纪，一日一夜终而复始，共五十度而大周于身，晬时即为环转一周。窃疑脉绝而还，乃或然之事，似不必限于晬时，遂于晬时正文下，将猝然二字注入。自知谬妄，不合原义，惟以先君适于本年四月七日见背，无从就正。风木兴感，悲痛曷极。爰据实附志于此，惧诬祖也。民国二十年七月十日，孙禹勤谨识。

凡例

一、黄帝《内经》，仲景《伤寒论》，医学所宗，因其难读，删繁就简。《内经》注本《医经精义》，《伤寒论》注本《医宗金鉴》，果能熟此，已得其门，不难深造矣。

二、上册首《内经》，药性四言、医学三字经方、时用汤方、四诊及名医要言附之。下册首《伤寒论》，伤寒歌括、时疫论略、温热经纬摘录附之，取匀称耳。

三、《内经》《伤寒》二书，原文大字，注小字，以此为别。附录者，字大小不拘一例。

四、先熟二书，再看全部，又看各家注及各种医书，胸有根柢，便知所弃取，非仅守此，即可名家。

五、读书、临证，缺一不可，每医一病，证之于书，每用一药，验之于病，心有把握，然后出方，不然仅可自辞。药有一利，即有一害，不可忽也。

六、小注发端加一按字，集者自注，有当与否，待质高明。

伯贞氏再识。

版本及存佚

《（周氏）医学入门》为清末长寿名医周本一（1838—1914）所编，成书于清宣统二年（1910）。此书初以稿本存世。1917年，其门徒胡用康欲付梓，未果而卒。1931年，东川道尹刘著存征求遗籍，得之甚喜，促速印行。邑人王璋等遂约集社会募捐，并由重庆商务印书馆代为刊印，初印1200册，概作赠阅之用。兹据《中国中医古籍总目》《中国近代中医书刊联合目录》等著录及笔者查阅，该书现存版本见：

民国二十年辛未（1931）重庆商务印书馆铅印本（见存）

四川省图书馆　重庆图书馆　成都中医药大学图书馆　等

存部二

医学切要全集六种 （1846—1847） 存

〔清〕王文选（锡鑫、席珍子、亚拙山人）撰

子目：

（1）医学切要　一卷

（2）眼科切要　一卷

（3）幼科切要　一卷

（4）痘科切要　一卷

（5）外科切要　一卷

（6）奇方纂要　一卷

附：医学一统　一卷 〔清〕黄为良撰

按：《医学一统》为合州黄为良所撰，详“医学一统”条。

出典

四部总录医药编　医学切要全集六卷。清代王锡鑫撰。清道光二十七年丁未重庆饶氏刊本。经络脉诀；药性弹词；看病歌诀；汤头诸歌；景岳八略；医门八法（以上合一卷）。眼科切要一卷。幼科切要一卷。痘科切要一卷。外科切要一卷。奇方纂要一卷；附医学一统，清代黄为良撰。

中医图书联合目录　医学切要全集六种。清代王锡鑫撰。子目：①医学切要一卷：经络脉诀；药性弹词；看病歌诀；汤头诸歌；景岳八略；医门八法。②眼科切要一卷。③痘科切要一卷。④外科切要一卷。⑤奇方纂要一卷。⑥附：医学一统，清代黄为良撰。

按：阙《幼科切要》一种，《全国中医图书联合目录》亦阙，至《中国中医古籍总目》补足，《新编中国中医古籍总目》亦足。兹考《医学切要》之清光绪壬午刻古

渝蔚文山房印本及清渝州善成堂刻本，扉页均题“首卷，经络脉诀、药性弹词、看病歌诀、汤头诸歌、景岳八略、医门八法。二卷，眼科切要。三卷，幼科切要。四卷，痘科切要。五卷，外科切要。六卷，奇方纂要。鱼泉亚拙山人编辑”。

考略

王文选（1808—1889），字锡鑫，号席珍子，又号亚拙山人。祖籍湖北石首，祖父携家迁万县大周里，后移居万县天德门。文选自幼习儒，长即游学四方，足涉名山大川，归从父命，弃儒学医。其潜心岐黄，遍读《内》《难》《本草》及历代医书，壮年即有医名。道光末，于天德门开设存存医馆，遍施医药，救贫扶厄。光绪初年，倡募立人堂，有贫病者，入堂受药饵粥食，病愈乃去，如此义举，深得赞誉。清光绪十年（1884），由祝嘏慈禧皇太后五十寿庆，得御赐银牌钦加六品衔龙章宠锡。工书法，善诗词，喜琴棋，邑中多题刻、诗作存世。其以医业济世，足迹遍云阳、涪陵、渝州、湖北等地。晚年归万县故里，收授弟子数十人，皆悉心指导。卒于万县天德门，葬先农坛。其著述颇丰，曾整理万县名医刘以仁所撰《活人心法》及合州名医黄为良所撰《医学一统》，著有《医学切要全集六种》《存存汇集医学易读三种》《遂生九种》《寿世医书两种》等，所刻《安乐铭》亦附所辑《应验药方》。

关于王文选的姓名、字号，历来书目多著录为：“王锡鑫，字文选”。但若详查其存世著作，如王文选《外科切要》自序称：“吾本槐裔字锡鑫，书名文选居万县”；《日月眼科歌并序》亦自称“吾本槐裔字锡鑫，书于亚拙之山房”；《医学切要》《眼科切要》《奇方纂要》等书自序均署“万邑王文选锡鑫氏”。由此可知，文选实为其名，而锡鑫当为其字。

又，万县古称羊渠、南浦、鱼泉、安乡等，王文选著作中每多撰用，兹附考于此，阅者当晓。

提要

中医大辞典　六卷。清代王锡鑫等撰。刊于1847年。多为医学门径书。共六种：包括王氏所撰《医学切要》《眼科切要》《痘科切要》《外科切要》《奇方纂要》及清代黄为良撰《医学一统》。

中国医籍大辞典　清代王锡鑫撰编。刊于清道光二十七年（1847）。王氏尝阅历代名医诸书，撷取前贤脉诀、药性、各科医论治法之精要，撰著《医学切要》《眼科切要》《痘科切要》《外科切要》《奇方纂要》等五部，另辑入清代黄为良撰《医学一统》，共计六种。

按:《中医大辞典》《中国医籍大辞典》两书提要，均沿袭《中医图书联合目录》《全国中医图书联合目录》等著录，阙《幼科切要》一种。详“出典”部分《中医图书联合目录》条下笔者按语。

版本及存佚

《医学切要全集六种》(即《医学切要》《眼科切要》《幼科切要》《痘科切要》《外科切要》《奇方纂要》六种)为清代万县(今重庆市万州区)名医王文选(1808—1889)所撰。成书于清道光二十六年(1846)至二十七年(1847)之间。道光二十七年(1847),王文选于渝城得傅怡如、艾项堂等人襄助，将上述六书一同刊行，并附刻王文选校订《医学一统》一卷。兹据《中国中医古籍总目》《新编中国中医古籍总目》等著录及笔者查阅，该丛书现存版本见:

清道光二十七年丁未(1847)重庆饶氏通国堂刻本(见存)

重庆图书馆

清道光二十七年重庆饶氏刻光绪八年壬午(1882)重修本(见存)

四川省图书馆　中国中医科学院图书馆

清渝州善成堂刻本(见存)

长春中医药大学图书馆

清渝州善成堂刻古渝蔚文山房印本(见存)

成都中医药大学图书馆　浙江中医药大学图书馆

医学切要　一卷（1846）　存

〔清〕王文选（锡鑫、席珍子、亚拙山人）撰

出典

四部总录医药编　参见“医学切要全集六种”条。

中医图书联合目录　医学切要。清代王锡鑫撰。

考略

参见“医学切要全集六种”条。

提要

中国医史医籍述要　清代王锡鑫撰于1847年。共一卷。《医学切要全集》的一种。本书以歌诀形式为主，内有经络脉诀、药性弹词、看病歌诀、汤头诸歌，并辑录张介宾的“新方八略”，程国彭的“医门八法”。本书主要以歌诀形式，便于初学者习诵，为初学中医者的入门书。

按：据该书卷首王文选自序称，清道光二十六年（1846），《医学切要》一书已初刊于涪陵，次年方与《眼科切要》等五书合刻于重庆饶氏通国堂，故其成书时间应为1846年。

序跋

王文选自序　先君存日，命选读《本草》《内经》诸书，训之曰：为人子者，不可以不知医，不但利己，且能利人。余赋性迟钝，苦难记忆，每当行有余力，翻阅历代名医诸书，照其脉诀、药性、汤头，并各科医理，依法辑成句读，摘其切要，或分条目，对症用药，或按病证，察号觅方，共成六卷。首载脉诀、药性、看病汤头诸歌，后附景岳八略、医门八法，读是篇可以由浅入深，其次《眼科》《幼科》《痘科》《外科》以及《奇方纂要》等卷，颜曰《医学切要》，意欲便于记诵而已。往来良朋得见是书，劝余刊传公世，余曰：未征今人之信，聊集古人之成，衍成浅说，

句聱语俗，犹恐遗笑方家。友曰：不然，世之业医者，知愚不一，敏捷者固可博览兼收，而性鲁者安能广搜遍记，且寿世之书，不在文意，苟辨别真切，俾学者始则可诵读入门捷径，继览诸家方书，则了如指掌矣。余亦思公诸同人，奈历年猬务羁身，力绵未果。讫丙午，余游涪陵，承都人士欣然相助，初将首卷付梓，下存五卷未卜何时镌镘，心常耿耿。越丁未，余客渝城，幸遇傅君怡如、艾君项堂、邱君东山，乐为倡助，遂将六卷合刻成集。此书刊成，尤冀同志君子广为印送，使穷乡僻壤，家藏一篇，暇日观之，凡遇有疾，可知阴阳大略及服药物，亦知药性寒热，至于诸科，无不悉辨阴阳，而活人寿世之意不无小补，不负诸公乐善之忱。犹忆先君所言，利己利人之道，庶乎近焉。是为序。时道光二十七年乞巧月中元日，书于古渝州朝天观好生堂万邑王文选锡鑫氏谨识。

白蓝田序 天下惟医道与儒道并重，亦惟医书与儒书并传，盖天下技艺，不一其途，而惟是术近乎中庸之道焉，有补于天地好生之德焉，医之不可不学也明甚。然自世有未业儒而漫操此术者，泥引古方，不知活变；亦有业儒而兼习此道者，妄立奇方，自矜活变，是皆不能无误人也。医之为道，是非明乎儒理，而更即此道，久而肄之，精而习之，以至化而裁之，神而明之，有不可妄谈此道。故凡世之为医者，亦间收活人之效，然匪曰庸医，亦不过为时医，而总不可谓之名医。求其无愧于名医者，其惟王公乎。公万邑人也，名锡鑫，号亚拙。予未面其人，何以知为名医？见其选集而知之也。时有邱君名好生者，其人本以好生为心，得此珍藏，不惜捐金坊刻，以公行于世，且一时存心堂好善诸君亦乐为之助焉。俟予为序，予玩是书，综古书而纂其切要，约有六卷，诀无不全，方无不备，内科与外科俱载，八法与八略俱传，且编成歌句，分为号数，以便翻阅。知医者读而习之，愈增神妙；不知医者取而阅之，亦觉了然。善哉！公之心一陆公之心，公之术一范公之术也，活人而兼活国，为医无异为相。此书传，而仲景、叔和之道庶不致为人误用哉。于是乐为之序，以志其不朽云。时道光二十七年秋七月，涪邑举人白蓝田撰。

按：白蓝田，涪州人。清道光癸卯科（1843）举人。

熊栐序 昔韩昌黎云：纪事者，必提其要旨哉。斯言也，要则切而不泛，简而不繁，不泛不繁，庶人皆易于领会，而精神有所专注，否则竭材力，殚心思，徒劳而罔济。况医之为道，肇自轩皇，代有传人，著书立说，其阐明《灵枢》《素问》之旨，悉有所长，俱不可废。惟是其书缾然，汗牛充栋，在高明者，何难兼收并蓄，自得其要领，无如世人半属中材，资力或有所限，且乡村僻壤，购书颇难，无由得窥全豹。此医虽小道，而精其业者，盖亦仅矣，可胜叹哉。王君亚拙，笃行士也，性情和平，蔼然儒者气象，书工隶篆，兼善相数，每多奇验，而尤究心于岐黄之术，殚精竭虑，洵三折肱而九折臂者矣。然惟以济世活人为念，尝制丸散以拯人之危，就而诊视者，亦复不计其资。予雅重其行之高，时与往来，谈次之余，手出一卷示予，集成多年，其命名曰《切要》。予反复玩视，窃叹为后学津梁，而入门之捷径也。盖辑《脉诀》，约而该括；著释药性，以寒热温平分类，质而简当；至伤寒所治应用之汤剂，依次作为歌诀，便于记诵。医书中之切要者，莫过于此。读是书者，神而明之，引伸触类，真可以登仲景之堂，而不愧为国手矣。予素不谙医理，只以体弱善病时，复披阅群册，一知半解，间有所得，今获此卷，爱不释手，更觉胸次豁然，于斯道颇有会悟。因怂恿王君付之剞劂，公诸同好，爰缀数言于简端云。岁进士候选训导涪陵熊林笏山氏撰。

按：熊林，一作熊詠，字笏山，涪陵人。岁贡生。

谢恩序　大丈夫处世，不能以天地之心为心，纵名振当时，富甲天下，亦不过如蜉蝣鼎上耳。何足重哉！何足重哉！予客渝城，得遇王君锡鑫，本楚北之精华，为蜀西之高士，不以浮名动念，惟以博济为怀，惜乎力薄，未能如愿，故习岐黄，以遂厥志。从事有年，活人甚众，虽不如和缓之秘，亦常造灵枢之室，折衷群书，汇归一理，付梓寿世，功垂不朽。古语云：不为良相，即为良医。以此存心，即天地好生之心也，人能以天地之心为心，遗泽无穷，名芳百世，又何必名振当时，富甲天下者哉。今因问序于予，特弁数言以为之首。时道光丁未年巧月中旬，晴川学弟谢恩拜撰。

版本及存佚

《医学切要》系《医学切要全集六种》之第一种，为清代万县（今重庆市万州区）名医王文选（1808—1889）所撰。据该书卷首王文选自序称，道光二十六年（1846），该书于涪陵初次刊行，道光二十七年（1847），与《眼科切要》等五书于重庆合刻印行，即《医学切要全集六种》。兹据《中国中医古籍总目》《新编中国中医古籍总目》等著录及笔者查阅，该书现存版本较多，详“医学切要全集六种”条。

眼科切要　一卷（1847）存

〔清〕王文选（锡鑫、席珍子、亚拙山人）撰

出典

四部总录医药编　参见“医学切要全集六种”条。

全国中医图书联合目录　眼科切要。清代王锡鑫编。

提要

中国医籍大辞典　一卷。清代王锡鑫编。成书并刊于清道光二十七年（1847）。为《医学切要全集六种》之一。本书汇集前人诸说之切要者编辑而成。首列眼科全图，论述五轮八廓、眼科识病详明金玉赋、眼病歌诀及药性光明赋等，后列外障治法并症方、内障治法并症方、眼科药方九十五首、眼科杂方四十七首，论述点眼药药性、炮炼法并识真伪和随症用药加减等。

序跋

王文选眼科切要歌并序　上古医治始岐黄，历代名医各立方。集有眼科数十种，视法调治无不藏。无外寒热与虚实，初学读之易渺茫。余经此科已数载，阅历自信不敢藏。遂将诸书常要者，集成一卷便察方。要知目中精微论，聊作俚歌共相商（按：后为眼科辨证歌诀，从略）。此卷集成已数载，欲刊公世心不遑。丁未余客巴子国，幸遇邱君好生堂。又有傅君怡如者，二位倡捐功难量。惟愿世间无瞽目，存心济世自荣昌。更愿同人多印送，传方救人寿且康。将歌代序刊诸首，休哂下里笔轻狂。时道光二十有七年丁未岁秋七月吉日，万邑王文选锡鑫氏书于古渝城八景宫之悟元书斋。

李属官序　昔至圣见瞽者，必以貌，诚以恻隐之心，矜不成人，欲使天下无瞽者而不能，而于吾身，见瞽者而不忍也。是心也，人皆有之，所以创为方书以调治者不少。无如专门名家，言症惟恐不详，立方惟恐不备，博览旁搜，浩无涯涘。在明哲辈，或能提纲挈领，神明其要。而单姓寒门，间有略知文意者，或偶沾微恙，

欲延医而不能，思藉书以自疗，展卷之下，未免向若而叹，是著书之不切，则济人犹有限也。惟王子锡鑫，智慧天赋，慈祥性成，凡醒世利物之书，无不募刻印送，而于眼科一道，尤本其所能者，加之意焉。盖素得明师传以真诀，数十年遵行，屡获奇效，但恨所济无几，莫能如其所愿，于是汇群书之精，酌一心之准，因症列方，简截了当，俾人一览便晓。虽未详叙症自何起，方由何用，然皆参互疑似，间以归于一者也，又奚必令阅者之苦浩繁乎。余亦粗识医理，于眼科尤不敢问世，幸癸卯友教鱼泉，得与王子朝夕谈及医道，其获益者良多。不数月，王子以手录眼科见示，余观其立法之善，而嘉其居心之厚也，因颜之曰《眼科切要》，且志言于编首，以公世云。时道光癸卯年秋八月望五日，湖北监邑文生锦城契弟李属官拜撰。

颜毓兰跋 凡人一身之要者，莫如两目。夫目受病，必觅良医，主治若差，顿成盲瞽。故或遇风寒目痛，火极翳障，或因肾水亏虚，肝火妄动，病既分乎内外，治必审乎重轻，是以眼科为诸科之首。如古今所传眼科诸书，岂无善本，然或择焉而不精，语焉而不详，至博大精深者，浅学支离辈，不过窥其藩篱，究未能抉其奥旨，每有望洋而叹，又安冀得心而应手哉。予友王君亚拙，醇雅士也，博览群书，深明大要，既不肯苟就功名，又不肯独善其身，待聘无期，济世心切，弃儒业医，以遂其志，数十年来，活人甚众。因纂辑古今诸科方书，各集一册，使穷乡僻壤，开卷了然，而眼科尤其所长。欲付枣梨，问序于予。嘉其方不私秘，能公诸海内，是即仁人之存心也，乐为之序。理民府庠生颜毓兰文轩氏拜跋。

按：颜毓兰，字文轩，江北理民府人。附生。曾协校道光《江北厅志》。

版本及存佚

《眼科切要》系《医学切要全集六种》之第二种，为清代万县（今重庆市万州区）名医王文选（1808—1889）所撰，成书并初刊于清道光二十七年（1847）。兹据《中国中医古籍总目》《新编中国中医古籍总目》等著录及笔者查阅，该书现存版本较多，详“医学切要全集六种”条。

幼科切要　一卷（1847）存

〔清〕王文选（锡鑫、席珍子、亚拙山人）撰

出典

四部总录医药编　参见“医学切要全集六种”条。

全国中医图书联合目录　幼科切要。清代王锡鑫编。

提要

中国医籍大辞典　一卷，清代王锡鑫编。成书于清道光二十七年（1847）。首载小儿要略论、看小儿病壮歌、虎口三关图；次列初生门，述初生保育、防病用药知识；最后载脐风惊风、伤寒、咯血、吐呕等儿科病证二十三门，共载方剂一百七十三首。

中国儿科医学史　本书不分卷，其内容先列小儿要略、虎口三关、看危症法等小儿诊断理论；次按初生门、脐风门、发热门、脾虚门、救急门等，共34门，予以论述。每门之后，先述病因治则，后列方剂。其学术思想简单总结如下。①论疾病之治，集众法于一身。《幼科切要》于每病之后，采撷历代名医之可取之处，予以详列，令人一目了然。如论伤寒之治（按：例略）。正如王氏在自序中所说：“将历来幼科善本，摘其切实认证之法，选其当要应验之方，每证之下，专变阴阳，诸方之中，悉论虚实，故颜之曰《幼科切要》。”书中内容，正与此同。②效方举隅。本书载有许多前代效方，姑举几例（按：例略）。总之，本书切历代儿科之精要，汇纂成文，是一部儿科综合性书籍。

序跋

王文选自序　鑫曩者从事觉来先生有年。倏一日，问于先生曰：医书以幼科为哑科，谓其有疾不能自言也，岂不难乎。先生曰：夫幼子者，精神未受七情六欲之攻，脏腑未经八珍五味之渍，投之以药，易为见功，犹膏粱之变难穷，而藜藿之腹易效也，有何难哉。但今之医见小儿烧热，未审关纹浮沉，悉用表药以汗之，睹稚

子号啼，不按胸腹强弱，尽行消药以攻之，不知胎婴元气微薄，用药一误，变证百出矣，可不慎乎。继而训曰：凡看小儿，先观元气厚薄，手探口息寒热，次察唇舌润燥，再看关纹色气，问其饮食二便，方才酌方调治，庶不有误。余体先生之训，不敢自私，至于暇日，将历来幼科善本，摘其切实认证之法，选其当要应验之方，每证之下，专变阴阳，诸方之中，悉论虚实，故颜之曰《幼科切要》，意欲公诸同人，使穷乡僻壤，得见是篇，见小儿有恙，轻者不必求医，病重者不为医误，能读而习之，终身知医。奈历年来猬务鞅掌，有志未逮。迄丁未，余客渝城，幸遘傅君怡如、艾君项堂、邱君东山，并坐谈心，兴言及此，遂毅然有倡助之意，实先得我心之所同然者，遂将诸科亦同付之剞劂。不数月，书成。惟冀四方乐善君子广为印布，于保赤子之意不无小补，庶不负觉来先生训诲之心，而诸公公世之忱，亦不致湮没矣。是为序。时道光二十七年丁未岁桂月朔日，鱼泉王锡鑫亚拙氏谨识。

杜价禄序 夫医者，意也，谓以己之意迎合伊之病也。故善医者，必待望闻问切，而后详理开方，此古今一定不易之理也。盖幼稚小儿，天真浑噩，无识无知，肌肉莹澈，脉络分明，其病不过风寒暑湿燥火，饮食停聚而已，举目可见，岂如壮者之人，或因酒色过度，或由思虑受伤之纷纭杂沓，难为措手哉。故观其面色，闻其啼声，即可知其病之所从来，与夫药之所宜用，而无毫厘或爽也。无如世之庸医，不察夫体属婴孩，一染微疴，并不细心体贴，概以惊风险剂投之，往往有误，不知实而误补，不过增病，虚而误攻，不可救药，故全生者少，而垂毙者多矣。王君亚拙，医道高明，慈爱为怀，不殚劳瘁，合选古今方，而斟之酌之，汇为一册。适予过访，蒙以见示，见其理精法密，指点亲切，较诸幼科所传方书，倍加详明透彻，亟劝其付诸枣梨，以公诸世。将见此书一出，可以指庸医之迷，延幼稚之命，其为益岂浅鲜哉。是为叙。时道光二十七年岁次丁未桂月朔日，江阳廪生杜价禄宾五氏拜序。

按：杜价禄，字宾五，江津人。岁贡，注选训导。

版本及存佚

《幼科切要》系《医学切要全集六种》之第三种，为清代万县（今重庆市万州区）名医王文选（1808—1889）所撰，成书并初刊于清道光二十七年（1847）。兹据《中国中医古籍总目》《新编中国中医古籍总目》等著录及笔者查阅，该书现存版本较多，详“医学切要全集六种”条。

痘科切要　一卷（1847）存

〔清〕王文选（锡鑫、席珍子、亚拙山人）撰

出典

四部总录医药编　参见“医学切要全集六种”条。

全国中医图书联合目录　痘科切要。清代王锡鑫编。

提要

中国医籍大辞典　全一册。清代王锡鑫撰。成书于清道光二十年（1840）。系《医学切要全集》之一。首列四十八字“察方字号”，次述钱仲阳、张洁古、王海藏、王节斋等医家治痘大法与经验，载痘科现证图一幅，并列囟会、神庭、风府等七十经穴主诸痘所生部位；一百余种痘证病因诊治与一百十余首痘症方；末附杂方二十五首。本书按字察方，便于查阅治诸症之方药。

序跋

王文选自序　病之至变者，痘科也，业之至精者，医理也，欲极其精，以穷其变，虽千万言，莫能发其绪。是以明季相传，而后诸家辈出，各执一见，而合诸病情变幻，有难以按图而索骥者。鑫何人，斯敢议先贤，不过摘其切要，以及古今证治一二浅言，谓足以罄其事乎。然至变之症，而可见者恃乎形，至精之医，而可据者恃乎理，以形求理，即以简驭繁，达乎此，通乎彼，千万言不能赅，而一二语足以括之矣。鑫自中岁，究心医学，深知其难，亦不能自安于拙，凡有益身心之书，及诸科之方，选集亦多，募刊公世。惟痘科一证，鑫少疗治。幸吾乡有彭公宗贤者，三世业医，可谓痘科独步。鑫戚赵子吉华，从事日久于公，应验之方，悉以授鑫，故辑此篇。每于诸证之后，多载彭公之陈法，于是编成四十八字为号；凡于痘前、痘中、痘后之证，目下注方，方下有字，照字察方，各自酌用，庶不有误。是篇集成，久欲公世，力绵未果。讫丁未秋，鑫游古渝，得晤故友邱君碧珍，相留伊家，一憩数月，又遇傅君怡如、艾君项堂，乐善不倦，深悉元理，与鑫往来，得见是篇，

遂欲乐捐。鑫见输成好善，实获我心，遂将《脉诀》《药性》《眼科》《幼科》《外科》以及《奇方纂要》，一同付之梨枣，不日书成。惟冀四方乐善君子，随便印送，庶不负彭公、赵子所传之功，亦不虚邱君、傅君、艾君乐助之德。而业于医者，精而求精，见痘之变者，转凶为吉矣。岂诸公之幸，亦人人之幸耳。是为序。时道光二十有七年秋八月望五日，万邑天德门亚拙王锡鑫书于古渝州朝天门之八景宫。

李属官序 婴儿自赋畀以来，有与性命相关者，惊风而外，厥惟痘症，苟审查不精，调剂未善，鲜有不戕其生，而抱束手之叹者也。幸王君锡珍，保赤念切，见业是道者，或泥于温补，或执于寒凉，或拘古法而罔识变通，或略时症而莫知清理，甚或不辨寒热虚实，而概以末药小丸投之。嗟嗟！是皆欲以术活人，而每致人难活者，此何以故？岂真修短有数耶，抑亦操术未精耳。间有斟酌尽善，十不失一，亦只自己了然于心，未必使人了然于目。于是汇览古今群书，择其方之最平易、最精良者，增以素所应验诸方，穷源竟委，无不条贯缕悉，令人开卷朗朗。诚能家藏一编，按法调治，既可以救当时之弊，亦可以造无疆之福，其功岂不伟哉。兹因付梓将竣，特弁数言于左，以为操斯术者下一针砭，庶家鲜夭札，而户多仁寿矣。是序。时道光廿七年八月既望，玉沙文生锦城李属官敬弁。

版本及存佚

《痘科切要》系《医学切要全集六种》之第四种，为清代万县（今重庆市万州区）名医王文选（1808—1889）所撰，成书并初刊于清道光二十七年（1847）。兹据《中国中医古籍总目》《新编中国中医古籍总目》等著录及笔者查阅，该书现存版本较多，详“医学切要全集六种”条。

外科切要 一卷（1847） 存

〔清〕王文选（锡鑫、席珍子、亚拙山人）撰

出典

贩书偶记续编 外科切要无卷数。清代万邑王文选辑。道光二十七年刊。

四部总录医药编 参见“医学切要全集六种”条。

全国中医图书联合目录 外科切要。清代王锡鑫编。

提要

中国医籍大辞典 二卷。清代王锡鑫撰。成书于清道光二十七年（1847）。本书参考《外科正宗》《外科全生集》及《医宗金鉴·外科心法》，采用歌诀体，编撰而成。上卷阐述有关十二经络，痈疽总论，痈疽辨别阴、阳、顺、逆、肿、痛、脓、痒、晕，内消内托，虚实治法，针、砭、灸、烙治法等歌诀二十一首，绘有痈疽各部图像。又编“外科便读”歌诀，讲述外科各证证治。下卷为“外科金口诀”，讲述外科病证之五善七恶、寒热表里治法、内消内托、内脓将溃与已溃正虚治法，以及各证治则；末列“外科药方歌"，收方一百八十二首。是书重视痈疽病变部位的经络归属，以及辨别阴阳虚实寒热表里施治。

序跋

王文选自序并四诊歌诀 先君存日最信善，募刻善书十余卷。又刻药书有数种，公之宇内岂能遍。鑫体先君之初心，编辑方书成六卷。首著脉诀药性词，诸科奇方各一见。惟有外科最浩繁，纂成切要诵读便。本由《正宗》与《全生》，御纂外科名《金鉴》。悉依歌诀集成篇，内中经络明如电。痈疽治法与方药，或附于后或内串。惟愿我辈业医者，熟读默会可融贯（按：后为四诊歌诀，从略）。此篇集成欲公世，力绵未遂心一片。丁未偶游巴国郡，故友邱君将书荐。呈阅怡如傅先生，存心乐善真不倦。倡捐齐付枣与梨，数月书成序于面。又冀同人多印送，穷乡僻壤一能遍。学医读者亦小补，知方传送为方便。不负诸公施仁惠，以继先君刊书念。吾本槐裔

字锡鑫，书名文选居万县。

郑炳序 夫儒者之道，有不知内外本末者，不得为通儒，医家亦何独不然。有知内而不知外者，是务本而遗末，犹为可耻。至名为知外而全不知内，则假图末之名而忘其本也，可乎哉？内与本者何？脉神也，真阴真阳也，荣血卫气也。外与末者何？形象也，部位也，颜色苗窍也。若辨虚实，分寒热，察经络，非内外本末，兼综条贯，何敢擅膺重任。予甚惜夫务外而不知内，务末而不知本，以贻害生灵也。予尤望世有内外本末兼全无恨者，以补救于万世。是书之集，何先得我心乃尔乎，因劝付枣梨，以公诸世，不但为济人之宝筏，亦可作庸师之针砭云耳。是为序。时道光二十七年岁在强圉协洽塞壮，垫江廪生愚崖郑炳拜撰。

欧阳步云序 外科一道，诚能得其要领，靡不应手而见功。特虑不究病之原由，不审体之虚实，或见小欲速，而妄施寒凉之剂，未有不轻则绝嗣，而重则伤生者。此外科之通病，而业斯者往往中之，缘其学问粗疏，而识见肤浅也。予友王君亚拙，儒也，而隐于医焉，每以利济为怀，活人无算。古渝邂逅之余，因出其所辑外科一编见示于予，伏读数次，见其尽编歌句看证法，无异扁鹊之遇长桑金口诀，有若叔和之学仲景，无疡不备，无法不悉，颇费苦衷。乃极劝付梓，公于海内，俾初学明若观火，入门切要，诚度世之慈航，济人之宝筏，而嘉惠后学于无涯也。是为之序。时道光二十有七年岁在丁丑巧月巧日，合阳举人拣选知县欧阳步云题赠。

按：欧阳步云，合州人。清道光丙午科（1846）举人。

版本及存佚

《外科切要》系《医学切要全集六种》之第五种，为清代万县（今重庆市万州区）名医王文选（1808—1889）所撰，成书并初刊于清道光二十七年（1847）。兹据《中国中医古籍总目》《新编中国中医古籍总目》等著录及笔者查阅，该书现存版本较多，详“医学切要全集六种”条。

奇方纂要　一卷（1847）存

〔清〕王文选（锡鑫、席珍子、亚拙山人）撰

出典

四部总录医药编　参见“医学切要全集六种”条。

全国中医图书联合目录　奇方纂要。清代王锡鑫撰。

提要

中医文献　不分卷。清代王锡鑫撰。成书于清道光二十七年（1847）。本书首载五脏六腑辨证、中药要略、问证等歌括；后为内、外、儿、妇、眼科等病证二十九门，收方二百零三首。

序跋

王文选自序　医之活人，肇自三皇，递及秦汉晋魏，以至于今，数千年来，名医甚多，各集方书，汗牛充栋，其中医方，有若河沙，内中之奇者，推及亿万，然采其要者，不下数百。总之病有阴阳虚实之分，药有寒热温平之别，认证一真，一药可愈，识症不的，百药罔效。选集是篇，初辑十二经络病状，又编药性要略，以及问病俚歌，冠之篇首，意欲取方治病，必先辨其证之阴阳虚实，然后照方服之，无不应效。先君存日，命刊《活人心法》医书，公之宇内，各处乐善印送颇多，皆言有验。余思传方之益，良不诬矣。每于暇日，或将前圣先贤之书，选其奇验之剂，或得良朋益友之授，摘其应要之方，纂成一卷，分门别类，便于翻阅。欲体先君之意，付梓公世，使穷乡僻壤，延医不及，或购书颇难者，得见是篇，亦知修合济人，或者用方病起，咸有益也。奈历年猬务鞅掌，力绵不果。迄丁未秋，余游巴子郡，幸遘怡如傅君、项堂艾君乐善不倦，二公朝夕往来，谈及医书，余出就正，二公不弃鄙俚，实乃济世心坚，勇于倡捐，真先得我心之所同然者。遂将《脉诀》、《药性》、诸科，一切合刊，虽是六卷，可分可合。惟愿四方乐善君子，随便刷印，公诸同人。然刊书、送书之功，有与前贤活人之意并著，其获福余庆之兆，理有固然

矣。是叙。时道光二十七年岁次丁未重阳月九日，万邑王文选锡鑫氏书于古渝城之五福宫。

版本及存佚

《奇方纂要》系《医学切要全集六种》之第六种，为清代万县（今重庆市万州区）名医王文选（1808—1889）所撰，成书并初刊于清道光二十七年（1847）。兹据《中国中医古籍总目》《新编中国中医古籍总目》等著录及笔者查阅，该书现存版本较多，详“医学切要全集六种”条。

存存汇集医学易读三种 （1849—1850） 存

〔清〕王文选（锡鑫、席珍子、亚拙山人）撰

子目：

（1）存存汇集　二卷

（2）日月眼科　一卷

（3）针灸便览　一卷

出典

全国中医图书联合目录　存存汇集医学易读。清代王锡鑫撰。子目：存存汇集二卷，日月眼科，针灸便览。

考略

参见“医学切要全集六种”条。

提要

中国医籍大辞典　清代王锡鑫撰。刊于清道光二十九年（1849）。本书汇集王氏所撰医书三种，即《存存汇集》二卷、《日月眼科》及《针灸便览》。

序跋

王和序　获一效而不肯公之于世者，知有己而不知有人也；汇群书而不克亲试其方者，盲于心而并盲于目也。求其汤方皆效，而又能汇古人散见之书，昭明古人欲发之旨，并体会古人以道义存心，非于此道三折肱，而时存救济之念者，必不能此。己酉冬，偶过亚拙斋头，见几上著有《存存汇集》医书二卷，如《系辞》云道义之门之意。后增《日月眼科》一卷，《针灸便览》一卷，阅之皆编成句读，诚为便于记诵。曩闻吾友客巴国时，镌有《医学切要》六卷，板存古渝，今所集六卷中精液耳。是书语句虽涉浅显，然于病状之阴阳，药性之寒热，证治之得失，部位之是非，无不详载，真初学之捷径，入门之要道也。吾友自幼业儒，稍壮弃书，喜作

善事，性嗜琴诗，博览性理丹经、医卜星相等书，复遵伊先君诲，矢志岐黄，谓可保身寿世。十余年来，多读《内经》《本草》，选集医方甚多，故刊《安乐铭》已附有《应验药方》，《敦伦仁寿》亦续有《活人心法》。今读《汇集》诸书，凡一切五运六气、望闻问切、河图脉诀、药性汤方，例皆手编公世，直将古人未言之秘，并自得心法，毫无所隐，出以示人，使见斯集者，若能潜玩，自然心意开明，益明其理。由是而伪者去，真者存，不误人于歧路；暗者明，浅者深，不废功于半途。吾友之集，其有裨世道人心者大矣哉，其体会先君所云保身寿世之心者，亦至矣哉。是序。岁进士候选训导春山弟王和拜撰。

版本及存佚

《存存汇集医学易读三种》（即《存存汇集》《日月眼科》《针灸便览》三种）为清代万县（今重庆市万州区）名医王文选（1808—1889）所撰。成书于清道光二十九年（1849）至三十年（1850）之间。兹据《中国中医古籍总目》《新编中国中医古籍总目》等著录及笔者查阅，该书现存版本见：

清咸丰万邑王同仁刻巾箱本（见存）

天津中医药大学图书馆　湖北中医药大学图书馆　等

按：该丛书刻工为万邑梓人魏良久（字化南）。

存存汇集 二卷（1849） 存

〔清〕王文选（锡鑫、席珍子、亚拙山人）撰

出典

全国中医图书联合目录 存存汇集二卷。清代王锡鑫撰。

考略

参见“医学切要全集六种”及“存存汇集医学易读三种”条。

提要

长江三峡中医药文化研究 是书系王文选撰就《医学切要全集》后萃其精要而成，成书于清道光二十九年（1849），共两卷。上卷列有“五运歌”“望闻问切歌”“医箴铭”“六经切诀歌”“百句脉诀及脉诀辨证”等，下卷载“识药要略歌”“药性六字经”“分类见病用药歌”“见病知方汤头歌”等，通篇多用歌赋式，使人易学易懂，实为不可多得的中医药知识普及读本。

序跋

《存存汇集》未见独立序跋，卷首即岁进士王和所撰《存存汇集医学易读三种》总序。

版本及存佚

《存存汇集》系《存存汇集医学易读三种》之第一种，为清代万县（今重庆市万州区）名医王文选（1808—1889）所撰，约成书于清道光二十九年（1849）。兹据《中国中医古籍总目》《新编中国中医古籍总目》等著录及笔者查阅，该书现存版本参见“存存汇集医学易读三种”条。

日月眼科　一卷（1850）存

〔清〕王文选（锡鑫、席珍子、亚拙山人）撰

出典

全国中医图书联合目录　日月眼科。清代王锡鑫撰。

考略

参见“医学切要全集六种”及“存存汇集医学易读三种”条。

提要

一卷。清代王文选撰，成书于清道光三十年（1850）。王氏在撰成《眼科切要》之后，又对其中主要内容进行编集，遂成此书，意在抄存便览。该书先列“目图”“五轮五行子母歌”“八廓歌”“千金识症歌”“眼病歌诀”“药性歌诀”“汤头歌诀”等眼科诊治内容，后为时行火眼、眼痛生翳等40种眼科疾病辨证治疗内容，并附日月眼药、七宝丹、鑫验丹、风寒散方剂4则及看犯翳诀、占犯翳诀、观音光明诰、养目奇方等内容。全书先理后法，通俗简便，切于实用。

序跋

王文选看眼歌并序　上古医治始岐黄，历代名医各立方。集有眼科数十种，视法调治无不藏。无外寒热与虚实，初学读之易渺茫。余经此科已数载，阅历自信不敢藏。遂将经历应验者，照症用药各拟方。要知目中精微论，聊作俚歌共相商。（按：后为看眼歌诀，从略）。《眼科切要》鑫始集，板存古渝通国堂。丁未客渝承都士，捐刻已布于四方。集此眼科真管见，抄存便览鑫自藏。颜名《日月》光明意，惟愿世人眸子良。诸友劝鑫刊传世，犹恐遗笑于大方。又承众善今刊布，存心济世自荣昌。更愿同人多印送，传方救人福寿康。吾本槐裔字锡鑫，书于亚拙之山房。

王思曾序　医之术与儒通，其理一也，然惟得精于儒术，乃益神于医术。余尝与亚拙宗兄游，始第知其深于儒术，继乃知其尤精于医术。盖其以恻怛斯世为心，

以匡救斯人为念，既纲罗善书，刊刻医书，流播远近矣。即儒所谓惠迪之理，利济之术也。然惟理精术神，故能合内外，而一之出。其医之绪余，施之眼科，亦无不应手辄效，大有儒者发聩之功。余见而异之，叩其术，是殆不离乎古方，抑不泥乎古方，故其效有若此者。余曰：术诚善矣。然操术者一人，彼属目者，悉啻百千，是能及于术之所及，不能及于术之所不及也。因劝其编集古方，参以卓见，神明而变通之，付之梓人，广流传焉。其术以儒理神，其功当与儒并。噫！若予宗兄其人者，专名之儒不可，竟名之医尤不可，殆世所谓儒医者耶。是为序。时咸丰元年桂月十五日，吏部注册已亥科举人候选知县王思曾拜撰。

按：该书王文选自序未署撰写时间，故难以得知《日月眼科》的确切成书时间。王思曾序撰于咸丰元年（1851），然未提及《日月眼科》成书事宜。兹考《存存汇集医学易读三种》王和总序称："己酉冬，偶过亚拙斋头，见几上著有《存存汇集》医书二卷，如《系辞》云道义之门之意。后增《日月眼科》一卷，《针灸便览》一卷。"由此可知，《日月眼科》成书于《存存汇集》之后，与《针灸便览》大致同时。《存存汇集》成书于道光二十九年（1849，己酉），《针灸便览》约成书于道光三十年，故《日月眼科》或亦成书于道光三十年（1850）。

又考王思曾序文内容，或亦为《存存汇集医学易读三种》总序，然原书安排如此，故仍其旧。

版本及存佚

《日月眼科》系《存存汇集医学易读三种》之第二种，为清代万县（今重庆市万州区）名医王文选（1808—1889）所撰，约成书于清道光三十年（1850）。兹据《中国中医古籍总目》《新编中国中医古籍总目》等著录及笔者查阅，该书现存版本参见"存存汇集医学易读三种"条。

针灸便览　一卷（1850）存

〔清〕王文选（锡鑫、席珍子、亚拙山人）撰

出典

全国中医图书联合目录　针灸便览。清代王锡鑫撰。

考略

参见“医学切要全集六种”及“存存汇集医学易读三种”条。

提要

中国医籍大辞典　一卷。清代王锡鑫编。刊于清道光三十年（1850）。本书系王氏集辑诸家针灸精要，加以分类合编而成，以便后学者备览诵读。首为正面背面全图，详细图解全身经穴，介绍十二经络起止循行；后载任、督、十二经脉经穴分寸歌及经图，选录二十六首歌诀，以阐述针刺法、行经取穴、补泻、择时取穴、十二经气血多少、八法交汇、十二经主证、八脉配八卦等要领；末附井荥俞经合横图，孙真人十三鬼穴、鬼哭穴等套穴，以及卒死、遗精、中风等各种杂病、急症的取穴要诀，中指同身寸图、治折针法等。书中还介绍了王氏用针秘验，制针、煮针方法等。全书以图解和歌诀形式介绍针法要领，通俗易懂，内容完整，是针灸初学者的一部重要参考著作。

序跋

王文选自序　尝谓治病之功，不外乎药，劫病之速，莫先于针。从古方书所载，此科无不并列，是以卢扁和缓，周游邻邦，方药之外，率皆以此疗症，万病一针，取手而愈，诚医人之所不废，而病家毋庸疑与畏也。近世此术几乎不讲，师不以此为教，弟不以此为学，平常缓治之病，听其书方合药，一遇喉科痰闭，刻不容缓等病症者，举家慌乱，治者群皆束手。嗣遇谈及针法，如某病一针，捷如奔马，某经一穴，效奏桴鼓，始悔平昔所学之偏，而斯术之传，始觉相需殷而相遇疏也。语云：

一针一灸三服药。此言岂无谓哉。予少读儒书，长业轩岐，凡大小内外等科，无不择之精，而审之熟，惟毫针一法，起于十二奇穴，成于三百六十五度，日就月将，朝乾夕惕，终觉惝恍难凭。及遇精习此科，南浦暂住，不惜请业请益，求其口讲指画，如病左针右，病右针左，上则针下，下则针上，务令奇经八脉、冲任督带、三阴三阳、十二经络，剀切详明，使知其某病系某经，某经针某穴，浅深补泻，随卧送迎，其法不紊，其应如响，非如沿河插柳、惑世诬民者所可同其仿佛。但有得于己，不可不公诸于人，因将《铜人》《大成》诸书，集其便览，另仿铜人图式四张，经络分寸歌诀，名目次序，分类合编。俾业轩岐者，手珍一部，笥藏一帙，由显知微，升堂入室，而后缓病仍以方药治之，急症即以针法奏效，庶四海之大，六合之遥，无不登春台而跻寿域也，岂复有夭札之患欤。爰撰鄙俚，以弁其首，高明之士，再加斧政，更为予所深幸。此序。

贺正笏序 针灸之道，技乎神乎，上世以针砭治疾，其为效胜于草头木根，其中病亦神于草头木根。自轩、炎、雷、岐以来，后世长桑君、马丹阳各挟其一技之微以游于世，而当时惊其神，后人奇其术，其效不可没，其功不可掩，其活人亦不可胜数，神乎技乎。近读其口诀数语，然后知其掺术为有要矣，而不善学者，犹惜其略，而每少之也。王君锡鑫，予总角时同学友也，幼而岐嶷，聪颖过人，究心于星相术数之学，而尤精于岐黄，手辑眼科诸书，并方脉药性等，便于记诵者，刊以济世有日矣。庚戌夏，复出其《针灸便览》一册示予，披读之下，喜其针法之密，图法之周，穴法之详明，诀法之简捷，凡三百六十穴道，十二经络，并手足三阴三阳之部位，玩其图，审其法，读其歌诀，无不了如指掌。虽门外汉，亦各可以拈针吹火，按图而索其部位，砭其穴道，以自除其沉疴，斯诚度世之金针矣，岂犹以册短而少之乎。吾辈老于作文者，语必矜练，缩丈为尺，一语抵人千百语。而评者每曰：尺幅之中，具有层波叠出之势。许其简也。愿移此语，以赠锡鑫。予是为序。时道光三十年庚戌岁季夏月，乙未科举人拣选知县贺正笏拜题。

按：贺正笏，万县人。清道光乙未科（1835）举人。

版本及存佚

《针灸便览》系《存存汇集医学易读三种》之第三种，为清代万县（今重庆市万州区）名医王文选（1808—1889）所撰，约成书于清道光三十年（1850）。兹据《中国中医古籍总目》《新编中国中医古籍总目》等著录及笔者查阅，该书现存版本参见“存存汇集医学易读三种”条。

遂生九种（1858）残存

〔清〕王文选（锡鑫、席珍子、亚拙山人）撰

子目：

（1）光明眼科　一卷　存

（2）遂生外科　一卷　存

（3）简易妙数　一卷　佚

按：余子目阙名。

出典

该丛书未见书目著录。

考略

王文选（1808—1889），字锡鑫，万县（今重庆市万州区）人，其生平详“医学切要全集六种”条。清咸丰八年（戊午，1858），王文选撰成《光明眼科》《遂生外科》《简易妙数》等医卜星相类著作九种，合为《遂生九种》丛书。咸丰十一年（辛酉，1861），琼城吴敦五捐资将《简易妙数》一书先行刊成。该书刊成后，万县遭遇兵燹，刊刻事宜被迫中断。同治六年（丁卯，1867），王氏亲家陈眉生捐资将《光明眼科》一书刊成。同治八年（己巳，1869），开州陈彤云捐资将《遂生外科》一书刊成。同治九年（庚午，1870），王氏家中遭遇洪水，雕版漂去近半。光绪八年（壬午，1882）仲秋，陈眉生再次捐资将《遂生外科》遗失雕板进行补刊。

按：陈眉生，万县（今重庆市万州区）人。

凡例

遂生几种弁言四首习此者宜法　其一、医生救人是良因，望闻问切术宜精。第一审证分虚实，第二用药有君臣。到处开方疗疾病，随时施药寓慈仁。不论贫富请皆至，半积阴功半养身。（按：其二、其三、其四依次为卜士、星士、相士之劝善文，从略）。亚拙山人谨识。

按：该例文见《光明眼科》卷首，据其内容，移录于此。

版本及存佚

《遂生九种》（即《光明眼科》《遂生外科》等九种）为清代万县（今重庆市万州区）名医王文选（1808—1889）所撰，编成于清咸丰八年（1858）。兹据《中国中医古籍总目》《新编中国中医古籍总目》等著录及笔者查阅，均未见该丛书合刊本存世，故其版本及存佚情况分见各书，此处不再赘述。

光明眼科　一卷（1858）存

〔清〕王文选（锡鑫、席珍子、亚拙山人）撰

出典

天津地区医学古籍联合目录　光明眼科一卷。清代王锡鑫辑。

考略

参见“医学切要全集六种”及“遂生九种”条。

提要

长江三峡中医药文化研究　是书系王文选传世文献之一，成书年代不详。从书中内容分析，是继《日月眼科》之后而成书的，且内容较《日月眼科》更为丰富，互为补充。

序跋

王文选看眼歌诀并序　上古医治肇岐黄，历代名医各立方。集有眼科数十种，视法调治无不藏。无外寒热与虚实，初学读之易渺茫。余经此科已数载，阅历自信不敢藏。遂将经历应验者，照症用药各拟方。要知目中精微论，聊作俚歌共相商。（按：看眼歌诀从略）。《眼科切要》鑫始集，板存重庆通国堂。丁未客渝承都士，付梓已布于四方。复集眼科名《日月》，《存存汇集》卷中藏。今集《遂生》有九种，首卷《光明眼科》方。今承眉生陈捐锓，犹恐贻笑于大方。但愿世人光明目，传方济人福寿康。时在己未清和月，夔州属县古安乡。吾郡太原字锡鑫，书于亚拙之山房。

王燮元序　曩者家君辑《遂生九种》八卷，将医卜星相等书分类列为九种，而《光明眼科》其首卷耳。辛酉年间，有琼城吴敦五者，已醵金将《简易妙数》一卷付诸枣梨。书初成，适遭兵燹，余遂止功，藏之箧中有年矣。越丁卯春，陈君眉生亲家为令爱目疾，延家君诊视，谈心之下，并探求眼科书之最良者，欲置一编，以便

翻阅。家君因云：向辑有《光明眼科》一卷，容日袖至，照此疗治，必有效验。眉生一睹此书，即对症立方，病果不日而愈。乃慨然曰：施药不如传方，且穷乡僻壤，患目疾者不一其人，而购书固难，延医亦不易，若获此集，业此科者，既可广其治法，及未精此道者，倘遇目疾，亦能审症之虚实，辨药之寒热，俾眸子治，永无失明之忧，眼界宽，不贻寸光之诮，其有裨于世也，岂浅鲜哉。爰付诸梓，复勉余而为之序。同治丁卯中秋前三日，姻愚弟王燮元晋芝氏拜撰。

按：王燮元，字盛篚，号晋芝，为王文选之子。清同治甲子科（1864）举人。

版本及存佚

《光明眼科》系《遂生九种》之第一种，为清代万县（今重庆市万州区）名医王文选（1808—1889）所撰，成书于清咸丰八年（1858）。兹据《中国中医古籍总目》《新编中国中医古籍总目》《天津地区医学古籍联合目录》等著录及笔者查阅，该书现存版本见：

清同治六年丁卯（1867）万邑王同仁刻本（见存）

天津图书馆　上海中医药大学图书馆　等

清同治九年庚午（1870）云邑北岸培贤斋刻本（见存）

遂生外科　一卷（1858）存

〔清〕王文选（锡鑫、席珍子、亚拙山人）撰

出典

难经经室藏书目录　遂生外科。清代王锡鑫编。

考略

参见“医学切要全集六种”及“遂生九种”条。又《万县市文史资料（第四辑）》所列“万县市图书馆木刻雕版明细表”可见《遂生外科》一书，存版片 28 块。

提要

长江三峡地区中医药学术流派传承研究　王文选撰辑，系所集《遂生九种》八卷之一，初刊于清同治己巳年（1869），不分卷。首载痈疽根原、痈疽治法及外科插图 14 幅，次列应用汤饮、应用敷药、应用丹散、应用膏药等，部分内容与《外科切要》相同，书中间有王氏用药、用方经验及实证案例记述，具有很强的临床参考价值。

序跋

王文选外科四诊歌并序　先君存日最信善，募刻善书十余卷。又刻药书有数种，公之宇内岂能遍。选体先君之初心，编辑方书十余卷。今集遂生九种书，首载药方有二件。初集眼科名《光明》，《遂生外科》第二卷。《外科切要》选始辑，板存古渝刷难便。今将外科应用者，采集诸症药续串。本由《正宗》与《全生》，御纂外科名《金鉴》。悉依当要类成篇，内中经络明如电（按：四诊歌诀，从略）。此篇集成欲公世，力绵未遂心一片。今承诸友相匡助，存心乐善真不倦。倡捐齐付枣与梨，数月书成序于面。又冀同人多印送，穷乡僻壤亦能遍。学医读者亦小补，知方传送为方便。不负诸公施仁惠，以继先君刻书念。吾本槐裔字锡鑫，派名文选居万县。咸丰十年岁庚申，撰于亚拙人伦鉴。

王文选补刊序　外科书一帙，岁戊午所集《遂生九种》八卷之一耳。曩者吴、陈二君子曾刊两卷，其余六卷久未梓行。是书于己巳年，为开州陈君彤云见而悦之，慨然捐金刻成，惜印布无多，次年复遭洪水，将板漂去几半。迨壬午秋仲，适眉山陈少亲家过我，小谈兴言及此，遂乐任补雕，俾臻完备，斯诚见善必为，应为天地间弭其缺陷者矣，至余庆之说，何待言哉。尤顾仁人君子，广为传送，俾患疮疡者，照症用药，其效如神，讵非利己，兼以利人，了其福报，不且无量与。时光绪八年岁在壬午秋仲，南浦王文选亚拙甫识于小蓬莱山馆。

版本及存佚

《遂生外科》系《遂生九种》之第二种（坎集），为清代万县（今重庆市万州区）名医王文选（1808—1889）所撰，成书于清咸丰八年（1858）。兹据《难经经室藏书目录》等著录及笔者查阅，该书现存版本见：

清光绪八年壬午（1882）万邑王同仁刻本（见存）

伤寒辨证集解等四种 （1869—1874） 存

〔清〕黄钰（天锦、宝臣）撰

子目：

（1）伤寒辨证集解　八卷

（2）本经便读　四卷

　　附：名医别录　一卷

（3）脉法歌括　一卷

（4）经方歌括　二卷

出典

中医图书联合目录　伤寒辨证集解等四种。清代黄钰编。子目：伤寒辨证解八卷；本经便读四卷；脉法歌括一卷；经方歌括二卷。

考略

黄钰（1817—1886），字天锦，号宝臣。璧山登里二甲人。其自幼勤奋好学，少时为县学廪生，应童子试取第一，应乡试举贡生。后因无心官场，改习医业，与同里名医徐朝宦等交好，于天文地理、太乙壬奇等学亦多有涉猎。其学宗仲景，以经方为尊，兼采徐灵胎、陈修园等后世名家《伤寒》注解。黄氏虽未设肆医病，然每有求诊者，皆悉心调护，享誉一方。著有《伤寒辨证集解》《本经便读》《脉法歌括》《经方歌括》等。卒于1886年，葬定林乡学塘湾。

提要

中国医籍大辞典　清代黄钰编。成书于清同治十三年（1874）。系个人汇编医学丛书。其中《伤寒辨证解》八卷，主要对诸家注释仲景之书与经旨相悖者，予以驳正，阐明经旨；《本经便读》四卷，系对陈修园《本草经读》书中之奥语，进行改编，或以韵语形式阐述，便于初学者记诵；《脉法歌括》一卷、《经方歌括》二卷，均以歌括体裁阐明诊脉之要、经方之奥。

序跋

《伤寒辨证集解等四种》未见总序。其中《伤寒辨证集解》《本经便读》《经方歌括》三书序跋见诸本条，《脉法歌括》未见序跋。

版本及存佚

《伤寒辨证集解等四种》为《伤寒辨证集解》《本经便读》（附《名医别录》）《脉法歌括》《经方歌括》四书合刻，均为清代璧山名医黄钰（1817—1886）所撰，先后成书于清同治八年（1869）至十三年（1874）之间。兹据《中国中医古籍总目》《新编中国中医古籍总目》等著录及笔者查阅，诸书现存合刻版本见：

清光绪十九年癸巳（1893）璧邑芸经堂刻本（见存）

中国中医科学院图书馆　首都医科大学图书馆　广州中医药大学图书馆

伤寒辨证集解　八卷（1874）　存

〔清〕黄钰（天锦、宝臣）撰

出典

中医图书联合目录　伤寒辨证集解八卷。清代黄钰（宝臣）编。

考略

参见“伤寒辨证集解等四种”条。

提要

伤寒论研究大辞典　清代黄钰辑。成书于清同治十三年（1874）。全书共八卷，附两卷。本书以金代成无己《注解伤寒论》为基础，采诸家之说，间附己见而逐条注释《伤寒论》原文。卷一至卷七为六经病证治，卷八为痉湿暍、瘥后劳复、阴阳易、霍乱等病证治，后附平脉法、辨脉法、诸可与不可，其次序又较成注略有变更。正文条序仍依成注，先列仲景原文，继则有“按语”以抒发己见、“采集”以引列诸家之言，“驳正”以辨正诸家注释中与仲景意不相符处。本书虽名“集解”，但其中颇多作者自己的见解。

序跋

黄钰自序　自古神医岐黄，而后端推仲景，其《伤寒论》一书，上接《灵》《素》，阐阴阳之秘，泄造化之机，依经而不袭经一语，诚所谓集群圣之大成者也。惜原本无存，今世所称原文者，乃晋太医令王叔和所编次。观叔和序例云：今搜采仲景旧论，录其证候、诊脉、声色，对病真方有神验者，拟防世急。则知仲景原书，晋代已无全本，皆叔和得之搜采之余，即全书具在，而叔和所云，只录其对病真方有神验者，则弃而不录者必多也。然叔和虽分定六经，细观其中治法，颠倒错乱，知必不免，所以自成无已注后，诸家皆有移易，互相驳辨，究不能归于画一。而陈修园反以为方中行、喻嘉言、程郊倩、程扶生、柯韵伯诸家擅改圣经，且谓叔和编次有功千古，自太阳脉证篇至劳复止，皆仲景原文，其章节起止照应。王肯堂谓如神龙出没，首尾相顾，鳞甲森然，过矣。夫信而好古，先圣所训，若不择是非真伪而概信之，是信古反不如疑古之为愈也。又况写“舄”九写而成“烏”，“虎”三写而成“帝”，一字之传，历久尚多舛讹。矧自汉至晋，屡经兵燹，仲景原书安保无遗失耶，纵无遗失，而叔和所录止此，安得遂以是为仲景原书耶。则诸家之分章割句，挪前移后，亦不过如叔和搜采之例耳，不得以擅改圣经诋之也。窃意仲景原书，六经序次必有条理，自叔和不得其传，任意倒乱，遂使后之读者望洋而叹，有童而习之，皓首不得其解者，将何由寻其所集而得入门之路耶。余于仲景书，愧未悉其精微，然稍涉藩篱，知叔和之变乱不少，因不辞僭妄，以管窥蠡测之见，为移易编次之举，每篇首先明大意，次因证序录，缀以俗解，诸家论说，随集于后，务期各有头绪可寻，使读者得以穷原竟委，不致浩无津涯，颜之曰《伤寒辨证集解》。区区之心，虽未知于仲景原书何如，然视诸家所集，稍不侔矣。语云：愚者千虑，必有一得。余之为此，其有一得焉，否乎，谨录之以质高明者。时同治十三年岁在甲戌桂月中秋前五日，璧山黄钰宝臣自序。

彭元瑾序 世推仲景为医中之圣，天下翕然宗之，但《伤寒论》一书，词简理奥，非绩学士不能究厥精微，虽自晋讫今，注家林立，率多瑜瑕互见，且无端绪可言，无怪读者之茫然也。吾乡黄君宝臣先生，实于是书有心得者，先生学识过人，凡天文、地理、太乙、壬奇、兵阵，无不贯彻，非第规规于医已也，而于医尤精。忆瑾弱冠时，尝执举子业就正于先生，即勉以医学，时方事帖括，未暇究心。自丙子乡举入都后，南辕北辙，足迹几遍天下，始知医之为道，足以济世利人，不可不切究也。庚辰归里，复谒先生于家，获睹其案头所著《伤寒辨证集解》一书，假读一过，见其依经汇证，条理井然，复掇诸注之精华，而衷以己见，令人一见即解，较之诸家训释，诚为完璧。因急请付之手民，先生意未可。瑾曰：先生苦心孤诣，而成是书，原为济世利人，兹仅私为己有，何以津逮后学乎。先生韪其言，即命瑾序，瑾亦不辞，遂援笔而立书之。光绪庚辰仲秋，后学彭元瑾顿首拜序。

按：彭元瑾，字仲山，璧山人。

版本及存佚

《伤寒辨证集解》系《伤寒辨证集解等四种》之一，为清代璧山名医黄钰（1817—1886）所撰，成书于清同治十三年（1874）。兹据《中国中医古籍总目》《新编中国中医古籍总目》等著录及笔者查阅，该书现存版本参见“伤寒辨证集解等四种”条。

本经便读　四卷（1869）存

〔清〕黄钰（天锦、宝臣）撰

出典

中国医学大辞典　本经便读一卷。清代黄钰撰。

香港华商总会图书馆图书目录　本经便读。

四部总录医药编　本经便读一卷。清代黄钰撰。

中医图书联合目录　本经便读。清代黄钰编。

考略

参见“伤寒辨证集解等四种”条。

提要

中药药性论　作者黄钰，书成于清同治八年己巳（1869）。本书对其常用者，以及《伤寒》《金匮》方中引用者，从《神农本草经》收录224种，对时方常用之药而《本经》未记录者，则从《名医别录》中收65种，《唐本草》中收17种，《本草拾遗》中收8种，《药性本草》中收2种，《蜀本草》中收1种，《开宝本草》中收31种，《图经本草》中收2种，《嘉祐本草》中收4种，《日华本草》中收2种，《本草拾遗》中收1种，《本草纲目》中收12种，共369种。作者尊古《本经》之说，强调“医者治病，贵善用药，药之气味，具有五行，五行者天地生成之数，阴阳消长之理，不明乎此，而能用药以治病鲜矣，顾药之适用者固在气味，而当混沌初开之时，其气之寒热温平凉，味之甘苦酸辛咸”。作者极力推重徐灵胎、张隐菴、叶天士、陈修园，各药主要称气味、有毒无毒，偶及禀受及归经，功能主治也简略叙述。

序跋

黄钰自序　医者治病，贵善用药，药之气味，具有五行。五行者，天地生成之数，阴阳消长之理，不明乎此，而能用药以治病者鲜矣。顾药之适于用者，固在气味，而当混沌初辟之时，其气之寒热辛平凉，味之苦甘酸辛咸，果何由而辨别不爽，自非开天明道之圣人，首出庶物，乌能审气察味，定为不易之经哉。《史》称炎帝神农时，民有疾病，未知药石，帝始味草木之滋，尝一日而遇七十毒，神而化之，遂作方书，以疗民疾。所谓方书，虽未指明，世所传《神农本草经》，意其遗也。厥后如伊圣《汤液》，仲景《伤寒》《金匮》诸方，咸遵而用之，罔有或越。《易》所谓明于天之道，而察于民之故，是兴神物以前民用者，其此之谓欤。唐宋而后，卮言日出，经旨反晦，医道之坏，实由于斯，浸淫至今，异学争鸣，各逞臆见，比之洪水猛兽，抑又甚焉。夫士子读书，必宗孔子，非是者即为离经畔道，业医而不宗《本经》，独非离经畔道者乎。虽仲景后，宗《本经》者间亦有人，然不无异同之见。惟国朝徐灵胎、张隐菴、叶天士、陈修园辈，注解《本经》，阐发精蕴，不啻启聩振聋，厥功伟矣。而修园《本草经读》一书，尤多期望后学之意，但经文词旨简奥，语句参差，读者每以艰于记诵为恨。余不揣固陋，取《本经》而编辑之，补短截长，叶以韵语，名曰《本经便读》，极知僭妄无所逃罪，然在初学之艰于记诵者，未必无小补也。至若明于天地生成之数，阴阳消长之理，兼善其君臣佐使之宜，以适于用，而几十全者，则有望于学识兼优之士，神明变化焉，鄙人谢不敏矣。时同治八年岁在己巳春王正月上元后一日，黄钰自序于芸经堂。

版本及存佚

《本经便读》系《伤寒辨证集解等四种》之一，为清代璧山名医黄钰（1817—1886）所撰，成书于清同治八年（1869）。兹据《中国中医古籍总目》《新编中国中医古籍总目》等著录及笔者查阅，该书现存版本主要分为两个系统，一为璧邑芸经堂自刻本系统，一为陈修园医书辑录本系统。其中璧邑芸经堂自刻本系统参见“伤寒辨证集解等四种”条，而陈修园医书辑录本存世较多，最早见清光绪三十一年乙巳（1905）上海商务印书馆铅印陈修园医书五十种本，如重庆图书馆、中国中医科学院图书馆等处均有藏。另，《陈修园医书四十八种》《陈修园医书六十种》《陈修园医书七十种》《陈修园医书七十二种》等丛书均辑入此书，存世亦多，不再赘述。

附：名医别录 一卷（1869）存

〔清〕黄钰（天锦、宝臣）撰

出典

中国医学大辞典 名医别录一卷。清代黄钰撰。

香港华商总会图书馆图书目录 名医别录。

四部总录医药编 名医别录一卷。清代黄钰撰。

现存本草书录 名医别录一卷。清代黄钰辑。

中医图书联合目录 名医别录。清代黄钰（宝臣）辑。

考略

参见“伤寒辨证集解等四种”条。

提要

本草榷论 清代黄钰的《名医别录》和梁代陶弘景的《名医别录》是异书同名。黄钰，字宝臣，四川璧山人。尝“取《本经》而编辑之，补短截长，叶以韵语，名曰《本经便读》。”其书后附《名医别录》一卷。书成于1869年。清代《陈修园医书五十种》，亦附刊黄钰《名医别录》一卷，题署璧山黄钰宝臣编，其子道阶、道真、道久校。该书虽题为《名医别录》，其实和陶氏《名医别录》是两码事。黄钰编的《名医别录》，是从《本草纲目》中挑选143味常用中药，述其性味主治功用，每药编歌一首，别无补注发明。各药编排次序，按历代11种本草顺序排列。兹列举如下：（按：书名及收载药物从略）。从上述11种本草来看，143种药物中，真正属于《名医别录》的药物只有64种，其余79种都不是《名医别录》的药物，请读者不要为书名所惑。

新编中药学辞典 一卷。清代黄钰纂辑。此卷原系黄氏《本经便读》之附录。辑药143种，上自《名医别录》，下至《本草纲目》。卷首妄题《名医别录》，实非《别录》辑本。每药编四言歌括一首，以便记诵，别无发明。

版本及存佚

《名医别录》系《伤寒辨证集解等四种》之《本经便读》卷后附载内容，后被单独辑出成书，为清代璧山名医黄钰（1817—1886）所撰。兹据《中国中医古籍总目》《新编中国中医古籍总目》等著录及笔者查阅，该书现存版本主要分为两个系统，一为璧邑芸经堂自刻本系统，一为陈修园医书辑录本系统。其中璧邑芸经堂自刻本系统参见“伤寒辨证集解等四种”条，而陈修园医书辑录本存世较多，最早见清光绪三十一年乙巳（1905）上海商务印书馆铅印陈修园医书五十种本，如重庆图书馆、中国中医科学院图书馆等处均有藏。另《陈修园医书四十八种》《陈修园医书六十种》《陈修园医书七十种》《陈修园医书七十二种》等丛书均辑入此书，存世亦多，不再赘述。

脉法歌括　一卷（1871）　存

又名平辨脉法歌括

〔清〕黄钰（天锦、宝臣）撰

出典

中国医学大辞典　平辨脉法歌括一卷。清代黄钰撰。

香港华商总会图书馆图书目录　平辨脉法歌括。

四部总录医药编　平辨脉法歌括一卷。清代黄钰撰。

中医图书联合目录　平辨脉法歌括。见伤寒辨证集解等四种。首行作脉法歌，书口作脉法歌括。

考略

参见“伤寒辨证集解等四种”条。

提要

中国医籍大辞典　不分卷。清代黄钰撰。约成书于清同治八年（1869）。系《伤寒辨证集解等四种》之一，并收载于《陈修园医书六十种》。本书以四言歌括形式，论述张仲景、王叔和等有关脉法学说。首述平脉法，论及四时平脉、病脉形成机理及望诊方法；次述辨脉法，把二十八脉分为阴阳两纲，分别论述其主病，简述病理。

版本及存佚

《脉法歌括》（又名《平辨脉法歌括》）系《伤寒辨证集解等四种》之一，为清代璧山名医黄钰（1817—1886）所撰，约成书于清同治十年（1871）。兹据《中国中医古籍总目》《新编中国中医古籍总目》等著录及笔者查阅，该书现存版本主要分为两个系统，一为璧邑芸经堂自刻本系统，一为陈修园医书辑录本系统。其中璧邑芸经堂自刻本系统参见“伤寒辨证集解等四种”条，而陈修园医书辑录本存世较多，最早见清光绪三十一年乙巳（1905）上海商务印书馆铅印陈修园医书五十种本，如重庆图书馆、中国中医科学院图书馆等处均有藏。另《陈修园医书四十八种》《陈修园医书六十种》《陈修园医书七十种》《陈修园医书七十二种》等丛书均辑入此书，存世亦多，不再赘述。

经方歌括　二卷（1871）　存

〔清〕黄钰（天锦、宝臣）撰

出典

中医图书联合目录　经方歌括。清代黄钰（宝臣）辑。

考略

参见“伤寒辨证集解等四种”条。

提要

金匮要略方论书目提要　经方歌括二卷。清代黄钰撰。成书于1871年。作者认为,《素问》《灵枢》详于针而略于方药，“至汉张仲景著《伤寒论》《金匮玉函经》专以汤药治病，始有法有方。是医方之祖，实推仲景。而仲景之方非必仲景所制，有不少出自伊尹《汤液经》，有《汤液经》之方更出上古，故谓之经方”。作者编撰本书是鉴于陈修园父子《长沙方歌括》《金匮方歌括》拘于声韵，未能标出方名，如有加减又另附一歌于后，认为其“立意虽善，恐初学熟读之余，药品分两不夹毫厘，而问以方名，或茫然不辨也”。为启迪后学，乃用韵语，但又不拘诗律之法，将经方归类而释之。全书分上下二卷。上卷释《伤寒》方，按徐大椿《伤寒论类方》排序；下卷释《金匮要略》方，按《金匮要略》原文之序，将各篇各方的药物分量、所治疾病的主证，用歌诀形式概括。歌诀之间挟有小字注文，歌诀之后加“按”，引历代诸家之方论，阐述该方所治病证的病因病机、各药药性药理、组方原则、煎法服法、服药禁忌等，类似现代方剂学著作，故与一般意义上的歌括有较大区别，实开现代方剂学著作之先河。

序跋

黄钰自序　医之有方，犹工之有规矩绳墨也，工舍规矩绳墨，必不能成器，医舍方，必不能愈疾，方之为用大矣。顾《灵枢》《素问》详于针灸，而略于方药，除鸡矢醴、半夏秫米汤等节外无方。《难经》阐《内经》之旨，而补其所未备，亦有法无方。至汉张仲景著《伤寒论》《金匮玉函经》，专以汤药治病，始有法有方，是医方之祖，实推仲景。或谓仲景方非必仲景所制，皆出于古伊尹《汤液经》，而伊尹《汤液经》又出于上古，即所谓经方也。夫曰经方，则泄造化阴阳之秘，明生克制化之理，实千圣相传之遗，宜为万世所不易矣。胡宋元而后，异学争鸣，妄自立方，蛊惑后世，而世之业医者，反乐其浅易而从之，浸淫至今，锢蔽愈甚，如癥瘕坚结，牢不可破，势且不知仲景之为何如人，又安知经方之为何如方，医道之坏，至于此极。赖时贤徐灵胎、陈修园辈起而倡明之，其各种著述，不啻大声疾呼，振聋启聩，近亦渐有沉溺知反者。奈经方药品之多寡不齐，分两之轻重各异，煮法、服法皆有精意存乎其间，自非强记过人者，恐未能一一背诵不忘也。修园悯之，作《长沙方歌》《金匮方歌》以惠世，但每方作歌一首，而每首必拘于声韵，方名亦未能标出，其有加减者又另附一歌于方后，立意虽善，恐初学熟读之余，药品分量不爽毫厘，而问以方名，或茫然不辨也。余不揣固陋，因其意而编辑之，不拘于诗律之法，惟取稍叶韵语，每首必先提出方名，同类之方随便汇入，加减之法即附于中，药品分两备具无遗，煮法、服法亦注于下，复采诸家方解载于后，间亦窃附鄙见，分为上、下两卷。惟《伤寒》方略依徐氏《类方》序次，《金匮》方概依原文，其重见互见者不备录，非第省文，且便记诵也，学者熟复于此，以之治病，纵不能几于十全，亦必无偭规错矩，改绳削墨之诮矣。倘能由经方而穷究经旨，于以升堂入室而神明变化焉，直将胥天下而登于仁寿之域也，生民岂有夭札之患哉。同治十年岁在辛未孟夏月佛生后二日，黄钰自序于芸经堂之醉香斋。

版本及存佚

《经方歌括》系《伤寒辨证集解等四种》之一，为清代璧山名医黄钰（1817—1886）所撰，成书于清同治十年（1871）。兹据《中国中医古籍总目》《新编中国中医古籍总目》等著录及笔者查阅，该书现存版本参见“伤寒辨证集解等四种”条。

寿世新方两种（1876）存

〔清〕王文选（锡鑫、席珍子、亚拙山人）撰

子目：

（1）寿世医鉴　三卷

（2）方便一书　一卷

出典

中国中医古籍总目　寿世新方二种。清代王锡鑫撰。子目：①亚拙医鉴；②方便一书。

考略

参见“医学切要全集六种”条。

序跋

张鸿藻募刊寿世新方序　方书之歧出久矣，或词旨深奥，或卷帙浩繁，阅者目眩心迷，往往莫窥其门径，求其简而赅，明而确者，不綦难乎。亚拙王翁所著《寿世新方》二卷，版存万邑有年，富商兴发寿，贾货汉安，曾赍送若干部。王子秉钧见而悦之，谓其深者出以显，繁者归于约，其中辨症之精，用药之审，分门别类，部位厘然，虽素未谙医者，一览而可得其要。昔秦越人饮上池水，视病能洞见癥结，似此鉴形切脉，表里莹彻，庶为近之，诚哉简而赅，明而确也。我邑公板局，凡《灵枢》《素问》《理瀹骈文》，暨《医验录》《三家合注》《伤寒集注》诸书，皆经前辈醵资锓板，以广其传，则是编之刻，亦曷可少哉，与其远而求之维艰，不若近而取之甚便，与其暂而得之有数，不若久而垂之无穷。第剞劂所需，匪独力所能任也，爰约同人，互相捐募，缮写将绣梓，征序于余。余嘉其志，韪其行，不禁跃然曰：是举也，补生成于造化，弥愆伏于阴阳，行见疵厉潜消，祥和共迓，胥一世而寿域同登矣。特撮叙其颠末，俾后之获此书者，咸知其来有自云。时光绪十六年庚寅季秋，汉安岁进士候选训导张鸿藻顿首拜撰。

版本及存佚

《寿世新方两种》（即《亚拙医鉴》《方便一书》两种）为清代万县（今重庆市万州区）名医王文选（1808—1889）所撰，均成书于清光绪二年（1876）。兹据《中国中医古籍总目》《新编中国中医古籍总目》等著录及笔者查阅，该丛书现存版本见：

清光绪二年丙子（1876）万邑同仁堂刻本（见存）

清光绪十六年庚寅（1890）内邑文庙刻本（见存）

长春中医药大学图书馆

清光绪二十七年辛丑（1901）刻本（见存）

国家图书馆　上海图书馆

寿世医鉴　三卷（1876）存
又名亚拙医鉴

〔清〕王文选（锡鑫、席珍子、亚拙山人）撰

出典

全国中医图书联合目录　寿世医鉴三卷。清代王锡鑫撰。

考略

参见“医学切要全集六种”及“寿世新方两种”条。

序跋

王文选自序　历代医书俱言望闻问切为四诊，余初集《医学切要》《光明眼科》《医学易读》等书，首集以望病歌诀，惜业医者信口读过，未暇思索，往往认症不确，心常耿耿焉。第余精此业已有数十余载，今则年近七旬，将生平看病秘诀，悉书于后，但天下义理无穷，一人知识有限，愿世之高明者，有活人寿世之心，详加定论，余真翘首而深望焉。光绪丙子春，万邑锡鑫王文选谨记。

王和序　夫红杏青囊之术，玉函金柜之书，非不足活人而寿世，然皆词旨奥衍，难索解人，在医学家得其糟粕，自用师心，往往见一症，以实为虚，以虚为实，以寒为热，以热为寒，审辨不真，贻误生灵者多矣。余心悼者久之，窃欲撮其捷要，归诸简易，俾天下之智者愚者，一见了然，而知病之或虚或实，或寒或热，确乎其不可易，则投药之下，万病回春，余窃有志而未逮焉。丙子春，偶过亚拙先生斋头，煮茗谈心。少焉，出《医鉴》一书相示。余盥手读之，见其鉴面、鉴目、鉴舌诸篇，历言脏腑受病，无不毕形诸外者，辨证既精，而病之虚实寒热，不可得而遁，如鉴之朗照无遗矣，则此帙直发古人未发之秘，传古人未传之书，所谓捷要简易者，悉于是乎在。余爱之慕之，亟劝梓之，以公同好，后之览者，莫不诧为神奇，而必求神奇之所自来，须识先生利济为心，尝造善堂，诊脉发药，每日乞医者，或数十人，或百余人，无不获其效以去，故多以神仙之号奉先生焉，则是书之传，诚先生心得

也。先生前后刊医书数部，原不惜金针度人，而余独酷好是书者，亦以捷要简易实获我心，则其活人而寿世，当不让红杏青囊之术，玉函金柜之书也。是为序。光绪二年丙子岁暮春之初，吏部注册训导王和顿首撰。

瞿炳昶序 昶少读《安乐铭》一书，即知有万邑亚拙王公，心虽向往之，而山川间隔，无由悉其人为何如人。迨同治甲子，下第归来，晤同里媚叔宝田谢翁，始知是科获隽燮元王君，即公家君也，因为昶述其为人行事，且言公系医中国手，生平著医书若干卷，辑善书数十种，家不中资而好善乐施，耻居人后。昶慨然曰：古之人与，古之人与，其为生民造福无涯者，即其为一己造福无涯者也，一叶扁舟，定当不惮修阻，造门请谒。乃丙寅岁，公适来涪，昶即因谢翁延公小住。公时已周甲，而鹤发童颜，飘飘乎有出尘之概，聆其绪论，言言金石，绝不似当今技艺者流，仅以辨剖明晰见长。噫！公真报经济之才，聊藉是以抒其胸臆者耶。古人云：良医功同良相，信不诬矣。自此以后，一别十年，鸽鳞乏便，而瞻仰徒殷。今秋来城，倏觏公面，接见之下，强健犹昔，而精神益旺，眉目间隐隐神采焕发，惟善人现寿者相，知公上邀天眷，享大年以膺厚福者，盖有由也。公客涪已四阅月，闻俟次君及少君乡试言归，始买舟东下，将见蟾宫桂馥，方竞爽于秋杪，风阙花香，又联镳于春暮，国典重褒，丝纶屡贲，昶可为公计日待之。时州人士醵金刻公所著《医鉴》，昶素不知医，不能阐书中之奥，又啬于财，未能效一臂之力，聊举数十年仰慕佩服之忱，弁诸简端，以志公德云。时光绪二年丙子仲秋，涪陵岁进士候选教谕曙岩瞿炳昶拜撰。

魏明谦序 昔范文正公等为医于为相，是医之道固可以济世也，而亦可以寿世。虚实寒热，业医者亦未始不知，至问其何者为虚，何者为实，何者为寒，何者为热，则惝恍无凭，是生人之方，转而为杀人之术矣，安望其能寿世乎。锡翁王老先生者，与予交有年矣，生平精岐黄，所著各种医书已遍布于世，而犹未知其医之神也。去秋八月，偶感风寒，众医皆谓体弱宜补，讵知愈补愈弱。至今正上元时，神愈衰，气愈促，饮食减少，汗热交作，而头痛几无已时，乃遣伻延至。先生观其面目，察其唇舌，则曰：风、热、湿三者俱重，且过服补剂，非用熟军不可。佥谓形销骨立，而顾可剥削乎？先生曰：此非吾，亦不能为力矣。于是一剂而痛止，再剂而汗息，三剂而神色渐和，卒之服四十余剂，未离熟军，而热乃渐化，而渐平。斯疾也，非先生于虚实寒热知之真，辨之明，而能奏效如是之速乎。先生留予舍月有十日，老媪少妇，白叟黄童，求治者门无停履，或三二十里，或四五十里，闻风而来者，舆马络绎不绝。先生口讲指画，药方日书百纸，无不立效，先生真神乎其技也。先生来时，赐予《医鉴》一书，焚香盥诵，其于虚实寒热之理言之详矣，乃知先生之医，不惟可以济世，而并可以寿世也。予不敢忘先生之德，因备述巅末，附之简篇，以告世之业医者，家置一编，朝夕细审，其寿世之功，必能步先生之后尘，当亦为先生所首肯也。是为序。时光绪三年丁丑岁孟夏月上浣，南浦贡生益菴魏明谦顿首拜撰。

谢彬小引 医家书汗牛充栋，纷纷杂出，类皆本诸黄帝《内经》，伊圣《汤液》，仲景《伤寒》诸书，以发明其说，汇集成编，间有各持臆见，著立新方，珍为异传，亦无非寿世活人之遗意，开卷良有益也。蜀东万邑亚拙先生，今之扁鹊卢医也，少勤学于书，无所不读，长游四方，历览名山大川，胸襟广拓，归而潜志岐黄，独得医家三昧，慨然有济世深心，欲为藉术以阐道者。于是纂集诸家切要，以庸近之辞，寓精微之理，手书数十卷，刊梓寿世，盛行于时，已历有年矣。今先生年逾七旬，精神矍铄，犹思以未隳壮志，毕罄仁心，合数十年手订之书，采其要，探其微，集成一编，曰《亚拙医鉴》，亦精益求精之义也。兹先生束装游涪，载书百余卷，遇留心斯道者，辄持赠以广其传。余于客岁冬，获先生面钦，其言论丰采，时深景慕。闻先生至，即叩斋请谒，随出所著《医鉴》以示余，余观其原委，井井然有条不紊，实体夫本朝《御纂》一书，而约而该之，显而揭之者也。吾涪乐善诸君子欲为先生寿其传，付诸剞劂，为救世宝笺，先生固有心救世者也，援笔脱稿，属余一言以弁其首。余固陋劣，恐转以荒芜，为是书秽，但余少时嗜医学，课塾毕，辄置卷案头，卒半世未窥其阃奥，今见先生书，若涣然释，跃然起也。爰志其巅末，为之小引。丙子科涪陵举人谢彬琴珂氏撰。

范兆兰题赞 《医鉴》奇书，救生慈航。心得秘授，正宗岐黄。望闻问切，四诊最详。鉴形知病，如见肝肠。寒热虚实，辨别甚良。医能会悟，犹遇长桑。此书赠名，《寿世新方》。刊传远布，功德无量。岳池举人范兆兰庭香甫拜题。

卢兴荣序 上古圣贤立德、立功、立言，久而不废，名垂不朽，尚矣！下此则惟利是图，灭裂了事已耳。荣阅多邑，咸如是焉。及万，始遇王君锡翁。溯其生平，孝友传家，淡泊自若，幼即好义，弃儒业医，曾出游于涪、于云、于荆沙，历有年所，人每以神医称之。家藏善书、药书最多，故令嗣或庠，或廪，或孝廉，一门之内，几无白丁。迄今年逾七旬，愈加培植，不减夙志，偶暇即辨症辑方，日无虚度。近以所得之心法，所治之险症编成一书，题其次曰《寿世医鉴》。令戚陈君眉山，无善不作，力劝付梓。翁未敢自信，出以示荣，荣捧读之，觉烛症之精，审症之的，用药之当，直协仲圣以下诸家，而如出一手。世之学业深厚者阅之，开眼界，广慈仁，端品行，固不卜而可知。即学问疏浅者，一见朗然，毫无窒碍，居恒䌷绎，临症详审，对症投方，其效验必皆如射中鹄，如鼓应桴。颂王君立功之无量，亦颂陈君之立德于无涯矣。然而人之好善，谁不如我，览是编者，苟能扩而充之，推而广之，以共为传宣流播，则又岂特王、陈二君之功德不朽已哉。时光绪己卯年寿星月，云邑南乡卢兴荣敬撰于古万州联升客邸。

张永熙题赞 锡鑫先生，涵养性成。手著医书，剀切详明。脉诀汤方，辨别尤精。心存寿世，万古留名。光绪五年己卯岁孟夏月，赐进士出身署理万县知县年愚侄张永熙顿首题。

按：张永熙，广西灵州人。清同治辛未科（1871）进士，光绪四年（1878）署万县知县。

版本及存佚

《寿世医鉴》（又名《亚拙医鉴》）为清代万县（今重庆市万州区）名医王文选（1808—1889）所撰。成书于清光绪二年（1876）。兹据《中国中医古籍总目》《新编中国中医古籍总目》等著录及笔者查阅，该书现存版本见：

清光绪二年丙子（1876）万邑王同仁刻寿世新方两种本（见存）

重庆三峡高等医药专科学校图书馆　成都中医药大学图书馆　等

清光绪十年甲申（1884）三义公刻本（未见）

河南省图书馆

清光绪十六年庚寅（1890）内邑文庙刻寿世新方两种本（见存）

长春中医药大学图书馆

清光绪二十七年辛丑（1901）温邑张子端家刻寿世新方两种本（见存）

国家图书馆　上海图书馆　等

方便一书　一卷（1876）存

又名方便第一书

〔清〕王文选（锡鑫、席珍子、亚拙山人）撰

出典

全国中医图书联合目录　方便一书。著者佚名。

中国中医古籍总目　方便一书。清代王锡鑫撰。

考略

参见“医学切要全集六种”及“寿世新方两种”条。

提要

中国医籍大辞典　不分卷。不著撰者。成书于清光绪二十七年（1901）。作者因感于方书浩繁故择其简便者编成此书。书中首列“药性六字经”，以歌诀形式记述常用药物的药性、功效；其后列方剂一百七十余首，所治疾病涉及内、外、妇、儿多科；后附“养生宜习”“养生古绝句十二首”等内容。

按：王锡鑫《方便一书》未见自序，难以确定其准确成书时间。兹考《方便一书》系《寿世新方两种》之下部，且与《寿世医鉴》一同刊行。两书成书时间应大致相同，故或亦成书于清光绪二年（1876）。

序跋

王文选药性六字经　世上业医诸君，休将医理看轻。一十三代名医，俱皆理学仙真。著有医书充栋，方名《肘后》《千金》。俱皆词旨深奥，脉理细微难精。恐有不察虚实，执见贻误苍生。余录《医鉴》一书，专以相面鉴形。五脏虚实寒热，现于面目舌唇。务须诊脉问证，方可寿世活人。下卷内外诸方，对症用之最灵。余将当用之药，略载寒热温平。（按：以下为药性歌赋，从略）

按：王文选《方便一书》未见自序，此篇“药性六字经”列于卷首，笔者感其

颇类自序，故移录于此。

田长顺重刊序 尝闻古医以实学济世，今医以稍学肥家，即其立心，已君子小人迥判矣，故略操方技，敢于问世。夫医也者，所以济世活人也，若病之经络，不能识其浅深，药之品性，不能别其温凉，徒观病者之形色言语，以植某药，又安能延生保命，起沉疴于危急之项哉。甲辰冬，余友田君长顺者，至蓉城赎货，授得《方便第一书》回镇，册中有数百灵验之方，内外眼科，诸般杂症，用之亦屡验。时太镇通判章祖次女偶然奇症，延医无数，未瘥，出示招医，无敢施剂，田君将此书细揣，询其病源，呈一方服之，剂而痊。梓州钟祖，忽染奇症，数医不应，田君亦呈方，不数日而愈。李观察由京至省，痨内长春，是夜三更，忽遍体俱疼，仆人城厢延医无效，待至天明，田君闻之，呈剂一刻而愈。从此城乡闻之，无论何症，胥祈此灵方以治。丙午春，田君同杨生汇源者，于茶社闲谈，言及庸医误人，方商刊板此书以济世，嘱予为序。予读遍此书，真乃救世针砭也，无论富贫，均可家置一本，以剂急症，恐有骤疾，延医不果，照此方治之，无不保全厥命也。书名《方便第一》者，不妄获人利也。然天有好生之德，岂有人不惜性命乎，既知惜命，速敦伦常，伦常有亏，其方必不灵也。若将此书翻板刷送者，其功不可思议，亦不负田、杨二君之婆心也。是序。光绪丙午年四月二十四日重刊。

涂秉珊题田裕生补刊序 万州亚拙山人，其有道之士欤，所编《方便第一书》，以验方济人，以养生醒世，而归结于劝善，质诸科学昌明之世，或有疑焉。然医学列在专门，法律不外与人为善，非空言无补于世者也。清光绪末，邑人田君长顺得之于蓉市，归而翻印布送，遂流传川北，活人无算。田君逝世四十余年，此书漫漶无几，其嗣君裕生不忍先人手泽泯焉耗灭，谋补印千部，问序于予。余曰：此仁人孝子之心也。昔陆忠宣尝集《今古验方》五十篇，手抄不倦，以示乡人。欧阳公泷冈阡表于皇考，崇公之德，叙之独详，亦同此心。裕生五岁而孤，赖母氏以养，以教勖其学业，卒能雍容礼让于槐市之下，宁非为善之报。裕生每述先德，泫然涕下，思法庐陵大书以致意，而所成不足以重亲，仅就已成善果，继续前固。是举矣，即欧阳报亲之心，亦忠宣济世活人之怀也，余故深嘉而乐道之，于是乎书。中华民国三十三年甲申岁仲秋月，邑人涂秉珊撰。

版本及存佚

《方便一书》（又名《方便第一书》）为清代万县（今重庆市万州区）名医王文选（1808—1889）所撰，约成书于清光绪二年（1876）。兹据《中国中医古籍总目》《新编中国中医古籍总目》等著录及笔者查阅，该书现存版本见：

清光绪二年丙子（1876）万邑王同仁刻寿世新方两种本（见存）

清光绪十六年庚寅（1890）内邑文庙刻寿世新方两种本（见存）

长春中医药大学图书馆

清光绪二十七年辛丑（1901）温邑张子端家刻寿世新方两种本（见存）

国家图书馆　上海图书馆　等

温氏医书三种（1876—1886）存

〔清〕温存厚（载之）撰

子目：

（1）小儿急惊风治验　一卷

（2）温病浅说　一卷

（3）温氏医案　一卷

出典

四部总录医药编附录二　温氏医书三种。清代温存厚撰。清光绪十二年丙戌自刊本。温病浅说。温氏医案。小儿急惊风治验。

全国中医图书联合目录　温氏医书三种。清代温存厚撰。子目：①温病浅说；②温氏医案；③小儿急惊治验。

考略

［光绪元年］长寿县志　卷六，职官志。把总。温存厚，巴县人。

［光绪十八年］秀山县志　卷八，兵志。右营专城讯把总，嘉庆二年置。嘉庆至咸丰时十一人。温存厚（按：列第十）。中寨讯外委，道光时置。咸丰同治光绪时凡十人。温存厚，巴县人任。

［光绪二十年］永川县志　卷七，职官志。汛防。温存厚，巴县人，同治元年代任。工诗，邑中山水题咏几遍，《吊沈主》五古数章，语尤悽恻。

中华医学大辞典　温存厚，字载之，清巴县人。历官总兵。著《温病浅说》《温氏医案》《急惊风治诠》。

提要

中医古籍珍本提要　温病浅说、温氏医案。温载之撰。均成书于1886年。温氏弱冠从戎，久经战事，每见士卒患疾，苦无良医，乃留心医学，临症三十余载。谓吴鞠通之《温病条辨》头绪纷繁，王孟英之《温热经纬》词义深奥，非深于医道者不能融会贯通，于是提纲挈领，要言不繁，作《温病浅说》，务使家喻户晓，不为庸医所误。《浅说》篇幅短小，浅显易读，首先发挥仲景《伤寒论·太阳篇》温病脉证提纲一节，然后从理论上阐述了温病发病机理及立法处方用药原则。此外又据作者临症体验，列举治温五忌、五宜、温症各方、温病逆证须知等项。《温氏医案》载温氏临症各科治验48则，其立案简明，理法清晰，方药精当，变化灵活，很有参考价值。古人云用药如用兵，治疾如治国。从中亦可见其一斑。书末附“小儿急惊风治验”。

序跋

李玉宣序 天下之患，常忽于至微，而酿于心之弗探其要。当其萌蘖甫兆，有识者审几察变，洞测夫祸患从出之源，起而匡正补救之，虽有大难，隐然消弭于无形；委而属之暗庸卤莽之夫，则颠倒错乱，措置益乖，势且溃败而不可收拾。身之有疾，亦犹是也。风温病象，初发绝类伤寒，而根源寒热悬殊，治法迥异。前贤论著奥深，亦颇源流歧混，后人鲜识指归，临证贸然，往往滋误，心窃悯焉。岁庚午，承乏巴邑，与温君载之同官，相得甚欢。其襟宇渊雅，不类武人，而才识宏博，谈兵之暇，旁涉轩岐，能穷其精微，而神明变化之，尝为人治疾，所活甚众。会刘甥辑五婴病，医者以伤寒法疗之，濒殆，君至则力主风温，诊辨精确，投药立瘥。余既欣愕钦服，因就商曰：君治温疾信神妙，顾海宇广矣，安得如君者数十百辈而遍济之，无已，则盍笔之于书，以告来者。君曰：是余志也。今年春，撰著斯编，附缀医案，邮寄见示，且索弁言。披绎数过，其探本也，如涉昆仑而穷河流之源；其辨证也，如然犀牛渚而幽怪毕现，洵可谓心患而能探其要者矣。亟付手民，冀广流传，庶临证者奉为指南，及早辨审，不至溃败而不可收拾，是则有以拯斯世夭枉之厄，而补阴阳造化之偏也，岂其微哉。是为序。光绪十三年仲夏上浣，调署资州直隶州知邛州事愚弟李玉宣拜题。

按：此序见于《温病浅说》《温氏医案》两书之前，据其文意，移录于此。

李玉宣，河南祥符人，同治九年（1870）任巴县知县，同治十二年（1873）去任，次年复任巴县知县，约于光绪三年（1877）再次去任。

版本及存佚

《温氏医书三种》（即《小儿急惊风治验》《温病浅说》《温氏医案》三种）为清代巴县（今重庆市）名医温存厚所撰，先后成书于清光绪二年（1876）至十二年（1886）之间。兹据《中国中医古籍总目》《新编中国中医古籍总目》等著录及笔者查阅，该丛书现存版本见：

清光绪十三年丁亥（1887）渝州温氏自刻本（见存）

中国中医科学院图书馆　上海中医药大学图书馆　四川大学图书馆

清光绪二十三年丁酉（1897）重刊本（见存）

小儿急惊风治验　一卷（1876）存

〔清〕温存厚（载之）撰

出典

四部总录医药编　参见“温氏医书三种”条。

中医图书联合目录　急惊治验。清代温存厚撰。

考略

参见“温氏医书三种”条。

提要

中国医籍大辞典　一卷。清代温存厚撰。成书于清光绪十二年（1886）。系《温氏医书三种》之一。又附载于《温病浅说》。论述治惊用栝楼桂枝汤及葛根汤两方之妙及宜忌。并列急惊兼痰甚、喘急、烦热、大便秘结、外感等治法六种，收方六首。

按：《小儿急惊风治验》卷末见温存厚自署“光绪二年仲秋月上浣述于浮图汛署之三惜书屋”。因而可知，该书撰成于清光绪二年（1876）。

序跋

李玉宣序　医之为道，得意则良，游移者无据，固执则鲜通，皆非善读古人书者也。吾友温君载之，厕身戎伍，屡著战功，其磊落英多气概，自足辟易千人，而能纯谨自守，和蔼可亲，宛然道学家风焉。其由忠州营移浮图汛，公余则潜心岐黄，博览群书，于张仲景先生《伤寒》《金匮》二书及喻嘉言、陈修园诸编，尤为折衷至当，别有心得，故每临危症，莫不应手奏效，其读书得间盖如此。今岁夏，其世兄偶患惊风之疾，诸医束手，百药罔效，温君于是细察古方，参之已见，试以桂枝葛根汤，两剂而愈。嗣余外孙女亦膺是疾，复遵是方疗治之，亦不越日而瘳。信乎古人立方，其效固捷于影响，是在人神而明之耳。余不敢秘其善，亟请付诸剞劂，以广其传。温君始犹惴惴不敢自信，复执是方反复而详参之，并细述夫病之原委，药之重轻，以及引用是方准今酌古之义，了然无疑，始以畀余。余则谓医学一道，本极精微，古方具在，人顾习焉不察耳，是区区者又乌足以问世。然世之业是术者，苟能援是方而推广之，则于《达生》《福幼》诸篇外，未必非考证之一助云。光绪二年秋九月既望，知巴县事愚弟李玉宣拜题。

温存厚末署 光绪二年仲秋月上浣，述于浮图汛署之三惜书屋。

按：巴县浮图汛署设于浮图关内，在大坪与鹅岭之间，是重庆城区主要制高点之一，环江悬崖，为古时巴县咽喉，兵家必争之地。

版本及存佚

《小儿急惊风治验》为清代巴县（今重庆市）名医温存厚所撰，约成书于清光绪二年（1876）。此书未见单行本存世，至光绪十三年（1887）始附于《温氏医书三种》中刊行。兹据《中国中医古籍总目》《新编中国中医古籍总目》等著录及笔者查阅，该书现存版本参见“温氏医书三种”条。

温病浅说 一卷（1886） 存

〔清〕温存厚（载之）撰

出典

中国医学大辞典 温病浅说一卷。清代温存厚撰。

增订通俗伤寒论附历代伤寒书目考 温病浅说一卷。清代温存厚撰。

四部总录医药编 参见“温氏医书三种”条。

中医图书联合目录 温病浅说。清代温载之撰。

考略

参见“温氏医书三种”条。

提要

温病大成书目提要 温病浅说，不分卷，为温病医论著作。清代温存厚著于光绪十二年（1886 年）。此书文字简短，大致为作者结合本人临床经验，对诸家温病理论之心得体会。作者同意“寒温异病”，并认为从《伤寒论》开始，便强调二者不同。但是他不完全同意《温疫论》《温病条辨》所论，认为前者为瘟疫所作，后者有可遵与不可遵之处。其书首论温病证治，从《伤寒论・太阳病》篇温病脉证提纲入题，扼要论述温病发病机理及立法处方用药原则，次列温病五宜、五忌，后附温症 8 方，末有温病逆症须知及辨明各家寒热混淆。主张温病治法切忌麻、桂等辛温发散，芩、连等苦寒燥湿也不相宜，总以“散以辛凉，润以甘寒”为“八字妙诀”，以“存津液”为重要。

序跋

温存厚自序 医理渊深，最难探讨，病变百出，鲜识其名。世人只知有寒病，而不知有温病，由来旧矣。良由近日医家，少读古书，至于《内》《难》等经，概置不讲，仲景《伤寒》，习焉不察，只取坊间浅易诸书，奉为枕中鸿宝，寻常症候，略治即愈，疑难之症，举手茫然，风寒燥火，一律混同。殊知古人立法，一病有一病之名，一症有一症之方，先将病名认确，然后施治无差。今人一见发热，不辨何症，统名曰寒，须知六淫之气，俱能令人发热，必须辨别清楚，用药乃见奇功。温病发热，颇似伤寒，稍不细辨，更易混淆，汉唐以来，未有专书。虽吴鞠通立有《温病条辨》，王孟英纂有《温热经纬》，其发明温病，不遗余力，奈《经纬》辞义深奥，《条辨》头绪纷繁，非深于医道者，不能融会贯通，余是以有《温病浅说》之作。此书之旨，务使家喻户晓，不为庸医所误，错热为寒。余临症卅余年，而于温病略有领悟，不过千虑一得，非敢炫长也。癸酉春，李太守听斋任邑侯时，渠甥刘辑五染患温症，被医误用辛温，势成危殆，延余诊治获痊。彼时听翁即嘱将治温之法，纂述刊布，然而吾斯之未能信，请缓时日，迄今十余稔矣。又经屡治有效，差堪自信。听翁复函催数四，兹将治温要诀衍为《浅说》，以公诸世，一则以副听翁慈祥恺悌之怀，一则以愿世人寿域同登，永无夭札之患。但余一介武夫，管窥之见，其有不合者，尚冀高明之士，举而正之，则又余之厚幸也已。时光绪十二年岁次丙戌中秋月中浣，渝州温存厚载之叙于荆花楼。

版本及存佚

《温病浅说》系《温氏医书三种》之一，为清代巴县（今重庆市）名医温存厚所撰，成书于清光绪十二年（1886），次年刊行。兹据《中国中医古籍总目》《新编中国中医古籍总目》等著录及笔者查阅，该书现存版本参见“温氏医书三种”条。

温氏医案　一卷（1886）存

〔清〕温存厚（载之）撰

出典

中国医学大辞典　温氏医案一卷。清代温存厚撰。

四部总录医药编　参见“温氏医书三种”条。

中医图书联合目录　温氏医案。清代温载之撰。

考略

参见“温氏医书三种”条。

提要

中国医学大辞典　温氏医案一卷。清代温存厚撰。中载治气肿及疯狗咬伤两方，为他书所未见。

中国医籍大辞典　不分卷。清代温存厚撰。约成书于清光绪十二年（1886）。本书记载温氏三十余年治温验案。辨证确切，治法主凉、润、清、和，忌汗、吐、下、温、补，并创用“清凉散”治温病初起，颇切实用。医案并涉及伤寒与内科杂证和急惊治验，有一定临床参考价值。

中国古医籍整理丛书校注后记　《温氏医案》中多处强调治病首重辨证，辨证精准才能治疗正确。温氏虽精于温病，但在具体治疗时擅长辨证，辨别是何种病证，运用不同的治疗方法，不局限于温病的论治。在辨证时，温氏还不拘泥于世俗的观点，充分体现其辨证水平之高。书中还强调治病时要“审病求因”。书末附“疯狗咬方”及“辟催生论”。“疯狗咬方”中狗肾草治疗疯狗咬伤，并载可用黄豆来试被疯狗咬伤之后毒性的强弱，这些内容在其他医案书籍中鲜有记载。在“辟催生论”中，他提出要顺应自然，不要盲目相信催生之说及催生之剂。对于作者的贡献，要辨证地对待，《温氏医案》一书中也有些需要批判的观点。但瑕不掩瑜，《温氏医案》具有较高的临床实用价值。（节录）

序跋

温存厚自序 尝闻用药如用兵，治疾如治国，谓其所关系者甚大，所补救者甚宏，究非浅尝辄止者，能测其底蕴者也。夫用兵，险事也，社稷之存亡系焉；治国，重权也，生民之长养赖焉。医之为术，亦复类是。予束发受书，弱冠从戎，而于岐黄一道，未暇探讨。咸丰间，出师黔楚，转战蜀中，见士卒蒙犯风霜，感受湿秽，苦无良医，病多不起，予触目而心恻焉，乃留心医学，无非利己利人。迄今三十余载，将历年治验诸方随时笔记，聊以自证，非敢授人。兹因李太守听斋嘱，将治温要诀及历年医案，命予述出，以公同好。予一介武夫，乌能以管窥之见，炫诸当世耶，奈听斋济世心肫，函促再四，不揣固陋，订为编目，酌核之余，终觉词旨肤浅，不堪示人，尚冀高明之士，更从而正之，或可稍释汗颜矣。时光绪十二年岁次丙戌仲秋月中浣，渝州温存厚载之叙于荆花楼。

版本及存佚

《温氏医案》系《温氏医书三种》之一，为清代巴县（今重庆市）名医温存厚所撰，成书于清光绪十二年（1886），次年刊行。兹据《中国中医古籍总目》《新编中国中医古籍总目》等著录及笔者查阅，该书现存版本参见“温氏医书三种”条。

医学崇正三种（1894）存

〔清〕罗绥堂撰

子目：

（1）医学崇正伤寒便读　一卷

（2）医学崇正金匮便读　一卷

（3）医学崇正温瘟歌括　一卷

出典

中医图书联合目录　医学从正三卷。清代罗绥堂撰。

新编中国中医古籍总目　医学崇正三卷，又名医学从正。清代罗绥堂撰。子目：①伤寒便读一卷；②金匮便读一卷；③温瘟歌括一卷。

考略

罗绥堂，垫江桂溪人。幼读儒书，后改习岐黄。学宗仲景，善用经方，师法喻嘉言、陈修园两家之学。其医技精湛，求治者踵门。晚年留心著述，著《医学崇正》三卷及《脉理挈要》一卷（已佚）。

序跋

蒋辑廷序　业医之道，莫要于博览医书。近世以来，医书辈出，其遗饷后学者，不为不多，但有力之家，采买虽便，每涉猎而不精；至穷乡粗学，又素不睹古人书卷，而漫以肤浮之学应人，此医之所以难言良矣。予友绥堂罗先生，特立独行士也，幼业孔孟，长习岐黄。予尝聆其谈理，观其立方，盖深得古人之秘，而神而明之者。甲午秋间，袖《医学崇正》一书以示予。予遍览之，见其立论数篇，编《伤寒》《金匮便读》各百余章，后复注有治疗新案数十册，其言约而赅，其旨显而核，其根底则祖医圣，其师承则宗喻、陈两贤。予曰：先生此编将传世否乎？曰：予悯医学失真，草此以为子孙，示家法耳，若问世则愧不敏。予曰：先生以生平得力之学，著成一家，法已善矣，顾藏而私诸一家，何若出而公诸一世。况孔孟之学，必由博而返约，岐黄之术，不妨先约而后博，诚使后之业医者，得是编而精求之，探其源以溯其流，揣其本以及其末，于以穷《金匮》《青囊》之奥，入古贤先圣之室，将举世无庸俗之医，即举世蒙方术之福。则读此书而更参以他书可也，读此书而不遍览群书亦可也，岂第家学云乎哉。光绪甲午秋八月，枳水增生蒋辑廷拜撰。

按：枳水，即枳江，为乌江古称。乌江为贵州省第一大河，发源于贵州西部乌蒙山东麓，横贯贵州中部及东北部，至贵州沿河县后折入重庆，经彭水、武隆两县，由涪陵汇入长江。乌江在重庆境内古称黔江、枳江等。

张炳灵序 范文正公有言，良医比良相，医之道大矣，非潜心义理者，莫能究其微，非洞悉精微者，莫能神其用。近世庸医杂出，活人之术用以杀人，其学医也，目不睹前圣之书，不过读《药性》，记《汤头》，抑何奉一家之言，即矜矜焉入市悬壶，以明医自负，动曰某病系吾治，某某系吾生也，及叩所学，则茫然无据，医道之不明，其为害可胜道哉。绥堂先生，桂溪之儒士也，幼读书以格物致知为先务，既而精岐黄业，于理有深得。光绪丁亥，灵馆先生家，踵门求治者，户履尝满，先生或诊脉，或问证，随手施治，投无不效。晨夕之暇，因请教焉，乃知其根底祖医圣，师承则喻、陈两贤，盖于斯道已三折肱也。旋出数年治疗新案数十册以见示，灵读之，见其谈理也精，其认证也的，其立方简切而当，斯时欲请先生刻以行世而未发也。灵辞馆归，先生亦好静，移居于乡，已几易寒暑矣。孰知先生济世慈心，孜孜不已，数年以来，下帷谢客，著《医学崇正》一册，立论数篇，悉本医圣法则，剀切详明，了若指掌，编《伤寒》《金匮》歌括各百余章，名曰《便读》，使学者易于记诵，复以《瘟疫》殿后，则为时医谓疫症为寒症指其谬。甲午春，灵以申贺诣先生，先生出全稿以示灵。灵曰：先生之用心至矣善矣，亟请合前案，付梓以行世。先生曰：海内医书，汗牛充栋，名作不知凡几，若余管窥所及，不过草此以为家传计耳，以之问世则敢哉。灵曰：不然，凡书之传不传，亦视乎可传不可传耳，如不可也，虽穷乡僻壤，亦知其不可；如其可也，即质诸通都大邑，谁复有遗议哉。先生一片婆心，为斯世振聩发聋，一洗浮庸肤浅之病，复使下学易于从入，由阶升堂，由堂入室，不至迷于所往，诚济世之津梁，渡迷之宝筏也，其为功于天下后世，岂小补哉。时大清光绪甲午二十年孟夏，酆邑岁进士即选学正堂张炳灵谨识。

按：据民国《重修酆都县志》卷二《选举志》载，张炳灵为清代岁贡，即所谓岁进士。

舒国铨跋 医之为学，代有明人，间有当世称神，而未必流传后世，一方钦仰，而不能名振他方，非病状之有不同也，病无有不同，而自医者之趋响各殊，病之同者，且即于异。伊古来著书立说，不免彼是而此非者，职是故耳。桂溪绥堂先生，名宿士也，与衡交订忘年，心同济世。先生以医学弃儒修，著《崇正》三册；衡以地理废学业，成《说约》一书，道不同，而各挟其道以救世，则无不同也。故不必旁搜者，特为指出迷津，有必钦崇者，爰为引入正道，而复作歌括以便读，添注疏而易明，先生之意，亦良善矣。至其谆谆诲人，不惜金针暗渡者，尤莫如治疗新案二十余则，谓非刀圭家千古之准绳，为殊方异域所共仰者哉。衡不敏，勉成数语，以为先生颂。时大清光绪二十二年岁轮丙申嘉平月望九日，涪陵异术同心侣子衡舒国铨谨跋。

罗锡九跋　《伤寒》《金匮》书，自吴航陈修园夫子注而释之，海内刀圭家率皆家藏一编，各执一本，奉为圭臬，而不敢易，修园洵长沙功臣哉。修园融会经旨，阐明其义，因张隐菴而额其例，不敢移易一节，不敢更换一字，后学固当遵之。然中才以上之士，不难开卷即得，中材以下者，艰于记诵，窘于灵明，终苦于节次之繁，头绪之多，不免有治丝愈棼之叹。则夫能广修园之心，以卒修园未了之愿者，是亦长沙之功臣，修园之高弟也。绥堂叔夫子，幼业儒者也，屡试未售，固屏去所学，而慨然有志于医。上以仲景为宗，下以张隐菴、陈修园为辅，旁及于喻嘉言、徐灵胎、柯韵伯以参其变，故其方剂所投，无不立效。窃谓当世之医，固无有出夫子右者也。九少习举子业，惟知帖括，医之一道，自愧盲如。然花晨月夕，追陪杖履，夫子不惮絮繁，辄与谈医，聆其言论，非不开拓心胸，增其识力，及退而检阅方书，终苦于大海茫茫，渺无涯涘，为扼腕者久之。甲午春，夫子袖《伤寒》《金匮便读》二册相示见，见其条分缕晰，挈领提纲，如万颗明珠，一线穿成，复又各编韵语，以便记诵，捧读之下，觉向所为涉海问津者，至是而了如指掌也。或谓此编虽词简理赅，难免忤乱圣经，移漏章旨之咎。余曰：不然也，圣经节次画一，张隐庵、陈修园已定其规，若此编犹儒经由小学而入大学，知贤愚否，各有趋向，其所为传播医林，嘉惠后学者，其功当不小也。九不敏，窃愿佩服斯编，以仰负夫子裁成之意于万一耳。光绪甲午蒲节前五日，受业侄锡九叙畴谨跋。

沈兴汉跋　尝闻济世之道，莫先于医，医者意也，医者理也，凭之以理，通之以意，而医之能事尽矣。何今之业医者，经界不分，阴阳不审，不知邪从何来，病从何去，但读《药性》，记《汤头》，遂至悬壶问世，而自号曰医。噫！医固如斯其易乎哉。我绥堂夫子，幼读孔孟，长精岐黄。近年瘟疫流行，传染乡村，踵门求治者无虚日，我夫子或问症，或诊脉，随手施治，疗如反掌。第思专其道于一人，不如公其道于一世，于是著《伤寒便读》《金匮便读》《瘟疫歌括》各数种，俾学者知所从入，不致有目迷五色之眩。后复举平素所疗之症，立案数篇，并详其治验神速。我夫子一片婆心，诚欲广布慈航，同登觉路。学者果能朝夕诵读，则可知伤寒、瘟疫、杂症之法，其所以活人济世者，将于是乎在，其勿视为老生常谈也哉。时光绪二十二年丙申岁完月上浣，门下受业生云章沈兴汉谨跋。

版本及存佚

《医学崇正三种》（即《医学崇正伤寒便读》《医学崇正金匮便读》《医学崇正温瘟歌括》三种）为清代垫江名医罗绥堂所撰，均成书于清光绪二十年（1894）。兹据《中国中医古籍总目》《新编中国中医古籍总目》等著录及笔者查阅，该丛书现存版本见：

清光绪二十二年丙申（1896）涪陵刻本（见存）

四川省图书馆

清光绪二十四年戊戌（1898）刻本（未见）

武汉大学图书馆医学分馆

民国垫江隆文石印社代印本（见存）

医学崇正伤寒便读　一卷（1894）存

又名伤寒便读

〔清〕罗绥堂撰

出典

参见“医学崇正三种”条。

考略

参见“医学崇正三种”条。

序跋

罗绥堂自序　历代医书，汗牛充栋，何事予之《伤寒便读》哉。然圣贤诸书，皆为中人以上立法，而中人以下，不无涉海问津之叹，究之高明之士，恒多裹足不前。《书》云：登高自卑。此书即可为引进阶梯。平常之人，每因相沿积习，古云：取法乎上，仅得其中，况因而下学乎。此书言虽浅近，不敢背乱经旨，毫无臆见，更便记诵，较诸臆创诸书，尤为彼善于此。由是言之，愚者当藉此以为准，智者亦可因此以入门。再于篇后将平素所治之证，略立数十案，以考证经方，活泼敏捷，治验神速。有志者由之上溯渊源，纵不能登夫圣域，亦可以跻夫贤关也。

谢彬序　自张长沙《伤寒论》出，内详一百一十三方，三百九十七法，后世医家者流，举奉为医中之圣。第义理精深，词旨邃奥，注疏者别户分门，各抒所见，载籍不下数十家，有资禀过人，学力渊深，体会入微者；有材力逊而阅历多，粗知梗概者；有剽窃时方，自诩国手，而于《伤寒论》茫乎莫解者。夫《伤寒》六经，犹儒之有六经也久矣，夫经天纬地，炳若日星矣。儒者读圣贤书，念切悲悯，以活国活人为心，纂集群说，折衷一是，极半生涉猎，力探幽眇，必求有功于天下后世，而不使管窥之士草菅人命。凡所以羽翼圣论，利人救世，皆长沙功臣也。罗君绥堂，裴江绩学士也，精岐黄，寿世为心，上溯神农《本草》，伊尹《汤液经》，下逮喻嘉言、张隐菴、柯韵伯、陈修园、徐灵胎，暨元明四大家，而因以深究夫仲景《伤寒》，撮其要领，约为《便读》一书。俾浅者见浅，深者见深，一寓目了若观火，如饮长桑君上池之水，绥堂诚有心人哉。余少慕斯道，壮年驰逐名场，半途遽废，至今谈及医学，窃为扼腕太息者久之，空怀利济之心，而中鲜补救之术，犹跛者之滞于行，病痿痹者之无力自振也。绥堂举生平得力之实际，萃聚成书，公诸同好，于数百里外，因友人丐余言，以弁其首。余喜其志在济世，能传仲景之遗意，其殆当世隐君子欤。若夫《金匮玉函》之旨，绥堂早窥藩篱，而所以汲汲于《伤寒》一书者，亦自外达内，先所急，后所缓，得医宗标本法也。大清光绪二十年孟春，涪陵举人即选知县谢彬谨识。

按：谢彬，涪陵人。清光绪丙子科（1876）举人。

版本及存佚

《医学崇正伤寒便读》（又名《伤寒便读》）系《医学崇正三种》之一，为清代垫江名医罗绥堂所撰，成书于清光绪二十年（1894）。兹据《中国中医古籍总目》《新编中国中医古籍总目》等著录及笔者查阅，该书现存版本参见“医学崇正三种”条。

医学崇正金匮便读　一卷（1894）存

又名金匮便读

〔清〕罗绥堂撰

出典

参见“医学崇正三种”条。

考略

参见“医学崇正三种”条。

序跋

罗绥堂自序　《金匮要略》，仲圣治杂证法也，为《伤寒》之辅，后作者莫不以《伤寒论》《金匮要略》为宗。乃有无知，反谓仲圣善伤寒不善杂证，所谓坐井观天而谓天小，其果然欤。不知《金匮》杂证，纯是经常之大证，凡三因病脉，无不备载，为医学不可阙。况《伤寒论》中汗吐下以及温清补泻，孰非治杂证之法。非若后人以风火气痰，或补肾健脾，或偏阴偏阳，专执一家，即自矜为治病之良工。间有以虫伤、暴疾、砂挣、戾气等证，选集成篇，又不过为《金匮》之辅。然仲圣《卒病论》已创其始，《金匮》阴阳毒已开其端，而今人于仲圣书耳所未闻，目所未睹，或因畏难求易，遂妄加诋驳，非愚而好自用，贱而好自专哉。兹特继《伤寒便读》而后，编成歌括，名曰《金匮便读》，以启学者博览穷思，庶几医学因兹愈明，圣道由此愈彰，不第为病家之幸，即医家亦无不幸焉。

按：该序中“砂挣”疑为“痧症”或“痧证”。

版本及存佚

《医学崇正金匮便读》（又名《金匮便读》）系《医学崇正三种》之一，为清代垫江名医罗绥堂所撰，成书于清光绪二十年（1894）。兹据《中国中医古籍总目》《新编中国中医古籍总目》等著录及笔者查阅，该书现存版本参见“医学崇正三种”条。

医学崇正温瘟歌括 一卷（1894） 存

又名温瘟歌括

〔清〕罗绥堂撰

出典

参见“医学崇正三种”条。

考略

参见“医学崇正三种”条。

版本及存佚

《医学崇正温瘟歌括》（又名《温瘟歌括》）系《医学崇正三种》之一，为清代垫江名医罗绥堂所撰，成书于清光绪二十年（1894）。兹据《中国中医古籍总目》《新编中国中医古籍总目》等著录及笔者查阅，该书现存版本参见“医学崇正三种”条。

佚 部

医学心悟（清前期）佚

〔清〕释般若（灯谱禅师）撰

出典

［道光六年］忠州直隶州志 般若。医学心悟。

考略

［道光六年］忠州直隶州志 卷八，人物，仙释。般若，本郡罗氏子，依铁壁咨决有年。一日，问铁壁曰：九重铵鼓，如何一箭便穿？铁壁曰：鼓聻？般若作呈鼓势。铁壁曰：穿也，穿也。因是得悟真谛。尤精岐黄，有贫家子甚孝，母病笃，其子痛泣，般若和药医之，服之可延寿一纪，后果如其言。著有《医学心悟》，藏涂井赵氏家。

按：铁壁即慧机禅师（1603—1668），俗姓罗，别号庆忠，四川营山人。25岁出家，为忠州吹万广真禅师法嗣。明崇祯十二年（1639）继任聚云寺主持。

涂井旧因涂井场而得名，相传涂溪内有一巨石，大可如屋，四遭劈削，名涂石，又有盐井，故建场时取名涂井场。涂井乡今属重庆市忠县，位于县城东北部约20公里处。涂井赵氏，今已无考。

巴蜀禅灯录 忠州玉山竹庵般若灯谱禅师，本郡罗氏子。少列黉序，适庆忠阐化玉山，师参扣有年。未几，室氏亡故，循亦薙发。一日，忠于崇圣上堂，师出问：九重铁鼓（按：故事从略）。师便礼拜，遂结庵于玉山之南。数年，复开九峰焉。

按：玉山位于忠县东北部长江北岸，又名玉印山。石宝寨依玉山而建，为明末清初著名佛教道场，高僧铁壁慧机禅师及三山灯来禅师（1614—1685）等皆于此地讲法。竹庵精舍为袁宝善居士所营建，位于玉山南麓。

版本及存佚

《医学心悟》为清初忠州（今重庆市忠县）高僧释般若所撰，约成书于清康熙年间，具体内容不详。笔者查阅《中国中医古籍总目》《新编中国中医古籍总目》《中国近代中医书刊联合目录》等，均未见著录此书，或已亡佚。

周氏岐黄书（清前期）佚

〔清〕周伯允（伯印）辑

出典

［嘉庆二十一年］四川通志 周伯允。所订岐黄等书。

考略

［乾隆元年］四川通志 卷三十六，选举志。举人。皇清顺治庚子科。周伯印，江津县人。

［嘉庆二十一年］四川通志 卷百五十三，人物志。重庆府。江津县。周伯允。顺治庚子举人，官嘉定州教授。喜读书，工小楷，手录秦汉古文、诸子、唐诗及所订岐黄等书各尺许。甲寅，滇藩叛，迫以伪职，不受，几被祸。年七十三，犹手录《史记》《文选》成帙。

版本及存佚

《周氏岐黄书》为清初江津举人周伯允所辑，约成书于清康熙年间，具体内容不详。笔者查阅《中国中医古籍总目》《新编中国中医古籍总目》《中国近代中医书刊联合目录》等，均未见著录此书，或已亡佚。

医方心镜 二卷（清中期） 佚

〔清〕敖毓薰撰

出典

［道光二十三年］重庆府志 敖毓薰。医方心镜二卷。

考略

［道光二十三年］重庆府志 卷八，人物志，行谊。国朝。敖毓薰，庠生，诉庆次子。有隐德，不求闻达，与兄分产，让多就少。继兴义塾，延师课读。后子馨祖，孙时忭、溡，历仕途，重膺封诰，薰犹恂恂自守，不改儒素。且精于医理，每年捐钱四十千，买药施济，全活无算。夫妇齐眉九十六岁。卒之日，远方哭临者数百人，皆受其医药之恩者。著有《医方心镜》二卷，《戒淫说》一卷，行于世。

按：敖氏一族原籍浙江嘉兴府海盐县。敖毓薰之祖敖维铨为明天启拔贡，万历间任云南石屏州知州。父敖诉庆为庠生，康熙初年自滇回籍，重建敖氏宗祠，创立义塾，敖氏人文自此复兴，年八十九卒。子敖馨祖为乾隆三十年（1765）拔贡，朝考二等，签分河北知县，借补大名府治河工县丞。孙敖时忭为乾隆四十二年（1777）拔贡，朝考一等，历任广西修仁县知县、养利州知州、奉天府复州知州。孙敖时溡科份、仕历无考。

版本及存佚

《医方心镜》为清代荣昌名医敖毓薰所撰，约成书于清乾隆年间，具体内容不详。笔者查阅《中国中医古籍总目》《新编中国中医古籍总目》《中国近代中医书刊联合目录》等，均未见著录此书，或已亡佚。

东溪心法（清中期）佚

〔清〕杜昭怀撰

出典

［咸丰四年］云阳县志　杜昭怀。东溪心法。

考略

［咸丰四年］云阳县志　卷八，人物志，义士。杜昭怀。胸襟洒落，赋性聪颖。精岐黄业，里中有疾病者贫困家，诊视不辞劳瘁，活人甚众。邑侯恒赠有“心殷济世”匾额。永宁道包赐以“理究轩岐”四字。手著《东溪心法》医书行世。

按：笔者查咸丰四年《云阳县志》，未见官师志。查民国二十四年《云阳县志》卷七《官师志》，其姓名见恒者，仅恒裕一人。恒裕，汉军正白旗生员，道光十六年（1836）任云阳县知事。

版本及存佚

《东溪心法》为清代云阳名医杜昭怀所撰，约成书于清道光年间，具体内容不详。笔者查阅《中国中医古籍总目》《新编中国中医古籍总目》《中国近代中医书刊联合目录》等，均未见著录此书，或已亡佚。

古医方杂论 八卷（清中期） 佚

〔清〕冉广鲤（海容、松亭）撰

出典

［同治二年］酉阳直隶州总志 冉广鲤。古医方杂论八卷。

考略

［同治二年］酉阳直隶州总志 卷十五，选举志。岁贡。酉阳州岁贡。冉广鲤，乾隆庚戌。卷十七，人物志，贤达。国朝酉阳州。冉广鲤，字海容，号松亭。博学多能，经史子集外，于星相医卜，靡不究其窔奥。食饩后，补州岁贡，不乐仕进，唯以莳花种竹自娱。晚年更游心方外书，日事校雠，孳孳不倦，年七十三卒。著有《信口笛吟草》二卷、《黄庭经句解》一卷、《古医方杂论》八卷、《铜人图经考证》二卷，藏于家。

按：冉广鲤（1730—1802），土家族，酉阳泔溪人。

版本及存佚

《古医方杂论》为清代酉阳岁贡冉广鲤所撰，约成书于清嘉庆初年，具体内容不详。该书成书后藏冉氏家中，或未及刊行。笔者查阅《中国中医古籍总目》《新编中国中医古籍总目》《中国近代中医书刊联合目录》等，均未见著录此书，或已亡佚。

铜人图经考证　二卷（清中期）佚

〔清〕冉广鲤（海容、松亭）撰

出典

［同治二年］酉阳直隶州总志　冉广鲤。铜人图经考证二卷。

考略

参见“古医方杂论”条。

版本及存佚

《铜人图经考证》为清代酉阳岁贡冉广鲤所撰，约成书于清嘉庆初年，具体内容不详。该书成书后藏冉氏家中，或未及刊行。笔者查阅《中国中医古籍总目》《新编中国中医古籍总目》《中国近代中医书刊联合目录》等，均未见著录此书，或已亡佚。

冉氏医验 一卷（清中期） 佚

〔清〕冉正维（德隅、地山）撰

出典

［同治二年］酉阳直隶州总志 冉正维。医验二卷。

考略

［同治二年］酉阳直隶州总志 卷十五，选举志。酉阳州拔贡。冉正维，嘉庆辛酉。卷十七，人物志，贤达。冉正维，字德隅，号地山。嘉庆辛酉拔贡。年十八入州庠，时江南名孝廉吴大勋来摄州篆，观风得其卷，大奇之，寻召入署受业，廪给甚优。比登拔萃科，朝考报罢，吴已解任去，因淡于膴仕，隐居讲学，一时名下多出其门。子四人，长瑞嵩，次瑞華，俱增生，華出继为其胞弟正壬后，三瑞岱，亦拔贡生，四瑞岷，附学生，嵩、岷皆先卒。道光六年，诏举贤良方正，当路欲以名应，维坚辞，人以此益重之。辛卯夏，酉大饥，首捐谷数十石平粜，为尚义者昌，全活甚众。壬辰冬，李牧徽典莅州，延主书院讲习，以年谊故，重违其意，为山长三年。年七十卒。生平淹贯诸子百家，著有《老树山房文集》六卷、《醒斋诗文稿》四卷、《外集》二卷、《字音辨讹》四卷、《地理刊谬》二卷、《卜验》《医验》二卷，均待梓行。

按：冉正维（1766—1834），土家族，为冉广鲤长子。吴大勋，号酉亭，江苏青浦人，清乾隆丙子科（1756）举人，嘉庆二年（1797）署酉阳州知州。李徽典，字菊坪，山西平阳府太平县人，清嘉庆六年（1801）拔贡，道光十二年（1832）任酉阳州知州，十三年卸任，十四年复任，二十年病卒。

版本及存佚

《冉氏医验》为清代酉阳拔贡冉正维所撰，约成书于清道光年间，具体内容不详。笔者查阅《中国中医古籍总目》《新编中国中医古籍总目》《中国近代中医书刊联合目录》等，均未见著录此书，或已亡佚。

伤寒详注（清中期）佚

〔清〕陈心泰撰

出典

［同治五年］万县志 陈心泰。伤寒详注。

考略

［同治五年］万县志 卷三十三，士女志，大年上。陈心泰，年八十二岁。精医术。著有《伤寒详注》《脉诀提纲》《药性切指》《医方歌正》。

版本及存佚

《伤寒详注》为清代万县（今重庆市万州区）名医陈心泰所撰，约成书于清中期，具体内容不详。笔者查阅《中国中医古籍总目》《新编中国中医古籍总目》《中国近代中医书刊联合目录》等，均未见著录此书，或已亡佚。

脉诀提纲（清中期）佚

〔清〕陈心泰撰

出典

［同治五年］万县志 陈心泰。脉诀提纲。

考略

参见“伤寒详注”条。

版本及存佚

《脉诀提纲》为清代万县（今重庆市万州区）名医陈心泰所撰，约成书于清中期，具体内容不详。笔者查阅《中国中医古籍总目》《新编中国中医古籍总目》《中国近代中医书刊联合目录》等，均未见著录此书，或已亡佚。

药性切指（清中期）佚

〔清〕陈心泰撰

出典

［同治五年］万县志 陈心泰。药性切指。

考略

参见“伤寒详注”条。

版本及存佚

《药性切指》为清代万县（今重庆市万州区）名医陈心泰所撰，约成书于清中期，具体内容不详。笔者查阅《中国中医古籍总目》《新编中国中医古籍总目》《中国近代中医书刊联合目录》等，均未见著录此书，或已亡佚。

医方歌正（清中期）佚

〔清〕陈心泰撰

出典

［同治五年］万县志 陈心泰。医方歌正。

考略

参见“伤寒详注”条。

版本及存佚

《医方歌正》为清代万县（今重庆市万州区）名医陈心泰所撰，约成书于清中期，具体内容不详。笔者查阅《中国中医古籍总目》《新编中国中医古籍总目》《中国近代中医书刊联合目录》等，均未见著录此书，或已亡佚。

王氏医书（清中期）佚

〔清〕王銮（小坡）撰

出典

［同治十二年］忠州直隶州志　王銮。医书。

考略

［同治十二年］忠州直隶州志　卷十，人物志九。文苑。国朝。王銮，号小坡。岁贡生。工制艺，长吟咏，屡荐不售。尤精岐黄术，有《医书》行世。

版本及存佚

《王氏医书》为清代忠州（今重庆市忠县）名医王銮所撰，约成书于清中期，具体内容不详。笔者查阅《中国中医古籍总目》《新编中国中医古籍总目》《中国近代中医书刊联合目录》等，均未见著录此书，或已亡佚。

方脉切要（清中期）佚

〔清〕廖正原（怀清）撰

出典

［光绪元年］铜梁县志 廖正原。方脉切要。

考略

［光绪元年］铜梁县志 卷九，人物志。行谊。廖正原，字怀清。方正，有古君子风。少读书，历试不售，改业医，所疗辄愈，不受谢，又尝具棺以瘗穷民。弟正宗，早没，抚幼侄融如己子，比长，为授室，复析产予之。卒年七十五。著有《方脉切要》《内景图说》诸书。子拱，别有传。显廷，增广生。

按：廖拱，字翰臣，文生（事详《孝友》部分）。子先达，别有传。

版本及存佚

《方脉切要》为清代铜梁名医廖正原所撰，约成书于清中期，具体内容不详。笔者查阅《中国中医古籍总目》《新编中国中医古籍总目》《中国近代中医书刊联合目录》等，均未见著录此书，或已亡佚。

内景图说（清中期）佚

〔清〕廖正原（怀清）撰

出典

［光绪元年］铜梁县志 廖正原。内景图说。

考略

参见“方脉切要”条。

版本及存佚

《内景图说》为清代铜梁名医廖正原所撰，约成书于清中期，具体内容不详。笔者查阅《中国中医古籍总目》《新编中国中医古籍总目》《中国近代中医书刊联合目录》等，均未见著录此书，或已亡佚。

廖氏医书（清中期）佚

〔清〕廖先达（春帆）辑

出典

［光绪元年］铜梁县志 廖先达。医书若干卷。

考略

［光绪元年］铜梁县志 卷八，人物志。儒林。廖先达，字春帆。廪生。闻见渊洽，工诗，有唐人风格，邑中诗派，自铜梁山人后，以达为大宗。擅画，设色精工。道光初，县令徐瀛重其人，延与营山举人白玉楷同修《铜梁县志》。性旷放不羁，卒郁郁不得志以老。所辑《医书》若干卷，著《春帆诗集》六卷，又有《波罗云舫诗集》。

按：廖先达疑为廖正原之孙，廖拱之子。

铜梁山人即王汝璧，字镇之，铜梁人。清乾隆丙子科（1756）进士，历安徽巡抚、刑部侍郎等。为川中诗文大家，有《铜梁山人集》行世。

徐瀛（1781—1858），字洲士，号笔珊，浙江海宁人。清嘉庆甲子科（1804）举人。道光元年（1821）铨补铜梁县知县，道光四年出任驻藏粮务，道光八年差竣回任，筹款纂修《铜梁县志》，道光十二年修成。

白玉楷，后改名豫恺，字小裴，为铜梁县教谕白澍（字雨春，四川营山人，嘉庆二十四年任）之子。清道光五年（1825）拔贡，道光庚子科（1840）举人，官巴县教谕，主巴川书院，年五十八卒。

版本及存佚

《廖氏医书》为清代铜梁廪生廖先达所辑，约成书于清道光年间，具体内容不详。笔者查阅《中国中医古籍总目》《新编中国中医古籍总目》《中国近代中医书刊联合目录》等，均未见著录此书，或已亡佚。

简便良方（清中期）佚

〔清〕周立恭（伯寅、鹤田）辑

出典

［光绪二年］南川县志 周伯寅。辑简便良方。

考略

［道光二十三年］重庆府志 卷七，选举志。举人。乾隆五十九年甲寅恩科。周立恭，南川人。温州府盐大使。更名伯寅。

［光绪二年］南川县志 卷一，碑目。盐大使周伯寅神道碑，在治西五里许云济桥。卷八，人物志。文苑。周伯寅，字鹤田。性笃学，制艺尚古简，工书。喜吟咏，成篇即焚，人拾其余，名《焚余草》。尤善治古文词，浩瀚廉杰，视唐宋人不多让。著有《家礼须知》《国法须知》《醒人浅语》《家常琐语》，并辑《简便良方》等书，《六事箴言》六卷行世。

版本及存佚

《简便良方》为清代南川举人周立恭所辑，约成书于清道光年间，具体内容不详。笔者查阅《中国中医古籍总目》《新编中国中医古籍总目》《中国近代中医书刊联合目录》等，均未见著录此书，或已亡佚。

慈船普济（清中后期）佚

〔清〕熊开迪撰

出典

［光绪二年］南川县志　熊开迪。慈船普济。

考略

［光绪二年］南川县志　卷八，人物志，义举。熊开迪，世业岐黄，全活多人，不计锱铢。刻经验良方并劝善格言，名《慈船普济》行世，邑周士澐为之序。

版本及存佚

《慈船普济》为清代南川名医熊开迪所撰，约成书于清中后期，具体内容不详。笔者查阅《中国中医古籍总目》《新编中国中医古籍总目》《中国近代中医书刊联合目录》等，均未见著录此书，或已亡佚。

医书益寿　一卷（清中期）佚

〔清〕谢廷献撰

出典

［光绪十年］荣昌县志　谢廷献。医书益寿一卷。

考略

［光绪十年］荣昌县志　卷十九，仙释附艺术。谢廷献。儒医。有颜怀舒之子，病势甚危，廷献诊脉毕，谓其不惟不死，且必入泮。后果验，父子俱师事之。著有《医书益寿》一卷。卒年八十有四。

按：据清道光二十三年《重庆府志》记载，荣昌邑绅颜怀舒等曾于乾隆四十三年（1778）捐置学田四十亩。

版本及存佚

《医书益寿》为清代荣昌名医谢廷献所撰，约成书于清道光年间，具体内容不详。笔者查阅《中国中医古籍总目》《新编中国中医古籍总目》《中国近代中医书刊联合目录》等，均未见著录此书，或已亡佚。

仲景伤寒论浅说 四卷（清后期） 佚

〔清〕祝开新撰

出典

［光绪十年］荣昌县志 祝开新。仲景伤寒论浅说四卷。

考略

［光绪十年］荣昌县志 卷十四，耆寿。祝开新，性喜读书，孝心纯笃，为父久病，乃潜心医学，方脉精熟，凡治人病，百不失一。乡邻为之语曰：若要病体好，双石桥头问祝老；若要病体安，祝老家有长生丹。著有《仲景伤寒论浅说》四卷。卒年八十一岁。原配张氏现年八十有八岁。子国治，岁贡生。

按：祝开新之子祝国治为清咸丰四年（1854）岁贡。

版本及存佚

《仲景伤寒论浅说》为清代荣昌名医祝开新所撰，约成书于清同治年间，具体内容不详。笔者查阅《中国中医古籍总目》《新编中国中医古籍总目》《中国近代中医书刊联合目录》等，均未见著录此书，或已亡佚。

经验医方（清后期）佚

〔清〕龙庭三（守默）编

出典

［光绪十九年］巫山县志 龙庭三。经验医方。

考略

［光绪十九年］巫山县志 卷二十四，选举志。国朝恩岁贡生。龙庭三，咸丰四年贡。卷二十六，人物。儒林。龙庭三，生平有盛德，不道人过失，故自以守默为号。世居邑之南乡。早岁补弟子员，旋食饩。善事亲，笃友爱，让产两弟，独力养亲，里党贤之。其教人以敦本为先，文艺次之。兼善岐黄，全活无算。著有《书经精义摘要》《劝学箴规》《经验医方》《守默斋制艺诗文全稿》，待梓。享年古稀而卒。

版本及存佚

《经验医方》为清代巫山名医龙庭三所编，约成书于清光绪年间，具体内容不详。笔者查阅《中国中医古籍总目》《新编中国中医古籍总目》《中国近代中医书刊联合目录》等，均未见著录此书，或已亡佚。

因病制宜方　一卷（清后期）佚

又名因病制宜方书

〔清〕吴正封（固亭）撰

出典

［光绪二十年］永川县志　因病制宜方书一卷。吴正封著。

考略

［光绪二十年］永川县志　卷八，人物，孝友。吴正封，字固亭。笃于孝友，少时割股以救母病。及长，兄弟析居，不计多寡。未几，弟正芳卒，田不过百亩，累负至二千余缗，遗一妻一妾，均年少无出，乃以季子先应为之嗣，尽偿所负，代肩家政二十余年。两妇矢志抚孤，冰操益励，事详节孝本传。卷十，人物，著述。《因病制宜方》一卷。吴正封著。卷十，人物，技艺。吴正封，工幼科，负子求方者，门常如市，不惮烦，亦不索谢，乡人德之。著《因病制宜方书》一卷。待梓。

版本及存佚

《因病制宜方》（又名《因病制宜方书》）为清代永川名医吴正封所撰，约成书于清光绪年间，具体内容不详。笔者查阅《中国中医古籍总目》《新编中国中医古籍总目》《中国近代中医书刊联合目录》等，均未见著录此书，或已亡佚。

疫痧合编注释（清中后期）佚

〔清〕周述典（徽五）撰

出典

［光绪二十年］永川县志　疫痧合编注释。周述典著。

考略

［光绪二十年］永川县志　卷十，人物。著述。疫痧合编注释。周述典著。卷十，人物。技艺。周述典，字徽五。庠生。业精岐黄，根柢《内》《难》二经，活人无算。注《疫痧合编》行世，人皆遵之。

版本及存佚

《疫痧合编注释》为清代永川名医周述典所撰，约成书于清中后期，具体内容不详。笔者查阅《中国中医古籍总目》《新编中国中医古籍总目》《中国近代中医书刊联合目录》等，均未见著录此书，或已亡佚。

伤寒金匮附翼韵编（清中期）佚

〔清〕陈启予撰

出典

［民国十年］合川县志 陈启予。伤寒金匮附翼韵编。

考略

［民国十年］合川县志 卷五十五，方术上。陈启予，州永里蔡坝人。少读书，略通大义，弃而学医，颇能治疗，不自以为足也。挟其术出游，先后十余年，足迹遍大江南北无所得。最后乃遇江西汤某，与谈《灵》《素》《伤寒》《金匮》诸疑难处，无不穷源洞委，解释砉然，心大服之，因执弟子礼，悉意研求医经、经方之奥，及汉后诸大名医临证制方之蕴，而尽得其窔要所在，遂了了心口间。视前之轻易从事，徼幸奏功者，迥不侔矣。复出问世，著手如响。年余，始辞归，设医学堂于汉州、金堂、什邡之间，从之者以百数。启予随其造诣浅深，适宜指授，无过于艰深之语，亦无固执不通之见。故学者各随所见而得于心，应于手，人人自以为获真传也，然其归本，则在《伤寒》。教法尤有程序：非二年后，不能通六经；非已通六经，不能随师出诊；随诊半年，乃听自诊；既自诊，至劣者犹十全六七，而优者可知已。如是有年，知其道已西，浩然东返，即所舍为医馆，摊书授课，一如成都。活人之余，兼治牛、马、羊、豕等病，亦辄一知二已，无三剂者，人信服之尤众。先后从学四百余人，其著名者，若文生吴光慧、邵时韬、陈廷治、杜阳生、陈春山、袁后安，皆其高第弟子也。启予后以寿终，著有《伤寒金匮附翼韵编》及《本草歌括》，为当时教授之本，其门人矜为秘宝，转相传抄，不以刊行于世，今不可问矣。永里采访员投稿。

按：吴光慧，字海山，号蓬莱，曾于清同治三年（1864）撰《仲景存真集》一书行世。由此推知，陈启予或于清道光年间课徒授业。

版本及存佚

《伤寒金匮附翼韵编》为清代合州（今重庆市合川区）名医陈启予所撰，约成书于清道光年间，具体内容不详。笔者查阅《中国中医古籍总目》《新编中国中医古籍总目》《中国近代中医书刊联合目录》等，均未见著录此书，或已亡佚。

本草歌括（清中期）佚

〔清〕陈启予撰

出典

［民国十年］合川县志　陈启予。本草歌括。

考略

参见“伤寒金匮附翼韵编”条。

版本及存佚

《本草歌括》为清代合州（今重庆市合川区）名医陈启予所撰，约成书于清道光年间，具体内容不详。笔者查阅《中国中医古籍总目》《新编中国中医古籍总目》《中国近代中医书刊联合目录》等，均未见著录此书，或已亡佚。

延生集　一卷（清后期）佚

〔清〕刘万超（正德、慎明）撰

出典

［民国十年］合川县志　延生集一卷。刘氏钞本。清刘正德撰。

考略

［民国十年］合川县志　卷五十七，方术下，补遗。刘万超，字正德，号慎明，州兴里五尊塘人也。幼读书，粗通大意，而不喜呫哔，特好神仙术数之说。年十三，从道正司郭谨诚游，略习数学，慊然以为不足。出贸南川，遇李玉洁学堪舆术，因谈玄理，大倾慕之，欲奉以为师，玉洁谢不敢当，曰：君颖悟，人难及，吾何足为君师，有范辅臣者，著有《先天释语》行世，其学深邃，其术高超，或庶几可师焉，特其行踪莫测，或出入督、藩、臬署，或寄寓郊野山居，君善寻之可耳。万超心为向往，遂托迹商贸，随所至城邑遍咨访之。久之，乃遇于重庆东华观，鹤发童颜，神仙中人也，既见，即欲师事之，辅臣逡巡曰：且勿，且勿，吾师山西李观洞，前任瑞州高安县令，深得玄关秘奥，因弃官修养，见居万县之万山白云寺，子必欲学道，吾介绍于吾师其可乎。万超愈益喜，遂从辅臣往见之，观洞亦欣然受纳，谓其有夙缘也。因留学六年，观洞尽以所得道学心传、术数口诀授之，兼及于星命卜筮、堪舆、鼓琴诸术，皆世俗所未闻者。观洞既倾竭无所吝，万超亦自觉有心得，乃辞归，年二十余矣。其家以为无故浪游，殆曰未有室家，即为聘于田氏，万超辞不获，娶之田氏。既归，孝姑敬夫，颇有贤誉，而习闻万超玄谈，亦遂有出尘想，顾念奉姑无人，非可径去，则归商其母，求以妹代己，母初不许，而求不为已，乃允之。及其妹入门，田遂出家于巴县之八角庙，后移住老厂玉皇观，闭户诵经，不履尘世，万超刑于之化之所及也。万超已再婚，生子女，历更父母丧，自谓人事略尽，无所庸系恋，复出访道于峨眉、青城及成都之青羊宫、二仙庵，所遇琴友张咸吉、杨紫东、顾静轩，剑客吴必超、李永富，医士孙敦五、刘肇初、彭小安，数学张佩之、袁荩臣、邹子厚，玄道伍肇龄、阙志勤、康藜阁诸人，皆一时知名，各有所得，而

可与为友者不过三五人，余则皆出其下。或以衔官命之，万超意不厌，复走万山白云寺，寻李观洞旧游处，则蛛网尘封，不可复识，问前诸老道士，皆先后羽化，后来者率不久而去，几无能知其影事者。则时为光绪八年，去咸丰乙卯初见观洞之日，已二十有八年矣，枨触前尘，渺如隔世，怅怅而归，遂不复出，日编撰其医理、地理、琴学、数学、性理学等书。有问道来者，辄适宜授之，无不惬其怀而去，人亦以此致束修之，奉为朝夕资焉。暇乃序次家谱，作儒者事业，虑有不合，迎其表弟雷泽为订正之，泽以奇字立意，叙而还之，文繁不录。时光绪十有八年大雪后也，万超寻以寿终，年七十余。子文枢，师范毕业生，历任州城初等小学教员，见充模范国民学校教员，知相地，能鼓琴，有父风云。弟万朝，自有传。兴里采访员刘文枢投稿。

提要

［民国十年］合川县志 卷三十四，艺文。延生集一卷，刘氏钞本。清刘正德撰。正德事迹具本志《方术传》中。此书前有正德自序，言年十三，操道士业，聘妻不娶，云游访道。因范辅臣见李观洞，李授以丹诀及数理、医学、琴学等，仍勉以敦伦，常积功累行，乃归娶妻生子。因辑为是书，明其所得力及前后因，由书中有白云寺五问答、黄帝素问养心十法、却病延年秘诀、百字仙丹等。大抵于饮食起居、情欲思虑之际，养摄身心，纯为神仙家言，而间及于伦常道德，及空虚寂灭之说，则参杂儒、释、道三家，似杂家矣。其书本所手钞，为其子文枢录存之。

版本及存佚

《延生集》为清代合州（今重庆市合川区）处士刘万超（约1818—1892）所撰，约成书于清光绪年间，具体内容不详。笔者查阅《中国中医古籍总目》《新编中国中医古籍总目》《中国近代中医书刊联合目录》等，均未见著录此书，或已亡佚。

本草便读　一卷（1892）佚

〔清〕蒋鸿模（仲楷）撰

出典

［民国十年］合川县志　本草便读一卷。蒋氏家藏钞本。清蒋鸿模撰。

考略

［民国十年］合川县志　卷五十五，方术上。蒋鸿模，字仲楷。编修璧方子也，璧方自有传。鸿模生而兔缺，读书亦诸兄弟之亚。璧方意有不慊，特命改习医术。初从老医刘道芝学，无所知名，毕业还家，年十六矣。璧方为购医书数十百种，恣其浏览。鸿模奋志研求，务在心得，间有疑难不明之处，还就道芝问难，务于心口了然乃已。邻近有请诊者，辄以所学未至，婉辞谢之。如是十年，既尽读其藏书，乃稍稍出而问世，应手辄效。久之，则病有剧易，方无古今，几于经诊，必生焉。由是医名大噪，远近延诊者，门无虚日，日无虚时，道远者或累日不能至，而富家大族渴望如岁，因数倍奉脉资以求速到，鸿模势不能却，则亦徇其意以周旋之。而江、巴、邻、广、岳、定诸邻封厅、州、县，无不有其舆影矣，近地乃或不能遍及，每闻其还，则舆马盈门，争先延致，大有奚为后我之情。鸿模无可如何，则仿京城门簿例，为记注先后，以次及之，因得较有秩序。然病家盼之至切，固犹不免东征西怨，南征北怨也。鸿模初意医以济世，无贫富之分，极贫者并可周以药资。而入世渐深，始知有不可能，亟欲传诸后学，为之分任，则用陈启予故事，开堂授徒，为溥及计。而太邱道广，家食益稀，出门以自随者，期月难遍。犹恐虚费岁月，误入歧途，因就药学、医经、证治、方剂诸大端，各为指定方针，编成歌括，使其先为诵习，睹指知归，不至茫无津涯，罔知攸济，此《本草便读》《医林辑要》《证治药例》诸书之所为作也。民国三年避匪入城，设馆于久长街，生徒来从者益众，更假寓旁药肆为寄宿舍，犹不能容。病者利其在城，易为延请，各专延候，日昃无遑。鸿模以为生命所关，一不率易，虽穷檐小户，犹精思及之。识者虑其神经过用，将至不堪，劝令少息，鸿模亦以为然，遂于五年还归其居，而誉问既彰，币聘仍多，

其勤劳初不少减也。七年三月，一夕中风，暴卒，年五十三。所著书详具艺文掌录，会当择其尤要者刊而行之。西里采访员蒋鸿焘投稿。

提要

［民国十年］合川县志　卷三十四，艺文二。本草便读一卷。蒋氏家藏钞本。清蒋鸿模撰，鸿模事迹具本志方术传上。此书乃鸿模于光绪十八年学医初成时，以汪氏《本草备要》、吴氏《本草从新》二书风行于世，不免逐末忘本，因取《神农本经》及后贤精要，汇而录之，编成歌括，以便学者记诵，故曰便读，由此融会贯通，再读全书，庶无望洋之叹。其原稿藏于家，未经送阅，今但就其序首例言十二则论之。书中所采本草，专主《本经》，旁采徐大椿之《百种录注》、叶桂之《本草经解》，详说形色气味，而性情功用次之，经络主治又次之。炮炙之说，如水浸黄连、火炮附子之类，未尝不取；其无理无义之麦冬去心、柴胡酒炒等则，一概从删。其旧有人胆、人骨、天灵盖等，以为邪说害理，弃置不道。即禽兽昆虫之入药品者，亦以爱惜物命之故，不轻取用，谓有他物可代者，不妨以他物代。惟奸肆假药，如以商陆充巴戟、荠片充人参、光菇充贝母之属，断然不许，亟为辨明，以免于人命有害，均属用心甚善。附录近地所产草药，试验有效者数十种于末，将俟格致精深之人，出所心得，以匡不逮，尤为后望无穷。俟当觅其原本，出就正于海内精医学者，严加审定，如果不谬，固当谋刊行，以广其传也。

版本及存佚

《本草便读》为清末合州（今重庆市合川区）名医蒋鸿模（1866—1918）所撰，成书于清光绪十八年（1892）。笔者查阅《中国中医古籍总目》《新编中国中医古籍总目》《中国近代中医书刊联合目录》等，均未见著录此书，或已亡佚。

莫氏医案（清后期）佚

〔清〕莫国行（高山）撰

出典

［民国十年］合川县志　莫国行。莫氏医案。

考略

［民国十年］合川县志　卷五十五，方术上。莫国行，字高山，州来里大河坝人。性钝笃，孜孜好学。弱冠善病委顿，旬月不复，心厌苦之，乃肆力于医，誓以济世为任，贫者辄予药饵之费，活人无算。尝谓六经中，阴阳虚实之分，前哲辨之详矣，惟难产一门，博览方书，绝少发明。默讨冥搜，积数年，豁然大悟，始知生育原无坏证，坏者，医误之耳，其要在因病治病，不狃成方。如张时修妻左氏，年四十余，坐草三四日，胎不下，延诊之，脉浮弦，头疼，骨痛，发热不休，口苦而干，心烦，胎不动已二日矣，查前医所用之药，悉皆补剂，此太阳、少阳伤寒症，补剂固不对证，但胎不动，胎必坏矣。时修曰：得妻活足矣。高山用柴胡桂枝汤，服一剂即产，果然子死母活。盖临产胎气上涌，妇科方论皆无是症，据理揣之，上涌者必下闭，必绝阴，血海有邪，故现此症，或寒或热，须临症斟酌也。又莫张氏临产气涌，诊之乃寒邪闭窍，以仲景当归四物汤开之，服三次即愈。又莫易氏临产下利，知其内有久寒，加吴萸清酒治之，自巳服，到酉时亦产矣。后莫谢氏临产，亦有此症，诊是热闭，以小柴胡加木通、细辛，服三剂又产矣。妹李莫氏亦临产热闭，莫王氏孕八月而胎动气涌，均用其法治之，一产一安。其他类此，难以枚举。其治小儿亦有特长，如王玉树儿，七岁，在家感冒咳嗽，与小青龙汤服之，不守禁忌，时愈时复，归家更数医，悉皆刚燥之剂，延十余日，酿成百晬嗽，至呕乃止，涎中带血，口渴身热，两足微冷，脉沉而数。国行诊之，以此症明是肺经有热，嗽呕时作，阳气上奔，故足冷，不清肺经则邪热不除，清肺经则阳气受伤，反复权衡，惟仲景猪苓汤一方，引燥气入泉方妥，然犹恐不对症，姑以轻剂试之，稍安，乃更以重剂进之，足温而症渐退，后以家抄黄芩知母汤服二剂，而诸证悉平。其治怪证，

如莫国林在岳丈家感寒，医以姜附汤加麻黄、桂枝，以强责少阴之汗，病见烦躁头昏，腰痛，小腹胀痛，发热恶寒而微汗出，咳嗽带血，脉沉细。国行治茯苓四逆汤加肉桂，腹胀若失，而目瞑时忽见一红衣人，一惊而醒，昼夜不能成寐，举家骇，以为精怪。召巫禳解，问卦则曰红日精，人皆哗然。国行独谓此证前经误汗，汗乃心之液，即神之舍也，以大剂回阳，阳回而神舍虚空，无所附丽，故瞑时所见之红人，乃心之神也，无所附丽，故见即惊醒也，何精怪之有。服当归建中汤一剂，是夜，安然无恙，后以人参养荣汤奏功。又，简兴发，捕鱼为业，嗜叶烟，日带烟具随身，每于农家烧然之灰堆吸烟，数吹数吸，被呛者屡矣，后遂得日嗜干土之疾，医药罔效。阅三年，值六月，其家有宴会，剩余肉数碗，越日生蛆，家人弃之，彼独食之，其病少瘥，月余复发，忽于途中遇国行，历陈颠末，求治。细绎之，灰堆乃伏明之火，臭恶有毒，被呛则肺受火毒，肺燥必吸胃家之津液以润之，胃家津液告竭，始借外土以自救，所以嗜土者，必是故也。教以每次食臭肉半斤，勿入盐。食二次，厥疾遂瘳。盖以肉本甘寒之味，臭则味苦，能泻肺家之火，不用盐者，恐伤肾家之精，无阴液以滋肺也。盖见解独出如此，余医案尚多，不胜录，举之以见一斑。光绪十九年卒，年六十有二。著有《莫氏医案》《河洛图说》若干卷，藏于家。子致中，光绪乙酉科举人，任中江县训导，见存。来苏采访员莫致中投稿。

[民国十年]合川县志 卷七十九，碑志。莫高山先生墓志铭。奉节举人彭聚星。莫君道生，曩与予订交京师，精鉴赏，收藏秦汉以来碑板甚富。予亦癖于金石，投契尤深，别来十余年亦。忽寓书奉其先公事状，属以铭墓之文，请不敢辞。谨按公讳国行，字高山，世居合州来苏里。曾祖永禄，祖廷庆，父衡才。公幼颖慧，不为群儿嬉，长老成，异之。先是家中不赀，经营经造，伯氏廷桢与有劳焉。昆仲四，析爨久矣。会衅迟无端，其子来伐古柏数百，章将速讼。时公年十三，出就外，传祖召之归，待其一言。公曰：今之田宅，皆伯祖赐也，何爱于一树，遽至有司之庭，纵得，直如恩谊何事，遂寝和好如初，其深识大体如此。弱冠后，溺苦于学。适婴疾，乃精研医理，尝谓：医，仁术也，理至微妙，非尽性立命，溯河洛之渊源，而又熟读《灵枢》《素问》及古今方书，不克深入堂奥，然必参之时贤，以观其通，验之阅历，以穷其变。盖药有寒热温平，病有阴阳虚实，毫厘千里。如斫轮者，不疾不徐，心手相应，虽在扁鹊仓公，且不能以传诸其子，此可以寻常拟议为哉。有问者，指画确凿，各得其义以去。以故无远近少长，求治者户外履恒满，沉疴辄愈，而与难产独有神悟，谓生育本无坏证，大抵医阶之厉，吾非有秘授，因病治病而已。尝言中国如病夫，误于庸医，欲以一二古方治之，其效可观矣，今即有海外灵药，不治犹昔，而况丧心病狂者，遍塞寰区，任斯民之憔悴，颠沛呻吟，而莫之就。惜

公九京不作，无人发其病而药之耳。莫氏由楚迁蜀，未携牒谱，公创修焉，刻刻以宗祠为念，弥留时犹谙属其子不置云。课子严，尝手书清以养德，俭以惜福二语勖之。著有《河洛图说》《医案》等书，藏于家。以光绪癸巳年九月廿四日考终里第，生于道光壬辰年十一月初四日，春秋六十有二。配易孺人，温恭淑慎，先二年卒，合葬桂花院子宅右之原。子二。致中，谱名正本，即道生，光绪乙酉科举人，中江县学训导。赠公如其官。正磬。孙四。宗敏，宗勉，宗藩，宗瑛。女二人。孙女四人。铭曰：肱经三折，为医之良，种杏成林，其道弥昌，有子而贤，义方之教，读书发闻，克举廉孝，不作俗吏，不卑冷官，凯江芹藻，悉化芝兰，满院桂香，仁人安宅，马鬣岿然，刻此贞石。

按：彭聚星（1854—1922），字云伯，一字云石，生于奉节，迁云阳西坪。清光绪戊子科（1888）举人。光绪戊戌（1898）经补考授国子监学正，旋改学录，迁学部专门司候补主事，辛亥革命后归里。工书画，为川东书法名家。

版本及存佚

《莫氏医案》为清代合州（今重庆市合川区）名医莫国行（1832—1893）所撰，约成书于清光绪年间，具体内容不详。笔者查阅《中国中医古籍总目》《新编中国中医古籍总目》《中国近代中医书刊联合目录》等，均未见著录此书，或已亡佚。

针灸真诠（清后期）佚

〔清〕李成举（玉林）撰

出典

［民国十年］合川县志　李成举。针灸真诠二册。

考略

［民国十年］合川县志　卷五十五，方术上。李成举，字玉林，州永里南漕人。以习内外医科，兼工拳法杂艺，而外科尤精，利于居市，因迁居对城之南津街。街有患恶疮者，愈治愈烂有年矣，及是濒危，仅余残喘，或荐成举视之，为割去腐肉盈掌，脓血溢盘，限日而愈，果如其言。药邦某，偶欠伸，口张不能合，莫知所为，延成举至，为以左手扶其后颈，右手撼牙腮摇之，如是数次，乘势拍合，口开闭如常。有五龄儿，失足跌地，肩骨顿挫，肿不能举，成举令以竹块夹之，而撒豆升许于地，诓使俯拾净尽，则予以钱物，左倦则易以右，右倦亦如之，日周复始，七日去夹，活动如常。知州陈琠患背痈，初起未为意，比群医束手，始礼请成举为疗治，成举针而灸之，又为汤剂内托，调剂适宜，不十日愈。琠亟称其良，赠以华扁真传金字扁一。其他类此者，指不胜屈，合州人人乃莫不知外科李成举矣。岁贡禹湛、拔萃陈蕴辉尤善之，特未一睹其武技，犹歉然也。咸丰十一年，滇匪窜境，夜攻钓鱼城，成举在城内例守垛，贼近城下，成举发石击之，连毙数贼，最后贼麇至，成举掀一垛下，用力过猛，身随垛下，贼颇有伤者，因见有人与俱坠，攒刺之，成举拳捷，跳入丛薄中，伏行以免。方其初坠也，或以告禹湛，湛谓其必无幸，深惜之。明日，贼退，成举无恙还，湛见之大喜，握其手曰：曩与惺斋共憾不见子绝技，今真见之矣，惜惺斋不在此耳。惺斋，蕴辉字也，其推重如此。成举以光绪二十一年卒，年七十余。著有《针灸真诠》二册，无卷数，藏于家。子尚滋，廪生，详士族谱。永里采访员投稿。

版本及存佚

《针灸真诠》为清代合州（今重庆市合川区）名医李成举（约 1825—1895）所撰，约成书于清光绪年间，具体内容不详。笔者查阅《中国中医古籍总目》《新编中国中医古籍总目》《中国近代中医书刊联合目录》等，均未见著录此书，或已亡佚。

医学探骊　二卷（清后期）佚

〔清〕杨进蕃（笠台、渔侪）撰

出典

［民国十年］合川县志　医学探骊二卷。杨氏家藏钞本。清杨进蕃撰。

考略

［民国十年］合川县志　卷五十五，方术上。杨进蕃，字笠台，晚年改字渔侪，州东里双凤场人。幼颖悟，能文章。同治中，应童子试，值兄文生进笏病不能入场，即代之入，榜发，列高等，当补廪，名次在后者惎之，乃不覆试而罢，时人称之补廪童生。又数年，始入州庠，为附生，年三十矣，犹汲汲谋进取，会进笏死，诸弟弱不事事，父老且瞽，事畜之，责无于贷，因辍读，主明善义塾讲席，藉修脯为资。讲授之余，颇阅《灵》《素》《伤寒》《金匮》等书，为事亲计。久之，遂有心悟，得其悬解，间为人施治，辄应手愈。以疗父目，虽不能复明，而诸病尽去，身心豁然，并其母终身无患苦，以天年终，则进蕃力也。进蕃由是以医名乡里间，间闻其声者多，舆马延请，进蕃往往谢不应，惟族戚中有密切关系者，始一往诊之。有李懋琮妻华氏及堂妹适张氏者，并中年病瘵，胁痛胀满，潮热骨蒸，眩晕惊悸，医以补中益气、调经和血等剂治之，不效。进蕃以其病为支饮，非先去水，补救无施，为投以十枣汤大剂服之，顿下，痛减神清，续服逍遥散等，月余而愈。有杨进楷妻潘氏，其族嫂也，年六十余，患时疫，医者投以清解之剂，转益壮热谵语，目赤齿黑，以大承气汤下之不动。延进蕃至，谓是积寒生热，郁久而发，势如龙雷之火在积雾中，势将烧天，雨适以益其焰，非用从治法，使太阳当空，龙雷万难退，听乃进以大剂参附汤引火归原，续以连、芩等治之，一剂而知，二剂而已。有张家骥患风热，医治之，愈八九矣，而郁闷不欲食，十余日不减，势且不支。请进蕃往视，则问原医所用方，出示之。指栀子豉汤曰：此可用。原医曰：无效也。进蕃曰：其时未至，今可矣。从之果然。森楷主讲振东时，学生患火眼，相续不绝，既半月且十人矣，始患者犹未痊可。进蕃为董事，以他故至校，学生便请治，进蕃以葛根汤予之。或

以人非一，所因当不同，何以能统治。进蕃曰：能服之，皆已。请二剂。曰：仍前方。果愈。进蕃去，复有患者，承其法，犹有效，遂相传以葛根汤为治眼主方也。森楷母刘，将七十，苦眩冒而性不喜服药，微能饮酒，森楷欲就所便适宜治之，问进蕃，教以西鹿茸末每夜饮，用铜钱撮末令满，入酒中服之，眩当止，如其言。其他类此者尚多。而进蕃性高尚雅，不欲以医自见，又习嗜阿芙蓉，不肯汇集为医案，森楷屡劝之，谦未许也。光绪二十五年卒，年五十九，今二十稔矣。其子四，皆不能读父书，张家坝之田宅，久已为他人有，就问其遗事，无能详言者，因追忆平生之言记之如此。岁月差远，强半遗忘，又不通医学，所言未必有当，知不足传斯人，读者分别观之可也。森楷自记。

按：张森楷（1858—1928），原名家楷，字元翰，后改森楷，字式卿，晚号端叟，合州人。清光绪十九年癸巳科（1893）举人。著名历史学家、教育家。曾入读成都尊经书院及锦江书院。光绪十二年（1886）返合州，掌教振东乡校。民国九年（1920），主纂《合川县志》成。

提要

［民国十年］合川县志 卷三十四，艺文二。医学探骊二卷。杨氏家藏钞本。清杨进蕃撰。进蕃事迹具本志《方术传一》。此书乃其为医以后，即所探讨阅历，而杂编为歌括论说，以传诸学侣而质之同人者。上卷为新辑伤寒大指，分太阳、少阳、阳明、太阴、少阴、厥阴六经证治，各为歌诀，以提其要，每经皆分经证、腑证、变证，说之多或二三十首，少或数首，要以说尽而止，不拘限也。又伤寒附法二十三首，本太医院院使钱乙之说，杂采双解散、防风通圣散以下至温胆汤十九方。又本张景岳法，为伤寒附法补，杂采再造散至归葛饮七方，而第二三小建中汤已见经方，则六方也，大意以为治杂病不妨采取时方。至伤寒一门，则非此方不能治此病，非此药及此分两不可名此方，不能少有迁就，特挈其要领为入门之导，再授以仲景书，便知有下手工夫矣。其附法及补则以近治四时伤寒，参用双解散及其他经验名方，往往有效，特参取之，俾学者知所变通，庶于伤寒一症，经权常变，皆有遵循，无遗法云。下卷为治瘟疫病法，有伤寒瘟疫辨、瘟疫大旨、瘟疫续论、治时疫法、六经分治瘟疫歌、厥阴发瘢歌、内伤寒歌、寒疫歌及大头、麻脚、痰疫、黄耳、晚发证、赤肠、衄血、吐血及其他变证等歌，凡数十首，井井有条，若指诸掌。固其用力至深，探口而出，头头是道，亦本诸生，家有文学名，故能自摅所见，无不达之隐也。唯森楷素不知医，亦未涉猎医书，不知其所说瘟疫来路两条、去路三条、治法五条，瘟疫有三种论，及予治瘟疫衄血用火纸水熨之法，为即出自进蕃，

为采自他书耳。若瘟疫病十传治法，明言出吴又可，则固无疑义矣。

版本及存佚

《医学探骊》为清代合州（今重庆市合川区）名医杨进蕃（1841—1899）所撰，约成书于清光绪年间，笔者查阅《中国中医古籍总目》《新编中国中医古籍总目》《中国近代中医书刊联合目录》等，均未见著录此书，或已亡佚。

伤寒论翼评语　一卷
伤寒附翼评语　一卷（清后期）佚

〔清〕柯琴（韵伯）原撰　章汝鼎（玉田）评

出典

［民国十年］合川县志　伤寒论翼评语一卷、伤寒附翼评语一卷。原刻本。伤寒论翼，伤寒附翼。清柯琴原著，章汝鼎评。

考略

［民国十年］合川县志　卷五十五，方术上。章汝鼎，字玉田，州永里南津街人。性刚方，言动必以礼，有古人风概。初应童子试，不利，念终无以益于人，乃遁而学医。医固其祖、若父世业也，虽不及亲授受，而藏书满家，几于应有尽有。汝鼎尽发而读之，考究钻研，颇窥窔要，间有疑义，则就里中老医朱正立、徐回春等，相与讲明切磋，由是所诣益进。偶为人施治，亦著手成春，无夭枉者，汝鼎益自喜。复深求医学之原于《甲乙针经》，确见古人治疾，祝由而已，其后乃有针灸，其后乃有汤药，今人但知汤药，不知针灸，何论祝由，已为不能推见本始，况于汤药亦无所解。汉晋而下，歧之中又有歧焉，费日费人，徒滋诟病，固不如还原返本，于汤药外求之，祝由虽无正传，针灸尚有遗则，因拟《针灸大法》数则而为文，以发挥之。曰：余考古治疾，无内外，皆刀、针、砭、刺、蒸、灸、熨、洗诸法并用，不专主于汤液一端。今诸法失传，而专责之汤液，故有邪气隐伏于经络之间，而发为痈疽也。夫用药如用兵，若为将者奉命伐暴，废其纪律，不以摧坚破贼为己任，徒从事于文檄簿书之间，虚应故事，以待贼之自毙，养奸玩寇，滋蔓难图，至使与国俱亡而后已，是尚有为将之道乎。乃医者治痈疽，弃其刀针，不以决去脓腐为急务，徒从事于方剂汤药之间，以待疽之自溃，因循姑息，养痈贻患，至使与身俱亡而后已，则失其为医之道不待决也。洄溪论外科曰：手法必求传授，穴道定要亲指。此言是已。但颖悟者自能心得，否则虽授无益也。夫医之有《灵枢》《素问》《伤寒》，犹儒之有六经。和、缓、庆、意诸大家，皆能窥见奥微，吻合经旨，故其

书虽传自《内经》，而不列于学官，儒者斥为小道，缙绅家鲜称述之。一二粗工，不过以得方书之糟粕，自鸣绝技。故世人不死于病，而死于医，不死于医，而死于圣经之不讲求也。余家业医数世，略见大意，聊次其所知，即素所闻见者，叙录是篇。今针灸诸法不行久矣，医者弃难而就易，病者畏痛而苟安，亦由今时之风气尚虚声，喜浮誉，循名而不责实，世道之所以愈趋而愈下者，时也，势也。秦缓曰：药之不达，针之不及。仲景治伤寒，用麻、桂以发汗，其汗之不彻者，有刺风池、风府之法，以通阳而代汗。今人谓麻、桂不可用而禁之，又谤刺法为泄气，以致留邪不去，发为遗毒。夫古人治病之法，针灸为先，《灵》《素》所论，皆为针灸而设。即治伤寒，亦皆用针，《刺热病篇》是也。至仲景以汤剂治伤寒，尤为变化神妙，然亦有汤剂所不能愈而必用刺者。如史传所载，虽帝王将相之病，而用刀针者，不胜偻指，试问今日遇之，尚敢出诸口乎。故曰：时也，势也。可见在昔，内证尚须外治，今疡科转以汤液治外疾，藉言补托，迁延时日，轻浅者靡帑劳师，深久者溃败决裂，或死无敛具，或残体破家。医者自谓谨慎，而不知杀人无迹，病者乐于苟安，而至死不悟。此即子产所谓水软弱，民狎而玩之，则多死也，不意于医道亦然，可不哀哉。彼医岂设心欲杀人耶，实由不能辨其为脓、为血也。亦有能辨之，而故缓之以敛财。亦有不能用刀针，仅藉汤液数方，貌为爱护之言，以愚病家，反訾刀针为险事，而自护其短，指蒸脓、发热为内病，指重证为死证，果死也，可以显我之有先见，幸而不死，又可邀功而索谢。吾谁欺，欺天乎。古人有戒用刀针之说者，盖谓脓未成而戒其早用，非一概戒之也。然则决不可服药乎？曰：始则不外，汗之则疮已。若疮家不可发汗，指既成而言也，亦非一概戒之也。善后不外理脾胃，数法之外，不必他求矣。外证初起，由于湿热内蕴，或痰饮留滞，以致气壅血凝者多，此宜疏通清化为先，汗之则疮已，特为外感不净而发者言也。是故《抱朴子》有云：播种有不收者矣，而稼穑不可废；仁义有遇祸者矣，而行业不可堕。儒者虽多贫困，而坟典不可谓非进德之具也；扁鹊虽不长生，而针砭不可谓非活命之器也，诚哉是言也。有志斯道者，岂可弃针灸而专主乎汤液哉，故余录是篇以寿斯民，以贻后世，虽不敢自谓有得，亦足补活人之万一矣。其法不知果可用否，其言则固原原本本，非俗医所能见及也。又著有《经带种胎论》。以经为天一之水，与血不同，既取证于天癸之名义，又参证于产后化乳而色白为非血之征。颇有见解，文繁不录。举人张中榜、张正仑，皆与为道义交，甚知重之。光绪二十六年卒，年七十二。汝鼎为人，慷慨好义，有贫苦延医者，必先往，而不受其谢，或转以药资助之。南津街初创义渡，汝鼎已投资，犹嫌微少，更代募若干金，卒底于成。将殁之先一时，呼子树勋于堂前而谓之曰：万般皆下品，惟有积善高，汝其勉之，相偏相偏。语毕而逝。相偏者，州人土语，相别之词，犹偏劳意也。亦可谓明于生死去来之故矣。其生平著书无几，大略已具篇中，惟《针灸大法》未见。别有《批点伤寒论翼》《伤寒附翼》存家。兴里采访员投稿。

提要

［民国十年］合川县志 卷三十四，艺文二。伤寒论翼评语一卷、伤寒附翼评语一卷。原刻本。《伤寒论翼》《伤寒附翼》，清柯琴原著。章汝鼎评。汝鼎事迹具本志《方术传》中。此书为读柯琴书，而不得其宗旨者说法，故不专为诠释字句，特于其关键处，指明窔要，使读者有悟入处，又恐人记忆不清，虽明其理仍不得其用，更屡叮咛及之。卷端更附以己所著《针灸大法》。首为太乙神针法，次为用针手术，次为月之各日人身不宜针灸处，次指示面背各穴而绘图以明之。殆欲公其道于世，不第附骥益彰而已。

版本及存佚

《伤寒论翼评语》《伤寒附翼评语》为清代合州（今重庆市合川区）名医章汝鼎（1829—1900）据慈溪名医柯琴（约1662—1735）所撰《伤寒论翼》《伤寒附翼》两书评注增补而成，约成书于清光绪年间。民国时期，该书尚有章氏原刻本存世，具体内容不详。笔者查阅《中国中医古籍总目》《新编中国中医古籍总目》《中国近代中医书刊联合目录》等，均未见著录此书，或已亡佚。

针灸大法 （清后期） 佚

〔清〕章汝鼎（玉田）撰

出典

[民国十年] 合川县志 章汝鼎。针灸大法。

考略

参见“伤寒论翼评语一卷、伤寒附翼评语一卷”条。

提要

[民国十年] 合川县志 卷三十四，艺文二。卷端更附以己所著《针灸大法》。首为太乙神针法，次为用针手术，次为月之各日人身不宜针灸处，次指示面背各穴而绘图以明之。

序跋

参见“伤寒论翼评语一卷、伤寒附翼评语一卷”条。

版本及存佚

《针灸大法》为清代合州（今重庆市合川区）名医章汝鼎（1829—1900）所撰，约成书于清光绪年间。该书成书后曾附于章汝鼎《伤寒论翼评语》《伤寒附翼评语》卷端，以刻本形式流传。笔者查阅《中国中医古籍总目》《新编中国中医古籍总目》《中国近代中医书刊联合目录》等，均未见著录此书，或已亡佚。

经带种胎论（清后期）佚

〔清〕章汝鼎（玉田）撰

出典

［民国十年］合川县志　章汝鼎。经带种胎论。

考略

参见“伤寒论翼评语一卷、伤寒附翼评语一卷”条。

提要

［民国十年］合川县志　卷五十五，方术上。又著有《经带种胎论》。以经为天一之水，与血不同，既取证于天癸之名义，又参证于产后化乳而色白为非血之征。颇有见解，文繁不录。

版本及存佚

《经带种胎论》为清代合州（今重庆市合川区）名医章汝鼎（1829—1900）所撰，约成书于清光绪年间。笔者查阅《中国中医古籍总目》《新编中国中医古籍总目》《中国近代中医书刊联合目录》等，均未见著录此书，或已亡佚。

长沙串注方歌　二卷（清后期）佚

〔清〕邓德敏（惠先）撰

出典

［民国十年］合川县志　长沙串注方歌二卷。邓氏原刻本。清邓德敏撰。

考略

［民国十年］合川县志　卷三十四，艺文二。长沙串注方歌二卷。邓氏原刻本。清邓德敏撰。德敏字惠先，本江北人。其父化南，来合贸药肆，因留居焉。德敏承其业亦知医，遍读《灵》《素》《难经》等书，特服膺于《伤寒》《金匮》，尤以长乐陈氏所著二书《浅注》为简切详明，能窥长沙之阃奥，微惜其不便记诵，特作此书，使初学读之，易于上口。自序称，熟习此歌后，再读陈氏书原注，再读张氏原文。则德敏亦非以医之道，得此歌即可自足。而戴美渠序推崇过甚，则善善从长意耳。其用韵缠复舛误，凡例亦自言之不足讥也。

按：戴美渠，合州人。工诗词，有四言诗《咏鱼城烟雨》存世。

版本及存佚

《长沙串注方歌》为清代合州（今重庆市合川区）名医邓德敏所撰，约成书于清光绪年间。民国时期，该书尚有邓氏原刻本存世，具体内容不详。笔者查阅《中国中医古籍总目》《新编中国中医古籍总目》《中国近代中医书刊联合目录》等，均未见著录此书，或已亡佚。

肠痈方（清后期）佚

〔清〕江世铭（芸圃）撰

出典

［民国十三年］江津县志 江世铭。肠痈方。

考略

［民国十三年］江津县志 卷十五，杂志，方伎。江世铭，字芸圃，文学士也。患足疾，究医精研数十年，出其心得，创立《肠痈方》，邑人顾善徵刊刻行世。其他红喉药、白喉药尤效。晚年著《临症偶得》一书，惜兵燹丧矣。

按：江世铭生卒年无考。笔者查清光绪元年（1875）《江津县志》，未见江世铭相关记载。故《肠痈方》《临症偶得》两书，暂予收录，以待后考。

版本及存佚

《肠痈方》为清代江津名医江世铭所撰，成书年代及具体内容不详，该书成书后曾经邑人顾善徵刊刻行世。笔者查阅《中国中医古籍总目》《新编中国中医古籍总目》《中国近代中医书刊联合目录》等，均未见著录此书，或已亡佚。

临症偶得（清后期）佚

〔清〕江世铭（芸圃）撰

出典

［民国十三年］江津县志　江世铭。临症偶得。

考略

参见“肠痈方”条。

版本及存佚

《临症偶得》为清代江津名医江世铭所撰，成书年代及具体内容不详。笔者查阅《中国中医古籍总目》《新编中国中医古籍总目》《中国近代中医书刊联合目录》等，均未见著录此书，或已亡佚。

四诊新解 一卷（清后期） 佚

〔清〕龙景云撰

出典

［民国十五年］南川县志 龙景云。四诊新解一卷。

考略

［民国十五年］南川县志 卷十一，人物志，谱。著述。龙景云，西路太平场人。十余岁弃儒，业专研医理、地理，各有心得。断人生死吉凶，常常应验。著《四诊新解》一卷，明望闻问切之要，知医者谓其纯从《灵》《素》《难经》揣摩而得，简明精透，诊病家正法眼藏也，惜未梓。为人老成良善，管地方日久，以公直著，乡人至今称之。

按： 龙景云生卒年无考。笔者查清光绪二年（1876）《南川县志》，未见龙景云相关记载。故《四诊新解》一书，暂予收录，以待后考。

版本及存佚

《四诊新解》为清代南川名医龙景云所撰，成书年代及具体内容不详。笔者查阅《中国中医古籍总目》《新编中国中医古籍总目》《中国近代中医书刊联合目录》等，均未见著录此书，或已亡佚。

论生理学（清中期）佚

〔清〕潘廷彦（醒园）撰

出典

［民国十七年］涪陵县续修涪州志 潘廷彦。四五册论生理学。

考略

［民国十七年］涪陵县续修涪州志 卷十四，人物志，仕进。潘廷彦，历任南江、蓬州、新繁、城口训导。卷十七，人物志，方技。潘廷彦，字醒园。鸣谦季子，州名士也，书画品格俱高。生于析产之后，两同母兄各千石，醒园仅得养膳所遣四百石，母周孺人命两兄各补以二百石，醒园不受。官训导，不取重贽于新生，贫者或赠以衣冠。生子连夭，妻成氏有三女，卖田遣嫁，坐是中落，以医为生，能得法外意，名重一时。手书四、五册《论生理学》，不知是否自撰，为张贡琳所得。卷十七，人物志，方技。张贡琳，武生。其兄明轩孝廉设帐，潘醒园之子往肄业，问知有手书秘本，借阅不还，遂以医得名，亦多能活人。

按：潘廷彦生卒年不详。兹考张贡琳得潘廷彦《论生理学》后以医名，同邑名医覃绶丞复受业于张贡琳。又考潘廷彦之父潘鸣谦为乾隆癸酉科（1753）举人，曾先后任福建福鼎、侯官、龙溪等县知事，乾隆四十四年（1779）升龙岩直隶州知州，后署漳州府知府。

《论生理学》一书，经查《中国中医古籍总目》未见著录。又《生理学》一书，《总目》著录有二，一为上海秦伯未所撰，一为番禺章启祥所撰，均为民国时期著作。其余如时逸人《生理学讲义》、包识生《中医生理学》等，亦多为民国时期著作，而潘廷彦为清代名医，自无抄仿之嫌。

版本及存佚

《论生理学》为清代涪州（今重庆市涪陵区）名医潘廷彦所撰，约成书于清嘉庆道光间，具体内容不详。该书成书后藏于潘氏家中，后经潘氏之子借予同邑张贡琳。笔者查阅《中国中医古籍总目》《新编中国中医古籍总目》《中国近代中医书刊联合目录》等，均未见著录此书，或已亡佚。

邹氏医案（清后期）佚

〔清〕邹棉（敬轩、荫轩）撰

出典

［民国十七年］涪陵县续修涪州志 邹棉。医案。

考略

［民国十七年］涪陵县续修涪州志 卷十二，人物志，笃行。邹棉，号荫轩。性友爱，精岐黄术。仲兄枚夫妇殁，任丧葬费无吝色。长兄枏殁于京邸，回籍侄辈几不能自存，棉分所有以济，兼教诲之。侄轼任雅安训导。卷十七，人物志，方技。邹棉，字敬轩。庠生。于岐黄之学独多心得，所处方剂莫不奇效。著有《医案》一书，惜散失不传。

按：邹枏，涪州人，为邹棉长兄。清嘉庆丁丑科（1817）进士，殿试后着以内阁中书用。

邹棉生卒年不详。兹考其孙邹增祜生于清咸丰七年（1857），为光绪乙未科（1895）进士。故《邹氏医案》成书，应不出清代，予以著录。

版本及存佚

《邹氏医案》为清代涪州（今重庆市涪陵区）名医邹棉所撰，约成书于清后期，具体内容不详。笔者查阅《中国中医古籍总目》《新编中国中医古籍总目》《中国近代中医书刊联合目录》等，均未见著录此书，或已亡佚。

医学丛钞（清后期）佚

〔清〕邹增祜（受丞）撰

出典

［民国十七年］涪陵县续修涪州志 医学丛钞。邹增祜撰。

考略

［民国十七年］涪陵县续修涪州志 卷十，选举志。贡举表。进士。光绪辛卯，邹增祜。卷十三，人物志，文苑。邹增祜，字受丞。以即用知县分发广东，升任嘉应直隶州知州，加知府衔。两次奏保循良，传旨嘉奖。生平研精汉学，淹通经史，词章典雅，诗文皆有师法，不同凡响。晚年尤长于医学，盖名医棉之孙也。著有《天风海水楼诗文集》《蕙言》等书。与堂兄增吉齐名。卷十九，艺文志，存目。《医学丛钞》，邹增祜撰。

按：邹增祜为清光绪乙未科（1895）三甲第八十四名进士。《医学丛钞》成书时间不详。兹考《涪陵县续修涪州志》卷首“凡例”称该书内容“断自宣统三年”，故予以收录，以待后考。

版本及存佚

《医学丛钞》为清代涪州（今重庆市涪陵区）进士邹增祜（约1858—1910）所撰，成书年代及具体内容不详。笔者查阅《中国中医古籍总目》《新编中国中医古籍总目》《中国近代中医书刊联合目录》等，均未见著录此书，或已佚。